Bête noire

GILLES ROYAL

Bête noire

roman

Guy Saint-Jean
ÉDITEUR

Catalogage avant publication de Bibliothèque et Archives nationales du Québec et Bibliothèque et Archives Canada

Royal, Gilles, 1947-
Bête noire
ISBN 978-2-89455-280-3
I. Titre.
PS8635.O953B47 2008   C843'.6   C2008-940727-X
PS9635.O953B47 2008

Nous reconnaissons l'aide financière du gouvernement du Canada par l'entremise du Programme d'Aide au Développement de l'Industrie de l'Édition (PADIÉ) ainsi que celle de la SODEC pour nos activités d'édition. Nous remercions le Conseil des Arts du Canada de l'aide accordée à notre programme de publication.

 Patrimoine canadien   Canadian Heritage   Canadä   Conseil des Arts du Canada   Canada Council for the Arts   SODEC Québec

Gouvernement du Québec — Programme de crédit d'impôt pour l'édition de livres — Gestion SODEC

© Guy Saint-Jean Éditeur inc. 2008
Conception graphique : Christiane Séguin
Révision : Hélène Bard

Dépôt légal — Bibliothèque et Archives nationales du Québec, Bibliothèque et Archives Canada, 2008
ISBN : 978-2-89455-280-3

Distribution et diffusion
Amérique : Prologue
France : De Borée
Belgique : La Caravelle S.A.
Suisse : Transat S.A.

Guy Saint-Jean Éditeur inc.
3154, boul. Industriel, Laval (Québec) Canada. H7L 4P7. (450) 663-1777.
Courriel : info@saint-jeanediteur.com • Web : www.saint-jeanediteur.com

Guy Saint-Jean Éditeur France
30-32, rue de Lappe, 75011, Paris, France. 09.50.76.40.28
Courriel : gsj.editeur@free.fr

Imprimé et relié au Canada

*À mon père Jean
et à l'ami Pierre Côté,
décédés du cancer.*

« Entre tous mes tourments entre la mort et moi
Entre mon désespoir et la raison de vivre
Il y a l'injustice et ce malheur des hommes
Que je ne peux admettre il y a ma colère. »

PAUL ÉLUARD, *Dit de la force et de l'amour*

Prologue

Il y a toujours un moment de flottement à la fin d'un spectacle, comparable à l'instant du réveil lorsque l'on tente de ramener des fragments de rêve à la conscience, des souvenirs de formes entrevues et des échos de la nuit. La dernière chanson terminée, après les applaudissements, le temps resta suspendu dans la salle du bar Le Verre Bouteille. Comme s'il hésitait entre avance et recul rapide. Retour à l'envoûtement de cette dernière chanson qui semblait encore résonner dans la salle ? Ou saut brutal et contact avec la réalité ? Quelqu'un a pressé une touche invisible. On entendit d'abord le bruit d'une porte de frigo qui claque, puis des rires, des bribes de conversation et le tintement des verres que l'on retire du vieux lave-vaisselle. Mais tout semblait se dérouler dans un climat de torpeur, comme si le son avait de la difficulté à occuper l'espace. Jusqu'à ce que l'un des serveurs s'active sur le iPod du bar. On entendit alors Jane Birkin chanter *La Javanaise*. « J'avoue, j'en ai bavé, pas vous, mon amour ? Avant d'avoir eu vent de vous, mon amour. »

Ordinairement posté au bar, tout près de la caisse enregistreuse, Christian Lemieux était un habitué de l'endroit. De là, il pouvait se mêler aux conversations des employés et à celles d'un groupe de copains. Mais ce soir-là, il était exceptionnellement assis au fond de la salle, seul, tout près de la grande table de billard qui avait servi de support à la console de son. Il était entouré de nombreuses caisses noires cerclées d'acier, entassées pêle-mêle, et plusieurs fils couraient à ses pieds. Immobile, il semblait absorbé dans une profonde rêverie, mais il ne perdait rien de ce qui se passait autour de lui. Cette attitude de lézard, c'était plus qu'une déformation professionnelle chez lui. C'était son mode de vie.

Formé à la section des filatures du Service de la police de Montréal, il était rompu aux techniques de surveillance sur le terrain. Il avait développé une grande aptitude à déchiffrer les moindres signes visuels ou sonores, à capter le plus petit murmure, à saisir le plus imperceptible mouvement des lèvres. Pour deviner les astuces, les mots de passe et les codes des conversations secrètes, il avait une habileté qui confondait les experts. Il était passionné par ce travail lié aux renseignements, qui faisait de lui une sorte d'antenne humaine. Après cinq ans d'apprentissage, il était passé au service des enquêtes, où il était devenu un inspecteur aguerri et respecté. On disait de lui qu'il était capable de passer entre la peinture et le mur, sans faire la moindre cloque. Mais pourquoi avait-il délaissé cette carrière et opté pour la pratique privée, il y a plus de vingt ans déjà ?

Le détective privé observait notamment un jeune serveur, blondinet, dans la trentaine, qui toisait avec mépris la foule quittant la salle. Christian Lemieux comprenait tout ce que disait le barman, lisant sur les lèvres, même à distance. Il s'amusait à ce jeu de devinettes. Le garçon monologuait à voix basse, s'adressant indirectement à quelques consommateurs assis près des pompes à bière. Il maugréait contre les spectateurs qui n'avaient bu que des jus de fruits ou de l'eau Perrier. Il pestait contre cette foule trop dense qui l'avait empêché de circuler entre les tables et, surtout, contre la maigreur des pourboires. Lemieux gobait chaque parole comme un reptile attrape des fourmis.

Lemieux porta alors son attention vers la salle. Il était surpris par la rapidité avec laquelle les techniciens démontaient et emportaient les accessoires de scène, comme s'ils voulaient effacer toute trace du spectacle. Il aurait préféré rester dans l'ambiance magique des chansons. Tout se défaisait trop vite à son gré. Il remarqua avec quelle attention ces professionnels détachaient les micros de leur support. Ils les tenaient comme des objets précieux et les déposaient délicatement dans des boîtiers de velours, comme s'ils étaient encore chargés de paroles. « Les micros, se dit-il, sont vivants. » Christian Lemieux savait quel pouvoir ils avaient.

Il était entré au service de la police en 1976, à vingt-deux ans, à l'époque de la célèbre enquête CECO sur les activités du crime organisé montréalais. Le banditisme entrait alors en phase de mondialisation. En réponse, les enquêtes policières, notamment les opérations de filature et d'écoute électronique, connaissaient une formidable expansion au Canada et aux États-Unis. Dès ses débuts dans la police, Lemieux avait participé à de vastes opérations de surveillance. La section de l'écoute électronique poursuivait un travail de sape méthodique et constituait une banque de renseignements sur les activités mafieuses. Le milieu interlope italien était aux abois, agité par des règlements de comptes et des assassinats.

Dans ces opérations d'écoute, ce qui importait le plus était de protéger les fameux micros et les enregistreuses Nagra auxquelles ils étaient reliés. On était loin des technologies à distance, au laser et à la fibre optique. Les systèmes d'enregistrement traditionnels étaient cependant le nerf de la guerre; ils étaient même plus importants que les hommes. Pour un policier, le danger était de voir sa couverture mise à jour, de se faire brûler, comme on dit dans le jargon. Dans ce cas, la priorité était de sauver les résultats de l'écoute et de la surveillance, et d'effacer toute trace. Christian avait lui-même constaté amèrement que les individus avaient peu de poids dans cette guerre de renseignements. Un jour, on lui avait donné comme mission de se glisser dans le faux plafond d'un bar fréquenté par la mafia. Il devait y effectuer une écoute clandestine, doublée d'un enregistrement photographique, pendant une soirée. La réunion des chefs mafieux s'était cependant prolongée plus de quarante-huit heures. Les bandits voulaient déjouer la surveillance. Ils dormaient et mangeaient sur les lieux, reprenant sans avertissement leurs discussions, à tout moment du jour ou de la nuit. Lemieux avait ainsi été confiné pendant plus de deux jours, sans aucun contact ou secours. Il avait eu l'impression d'être coincé entre l'administration policière et l'organisation criminelle, comme un morceau de fromage qui sèche sur un piège à souris oublié au grenier.

Cette impression ne se dissipa jamais, même des années plus tard, quand il fut promu au service des enquêtes et qu'il devint un expert en affaires criminelles.

Au bar, c'était maintenant l'heure des *shooters* que les habitués s'envoyaient en rafale. Christian Lemieux demeurait apparemment indifférent à l'agitation, comme une espèce de motard zen. Sa tête rasée, en boule de billard, et sa figure ronde aux lèvres charnues accentuaient cette apparence. Âgé de cinquante-deux ans, Lemieux avait pris lentement l'allure d'un batteur de groupe rock converti au bouddhisme. Le détective accusait un début d'embonpoint, dû à son amour pour la bière et à ses activités trop sédentaires. Malgré cet excès de poids, il respirait la force tranquille. De taille moyenne, costaud, il aimait intimider les nouveaux venus en prenant une mine renfrognée. Ce soirlà, il était vêtu d'un chandail noir, d'une veste de même couleur sans manches avec de multiples poches et d'un jean, à la mode des motards. Un spectaculaire tatouage représentant un mandala, sur son biceps gauche, ajoutait encore à son image de dur à cuire.

Il observait toujours le démontage de la scène. Celle-ci avait été dressée près de l'entrée, à l'autre extrémité de la salle. Elle était adossée aux hautes fenêtres de la vitrine, masquées pour l'occasion par une lourde tenture noire. Le détective sursauta quand le lourd rideau fut brusquement tiré, révélant l'avenue du Mont-Royal, la nuit. De l'autre côté de la rue, l'enseigne du magasin situé en face du bar s'inscrivit ironiquement dans sa tête : Dollarmania.

Chapitre 1

« Que voy a hacer, je ne sais pas
Que voy a hacer, je ne sais plus
Que voy a hacer, je suis perdu »
Manu Chao, *Me gustas tu*

(Que vais-je faire, je ne sais pas
Que vais-je faire, je ne sais plus
Que vais-je faire, je suis perdu)

Quand Lemieux appuya sur la pédale de démarrage de sa Enfield, un son enivrant s'éleva du moteur, un bruit rond, riche et puissant qui lui alla droit au cœur. Il l'avait démarré pour le simple plaisir de l'entendre rugir dans l'antre de son garage. Il l'éteignit à regret. Le détective vouait une véritable passion à ses deux motos. Il possédait une Honda légère, pratique pour circuler en ville, et son bijou, un engin unique, mais capricieux. C'était une Royal Enfield, une moto anglaise de collection, réplique du modèle 1955, fabriquée en 1995, dont il n'y avait que deux exemplaires au Québec. La mécanique délicate du moteur de 500 cm^3 tombait souvent en panne, et les pièces étaient introuvables à Montréal. Lemieux devait alors les chercher sur Internet, les commander à gros prix auprès de spécialistes aux États-Unis et les attendre pendant des semaines.

À chacune de ses sorties, des passants l'arrêtaient pour le questionner au sujet de sa Enfield. Il répondait de bonne grâce. Puis, il enfilait son casque lentement et regardait autour de lui d'un air faussement menaçant, fier de l'effet produit. Puis, il filait. Mais ce ne serait pas le cas aujourd'hui. Par cette journée caniculaire — c'était pourtant en septembre —, il aurait tout donné pour partir en balade à la campagne. Mais une rencontre était prévue. Elle durerait deux ou trois heures, ce qui l'empêchait de partir pour une longue randonnée. Il opta donc pour la Honda.

Il avait accepté ce rendez-vous avec un particulier parce que les affaires commerciales de son agence de détective avaient pris une vilaine tournure ces derniers mois. Sur le plan professionnel, il était coincé. Les bons contrats et les grosses affaires se faisaient rares. Les projets les plus payants, notamment les cas de filature de dirigeants ou de fraude commerciale, ainsi que les enquêtes de préemploi ou de délinquance au travail, lui échappaient. Ses contacts se raréfiaient. Qui se rappelait aujourd'hui l'enquêteur surdoué ? Le plus pénible, c'était de voir les acquis de ses dix ans dans la police et de ses vingt ans en pratique privée gommés peu à peu du tableau. Comme si on le poussait lentement hors de la scène. Bien sûr, il n'avait pas encore de site Internet et il n'utilisait pas de l'équipement de pointe. Il subissait avec angoisse l'apparition de tous ces signes de vieillissement.

Son bureau, il l'avait lancé parce qu'il ne pouvait plus supporter les magouilles au sein de l'organisation de la police. Après dix ans de service, il était pourtant promis aux plus hauts échelons. Mais à la vue de ses supérieurs qui fermaient les yeux sur les interventions politiques, le profilage ethnique, la répression de la prostitution, il s'était révolté. C'était par amour du métier qu'il avait préféré rouler en solo. Il pouvait ainsi se consacrer à faire du travail d'enquête, un ouvrage artisanal, mais propre. Il l'avait fait par respect pour lui-même. Il n'avait pas l'intention d'être un candidat au suicide comme de nombreux autres collègues.

Lors de tests psychométriques effectués au service de la police, le psychologue l'avait invité à réfléchir sur la notion de classe, de structure sociale et de relations de pouvoir. Le spécialiste lui avait dit : « Je crois que vous développez un conflit de classe. » Lemieux y voyait beaucoup plus une question d'intégrité.

Il menait ses enquêtes avec le soin et la passion qu'il mettait à régler sa moto. Il était particulièrement fier d'un cas d'enlèvement d'enfant qu'il avait récemment résolu. C'était l'histoire classique du père désespéré qui enlève sa fille et qui part en cavale. Lemieux avait réussi à régler l'affaire à sa manière, sans spectacle, loin des caméras. Cela s'était fait selon sa méthode préférée, de personne à personne, discrètement. Le détective redoutait les effets du déploiement des corps policiers et, surtout, du battage des médias. Lemieux avait tout mis en œuvre pour soustraire le père et l'enfant aux feux des projecteurs. Il avait été facile d'identifier la cachette des fuyards par les recoupements des conversations avec les proches. Il avait été aisé de les repérer, de les observer et, même, de les rencontrer. Mais ce qui restait à faire était beaucoup plus délicat. L'écoute et l'intelligence prennent un autre sens dans ce genre de cas. Qui comprendrait leur peine ? Qui écouterait leur désarroi ? Sûrement pas un micro-émetteur à quartz ou une horde d'antennes paraboliques.

Lemieux ne comprenait pas qu'on fasse si peu appel à lui malgré de tels succès. Était-il trop coûteux et trop expérimenté ? Ou moins performant et moins habile ? Face au déclin de ses affaires, il se sentait de plus en plus vulnérable. Son sentiment d'insécurité devenait parfois intolérable. Tout cela était peut-être le résultat de son individualisme excessif. Il avait voulu faire à sa tête, échapper à la hiérarchie et vivre en marge des grandes organisations. Pas étonnant qu'il soit mis de côté à présent. Il retournait sa colère contre la société, trop centrée sur la jeunesse. Il vivait difficilement cette mise au rancart progressive alors qu'il était au début de la cinquantaine. Pourtant, ce n'était pas le cas de tout le monde. Des policiers de son âge, son meilleur ami et ancien partenaire, par exemple, continuaient de travailler et seraient admissibles, un jour, à une retraite confortable. Lui, il s'enlisait. Lemieux avait tenté de déjouer le système; celui-ci prenait sa revanche. Il n'avait jamais prêté serment d'allégeance et il en payait le prix.

Ce n'est qu'au volant de sa moto qu'il retrouva un peu de sérénité. Lemieux fila rapidement vers le centre-ville, plus soucieux d'abréger la rencontre que de décrocher réellement un contrat.

— Est-ce que vous parlez l'espagnol ?

Lemieux hocha la tête et regarda l'homme assis en face de lui. Il avait l'impression d'avoir affaire à un vieux professeur intransigeant ou à un critique littéraire aigri. L'homme portait une écharpe de soie au cou, ce qui lui conférait toutefois une certaine élégance, style vieille France.

— *Si*, dit Lemieux, pour toute réponse.

— Parlez-moi un peu de vous…

— Trente ans d'expérience dans le domaine des enquêtes privées.

— L'expérience, c'est quoi pour vous ?

— C'est de savoir qu'on peut faire le travail. Je ne suis pas le seul sur le marché, mais je suis l'un des bons.

La réputation de Lemieux avait toujours été excellente dans le milieu. Dans ses bonnes années, il obtenait ses nombreux mandats par contact personnel, un client en amenant

rapidement un autre. Le problème, c'est que la roue tournait maintenant en sens inverse.

— Avez-vous des exemples de votre travail ?

— C'est confidentiel. D'ailleurs, chaque cas est tellement
différent ! En gros, je fais de l'investigation pour des individus ou des entreprises.

— Quelle garantie de résultats offrez-vous ?

— Pas de garantie. Ni de remboursement. Mais je m'en-
gage à fond dans chaque affaire.

— Ouais... Et vous n'aimez pas les interrogatoires.

Lemieux écoutait la respiration sifflante et oppressée de
son interlocuteur. Quoiqu'il ait espéré que la rencontre soit
brève, il ne s'attendait pas à tant de laconisme de part et
d'autre. Les courtes questions étaient posées d'une voix
caverneuse, rauque et étouffée. Le visage boursouflé, la
peau rougie et les joues marquées de profondes traces
d'acné, l'homme qui était devant lui avait de la difficulté à
s'exprimer. Il parlait en avançant la tête, le dos voûté, en
faisant un effort pour faire jaillir les paroles de sa bouche,
comme s'il tentait de les cracher sur la table. Christian se
sentit obligé d'ajouter quelque chose pour chasser le malaise
qui s'installait. Il se mit à raconter ceci :

— Oui, j'ai appris l'espagnol en travaillant à l'étranger
comme chauffeur, au Mexique et en Argentine. J'en ai une
excellente compréhension. Mais je fréquentais plus les bars
et les garages que les musées et les églises. J'ai appris au contact des petites gens. Je ne peux pas vous citer du Cervantès,
mais... L'homme lui coupa la parole.

— J'ai un travail à vous confier, une mission.

L'homme se rapprocha davantage de Lemieux qui
réprima un mouvement de recul.

Ils étaient attablés tout au fond de la salle d'un petit bistro italien du centre-ville, Ferrari, qui fleurait les arômes d'une cuisine traditionnelle. Le patron du restaurant s'approcha, interrompant la conversation. C'était un Italien débonnaire, à l'abondante chevelure grisonnante, à l'air charmant et séducteur. Il semblait bien connaître celui qui était en compagnie de Lemieux. Le patron mit amicalement une main sur l'épaule de l'homme, tout en posant devant lui un bol de potage sur la table. « Je l'ai passé trois fois au mélangeur, dit le patron, j'espère que ça va aller. » Il prit place sur la banquette aux côtés de l'étrange personnage. Celui-ci accueillit le tenancier d'un vague signe de tête, l'air contrarié. Il tenta de goûter le potage. Lemieux remarqua que l'homme serrait sa serviette de table à s'en blanchir les jointures. Il le vit enfiler en tremblant une première cuiller de potage. Une partie du liquide lui coula sur le menton. À la deuxième cuiller, l'homme s'étouffa. Il ne parvenait pas à déglutir. Un filet de potage coula de son nez. « Ça ne passe pas », dit-il, en crachant et en toussant. Il repoussa brusquement le bol de la main. En hoquetant, il s'essuya avec des gestes saccadés et imprécis.

Le patron était consterné. Un véritable chagrin se lisait sur son visage. Il répétait qu'il avait pourtant réduit le mélange en liquide. Il battit en retraite et quitta la table d'un air désolé, tout en maugréant et en pestant à mi-voix. En s'essuyant la bouche, l'homme avait fait glisser involontairement l'écharpe qu'il portait, découvrant ainsi sa gorge. Lemieux vit alors un énorme renflement, une bosse veinée qui déformait complètement le côté gauche de sa gorge.

— J'ai un projet à vous confier, reprit-il.

C'est maintenant Lemieux qui se rapprochait de lui pour mieux entendre le filet de voix éraillée.

— Prenez votre temps.

La remarque irrita l'éventuel client qui poursuivit avec difficulté.

— C'est de retrouver une jeune femme… Une Cubaine qui vit à Santiago de Cuba… Une amie que j'ai connue, il y a des années… J'ai perdu sa trace… Je veux savoir ce qu'elle est devenue…

Lemieux vint pour parler. L'homme l'arrêta d'un geste cérémonieux et poursuivit :

— Il y a une croix au bout de mon chemin… Vous comprenez ce que je veux dire ?

Lemieux comprenait très bien l'allusion au cimetière, mais il se retint de faire le moindre commentaire. Les yeux rivés à ceux de son interlocuteur, il devinait que celui qui était devant lui mettait toute son énergie à se battre. Il y avait de la fureur dans ses yeux. Sa volonté de survivre, sa colère même, commandait le respect. Le détective sentit naître une admiration pour cet individu gravement malade, mais qui n'était pas résigné. Lemieux aurait aimé le connaître davantage.

Autour d'eux, les banquettes en fond de salle restaient étrangement vides. Le patron avait invité les clients à occuper, ou le devant du restaurant, ou la terrasse située dans la cour arrière. Isolant ainsi la banquette en fond de salle, l'Italien laissait son ami en paix et il évitait à sa clientèle ce pénible spectacle. Lemieux voyait parfois le proprio s'approcher, puis faire demi-tour, secouant la tête d'un air attristé. C'était peut-être la dernière fois qu'il voyait cet habitué et ami. Pourquoi aller au restaurant quand on est même plus capable de manger ? La cuisinière, de son poste de travail à aire ouverte, jetait aussi des regards furtifs à leur table. Les serveurs ne s'approchaient pas d'eux, laissant le soin du service au patron. Le vieil homme fouilla dans ses poches et tendit à Lemieux un papier soigneusement plié. Il cracha bruyamment dans sa serviette de table avant de poursuivre :

— Lisez.

C'était un télégramme en espagnol, en provenance de Santiago de Cuba, daté déjà d'un mois. Il disait : « Amour. Viens vite. Problèmes. Baisers. » Il était signé Barbara. Lemieux demanda :

— Barbara, c'est le prénom de la femme en question ?

— Non, répondit l'homme. Barbara est une amie de la femme que je connais. Le télégramme n'est pas signé par la personne que je recherche. Ça indique encore plus qu'il s'est passé quelque chose.

L'homme toussa à plusieurs reprises. Lemieux sentait que l'entretien avait assez duré.

— J'ai besoin de détails pour comprendre.

— Je vous écrirai une lettre. Je voulais d'abord vous voir. Savoir si vous accepteriez...

— On verra ce qu'on verra.

Avec si peu de renseignements, Lemieux ne savait que penser. Il aimait travailler sur les cas de disparition, mais il ne l'avait jamais fait à l'étranger. En partant de la famille et des amis, il ne devait pas être bien difficile de retrouver cette jeune femme. Il se vit soudain sur une plage en train de fumer un bon havane, un verre de rhum à la main, toutes dépenses payées. Des vacances au soleil, c'est encore mieux qu'une balade en moto. L'homme interrompit son doux cinéma.

— C'est grave, je le sens.

— Comment ça ?

— Ce n'est pas normal. Je la connais depuis dix ans. C'est la première fois... que...

Incapable de terminer sa phrase, l'homme s'étrangla cette fois avec sa salive. Il fit de grands gestes, battant l'air de ses mains, pour signifier le départ. Lemieux demanda l'addition au patron et aida l'homme à enfiler une veste de laine.

La rue Sainte-Catherine était achalandée. Une foule bigarrée de gens d'affaires, d'étudiants et de touristes se pressait sur les trottoirs. Montréal célébrait la fin de l'été, dans un festival de bustiers ajustés et de jambes bronzées. Les jeunes femmes portaient des maillots courts dénudant leur ventre et leurs épaules. Les jeunes hommes roulaient des mécaniques en lorgnant les passantes. Les boutiques de mode faisaient entendre des airs de salsa ou de meringue. Lemieux avait l'impression d'être déjà en voyage dans une ville des Antilles. Il marchait lentement, au pas de celui qu'il accompagnait. Avec son foulard de couleur vive autour du cou et sa veste de laine, ce dernier avait l'air d'un extraterrestre par cette journée de chaleur exceptionnelle. Parvenu à l'angle de la rue de la Montagne et Sainte-Catherine, l'homme fit halte devant un musicien de rue. Assis sur une chaise, l'amuseur jouait des cuillers sur un air de musique folklorique qui sortait d'une chaîne stéréo compacte. L'homme pointa le musicien d'un geste menaçant et dit avec une rage mal contenue : « Il fume tout le temps, celui-là. Il a toujours une cigarette au bec. Chaque fois que je passe devant lui. Je ne lui donnerai jamais rien. Jamais ! » Aussi soudainement, il prit congé de Lemieux d'un bref salut et en lui disant d'attendre la lettre.

Chacun partit en direction opposée; Christian revint sur ses pas vers le stationnement où était garée sa Honda. Mais plutôt que de se diriger vers sa moto, il retourna au restaurant italien. La salle était maintenant presque déserte et le patron jouait aux échecs avec un des serveurs.

Le proprio n'était pas du genre à donner des renseignements sur ses clients au premier venu. Comme tout bon
Italien travaillant en restauration, il était de ceux qui ont
tout entendu, mais qui ne disent rien. Il invita pourtant
Lemieux au bar pour lui parler et se présenta. Elio se sentait coupable de ce repas manqué. Le patron décrivit son
client et ami comme un habitué de longue date qu'il connaissait depuis au moins vingt ans. L'amitié s'était nouée au
fil des midis passés au bar, et des cafés allongés de grappa.
C'était un publicitaire d'une grande réputation qui avait tra-
vaillé dans les meilleures agences et qui avait décroché de
nombreux honneurs au cours de sa carrière. Il souffrait d'un
cancer en phase terminale : tumeur de la gorge, métastases
en cavale dans les os et les organes. Deux chimiothérapies
et une radiothérapie n'avaient rien donné. Depuis un certain temps, le proprio voyait gravement dépérir son client,
mais ce n'était plus le temps de poser des questions. Derniè-
rement, cet ami lui avait confié qu'il n'y avait plus rien à
faire pour sa santé.

Elio offrit un verre à Lemieux et poursuivit.

— Si vous l'aviez vu, il y a à peine cinq ans. Ce gars-là
était un nageur d'élite dans sa jeunesse.

Un long silence passa.

— Un jour, il m'a dit que ce qui le blessait le plus, dans
toute son histoire, c'est le fait que son père ne se rendrait
même pas compte de sa mort.

— Pourquoi ? Il est décédé ?

— Non, il souffre de la maladie d'Alzheimer. Il n'a plus
aucun souvenir de son fils. Il ne souvient même pas de son
nom…

Évoquant ce souvenir, le proprio grommela un juron en
italien. Quelque chose comme « putain de maladie de merde ! »

Lemieux ne savait que penser quand il repartit. Il se demandait si l'homme n'était pas plutôt atteint du sida. La jeune femme cubaine l'avait peut-être infecté. Impossible, car c'est elle qui appelait au secours. Lemieux ne pouvait empêcher son imagination d'errer. Il n'aimait pas se mêler d'affaires trop louches ou trop troubles. Les questions de drogue étaient un de ses interdits personnels. Il n'acceptait jamais d'enquêtes liées aux stupéfiants. Son domaine, c'était les affaires commerciales, les fraudes et les délits en entreprise ou encore les questions amoureuses, les cas d'infidélité ou les problèmes de divorce. Il avait de quoi s'occuper suffisamment avec ces sujets et il refusait généralement les cas trop inquiétants.

Le bruit de sa moto qui démarrait chassa toutes les pensées au sujet de cette affaire. Il roula à faible vitesse, écrasé par la chaleur. Il commençait à suer à grosses gouttes sous son casque, malgré le foulard noué à la pirate sur sa tête. Il avait commencé à souffrir d'embonpoint dans la quarantaine. Sa lointaine ascendance polonaise le régissait dès qu'il passait à table. Il ne pouvait résister à la tentation de se gaver de charcuterie ou de goulasch. Et de bière froide, car la soif le tenaillait constamment. Il se dirigea vers son bar préféré, Le Verre Bouteille, en se délectant d'avance de la tranquillité, de la fraîcheur et de l'ombre qu'il y trouverait. Il songeait aussi au charme de la serveuse Sarah, sa confidente, qui tenait le bar l'après-midi. Quand il entra dans l'établissement, celle-ci discutait avec un représentant d'une marque de bière. De toute évidence, le jeune homme prolongeait la discussion. Lemieux vint s'asseoir près d'eux, au déplaisir du vendeur qui referma ses livres et quitta les lieux. Sarah mit un CD de Mercedes Sosa dans le lecteur.

— Ça me remet mon espagnol en tête, des chansons

comme celles-là. D'ailleurs, je vais en avoir besoin.

— Pourquoi ? Tu as l'intention de partir en voyage ?

— Je vais peut-être aller à Cuba, prochainement. Par affaires. Ça te plairait de m'accompagner ?

— Désolé, mon cher. Mais, si je pars, ça ne sera pas avec toi.

— Toujours amoureuse de ton beau cuisinier ?

Sarah ne répondit pas, mais sourit largement. Lemieux observait la jeune femme et ne pouvait qu'envier son bonheur. Il poursuivit :

— Mon client semble sérieux. Il me demande d'aller à Cuba pour y retrouver une femme.

— Comme je te connais, tu vas la trouver rapidement, lui dit-elle.

Sarah savait que Lemieux était célibataire depuis un certain temps et qu'il désirait désespérément rencontrer une nouvelle amie. Elle s'amusait à le voir chercher une partenaire sur Internet. Lemieux lui avait déjà raconté le rendez-vous avec une dame élégante et distinguée qui n'avait pas apprécié ses allures de motard. Et la rencontre avec une mère de trois enfants qui redoutait les bohèmes. Et le rendez-vous avec une femme qui cherchait un homme bon et… payant. La rencontre avec une Tunisienne qui cherchait à se marier pour régulariser sa situation. Le rendez-vous avec une hystérique qui lui avait dit de but en blanc que ça ne marcherait pas, et ce, dès le premier regard.

— Ce n'est pas si simple. La personne serait disparue.

— Qui est-elle ?

— Je n'en sais rien. J'attends plus de renseignements avant de décider. J'ai l'impression que c'est une histoire de cœur. Il s'agit d'un homme malade, en phase terminale, qui veut savoir où est passée sa belle histoire d'amour.

— Ou son histoire de cul.

— Si tu avais vu le bonhomme, tu ne dirais pas cela.

— Alors, tu vas jouer dans *Opération Cupidon à Cuba*?

— Ce n'est pas fait. Il me manque des pièces pour lancer la machine. Tant que je n'ai pas tous les morceaux, je ne peux pas décider. Je ne sais même pas ce que veut exactement mon client.

— Si ton client est en phase terminale, ce n'est pas pour faire une demande en mariage.

— C'est peut-être une question d'héritage. Je ne vois rien d'autre.

— J'imagine, la belle amante cubaine qui hérite et qui obtient sa liberté grâce à la mort de son amant. C'est touchant.

— Je pense que tu écris trop de théâtre, toi.

C'était au tour de Lemieux de se moquer, car Sarah rêvait de devenir un jour une auteure dramatique.

Lemieux retourna à sa bière et à son journal. La chaleur de la fin de l'après-midi l'alanguissait. Il attendait l'arrivée de ses copains pour jouer au billard, tout en songeant. L'idée de partir à Cuba lui souriait. L'appel de l'inconnu l'avait toujours séduit. Il savait peu de choses de ce pays. Il avait vaguement connaissance de la situation sous le gouvernement communiste et de l'embargo américain. Il n'y voyait que l'habituelle confrontation de deux systèmes qui se consolident au détriment des individus pris entre deux feux. Syndicat versus employeur, terrorisme versus démocratie, embargo versus dictature. Toujours la même histoire. Lemieux nageait en pleine ambivalence au sujet de l'héritage de Castro. D'une part, celui-ci avait mis en place des services de santé et d'éducation à faire pâlir d'envie les pays voisins, notamment Haïti ou même la République dominicaine.

D'autre part, il avait agi en dictateur, fort de son armée, et sans pitié pour ses opposants. Même après son départ, l'ombre du géant planerait encore longtemps dans le ciel cubain. Une phrase sur Castro, publiée dans le journal *La Presse*, avait retenu l'attention de Lemieux un jour. Une phrase dans la lettre d'un exilé cubain qui se lisait ainsi : « Vous avez toujours été lumière à l'extérieur et noirceur à l'intérieur. »

Les copains de billard ne s'amenaient pas par cette belle journée. Lemieux décida d'aller faire une promenade au parc La Fontaine. Il gara sa moto à l'ombre des grands arbres et se dirigea vers le centre du parc. Il longea l'aire de jeux des jeunes enfants. Les mères formaient de petits groupes, assises à l'ombre, veillant d'un œil sur leurs bambins, tout en discutant. Il poursuivit vers le terrain de pétanque encombré de joueurs et de spectateurs. Tous les habitants du quartier du Plateau-Mont-Royal semblaient s'être donné rendez-vous à cet endroit. Certains étaient attablés autour d'un jeu de cartes. Il y avait parmi eux de bons informateurs, dont d'anciens chauffeurs de taxi, aujourd'hui à la retraite. Ceux-ci avaient le don de savoir ce qui se passait en ville, car ils gardaient des contacts avec leurs collègues. Les faits divers de la vie nocturne de Montréal n'avaient pas de secrets pour eux. Les histoires de drogue et de sexe faisaient le régal de ces vieux voyeurs qui ne rataient jamais le passage d'une belle cycliste court-vêtue. Les cartes restaient alors suspendues dans les airs un peu plus longtemps que d'habitude. Les lieux étaient connus pour être un endroit de racolage pour les amateurs de jeunes prostituées ou les pédophiles, malgré les interventions et les constantes patrouilles des policiers. Des jeux interdits prenaient place parfois juste à côté de l'aire d'amusement des enfants, sous l'œil voyeur des vieux habitués.

Lemieux poursuivit vers les deux plans d'eau séparés par un petit pont. Les abords de l'étang situé au nord, avec sa fontaine monumentale, étaient bondés de jeunes familles et de couples. L'autre étang, situé dans la partie sud du parc, était le domaine des célibataires et des homosexuels. Ces derniers occupaient la pente la plus exposée au soleil et profitaient des derniers rayons pour parfaire leur bronzage. Trop de corps à demi nus. Le parc, d'ordinaire si paisible, vibrait d'une sensualité trouble. Lemieux vit une femme assise sur un banc qui lisait. Elle glissa négligemment une main dans son chemisier. Trop d'échancrures. Troublé, Lemieux ne parvenait pas à trouver le calme qu'il était venu chercher. La chaleur lui collait la chemise sur le dos. Il s'allongea sur l'herbe dans un coin ombragé. Il ferma les yeux. Mentalement, il filtra tous les bruits et ne laissa entrer dans son cerveau que les rires des enfants. Le reste se confondit dans un grondement sourd, comme une toile de fond sonore.

Il secouait la tête en se répétant que ce n'était que du vague à l'âme, le résultat d'un manque passager ou la réaction de ses sens exacerbés par la chaleur. Tout en se fustigeant, il savait qu'il touchait pourtant là le vide de son existence actuelle.

Il se sentait seul, radicalement seul. Il y a un an, il avait rompu avec une jeune beauté de vingt-huit ans. Leur relation s'était étiolée. Tous deux en étaient conscients depuis des mois déjà, mais ils prolongeaient cette union surréaliste. Le bête et la belle. Elle lui ouvrait son univers érotique. Lemieux offrait sa tendresse, son affection et sa générosité. Son amitié ? Son cœur ? Jamais le mot *amour* ne fut prononcé entre eux. Voulait-il vraiment que cette relation s'ouvre sur le sentiment amoureux? En plus de l'âge, trop de choses les séparaient. C'était une question de valeurs. Pro-vie contre pro-choix. Croyance contre athéisme. Racisme contre pluralisme. Les discussions s'envenimaient à tout sujet, surtout celui de l'argent. Elle criait alors de façon hystérique et l'invectivait avec des cris perçants. Hors du lit ou de la table — qui servait aussi aux ébats —, l'entente était impossible. Ce n'est pas la rupture qui le consternait. Lemieux constatait qu'il avait été incapable d'aimer. Comme si le désir, la passion, la tendresse et les sentiments ne pouvaient plus fusionner en une seule et même expérience. Il avait perdu le sens de l'amour. Cette relation n'était pas incomplète; elle était complètement tronquée.

N'avait-il été qu'un *sugar daddy* pour elle? Papa « sucré » comparativement au papa réel de la jeune femme, cet homme qu'elle évoquait toujours avec amertume. Lemieux n'avait jamais rencontré une fille à la sexualité si débridée. Elle s'exhibait sans retenue dans les endroits publics et elle raffolait des scénarios érotiques de domination, notamment les scénarios de viol. Elle se laissait immobiliser en lançant des *non* roucoulants. Une poupée qui aimait, de son propre aveu, être secouée. L'amour à la dure. Lemieux soupçonnait qu'elle avait été victime de violence sexuelle dans son enfance. Les questions restaient cependant sans réponse claire. Elle pleurait fréquemment après avoir fait l'amour. C'était une énigme que le cerveau de l'enquêteur était incapable de résoudre. En offrant ainsi tous les orifices de son corps à un homme âgé, est-ce qu'elle rejouait chaque fois, dans un impossible exorcisme, le drame de l'attirance envers le père et de la culpabilité à la suite de l'agression?

Quand ils avaient rompu, elle s'était immédiatement jetée dans les bras d'un ami de Lemieux, dans un huis clos de vengeance qui dura trois jours. Puis, elle rencontra un maniaque sexuel dans un bar, un individu avec qui elle se livra à toutes ses fantaisies. Le type, selon elle, ne parvenait jamais à éjaculer. Lemieux apprit tous les détails lors d'une récente et dernière rencontre avec elle. La discussion avec la jeune femme tourna entièrement autour de sa sexualité, qu'elle affichait de façon superbe, comme toujours. Elle cherchait à le blesser par la narration de ses exploits. Et elle avait les mots pour le faire. Lemieux eut droit à la description de ses éjaculations féminines, le tout raconté avec un petit sourire rapace en prime.

Cette rupture le préoccupait beaucoup moins que la succession des échecs amoureux avec ses conjointes. À plus de cinquante ans, on peut faire son propre profilage, comme disent les experts en criminologie. C'est lui qui avait brisé sa première relation, premier véritable amour et seul mariage en bonne et due forme. Il avait aimé son épouse d'un amour idéaliste et romantique. Mais cet absolu n'avait pas résisté quand il avait ensuite rencontré la passion. Autre belle énigme pour un enquêteur. Avec sa seconde femme, il avait découvert la sensualité et la volupté. Il changea sa vie du tout au tout, l'environnement s'entend. C'est alors qu'il divorça et qu'il lança son propre bureau d'enquête. Les affaires et les amours, tout semblait lui réussir. Mais il s'était retrouvé aux mains d'une personne qui aimait tout contrôler. Elle avait pris les commandes de sa vie. Il fournissait de bonne grâce vêtements chics, meubles coûteux, voitures luxueuses, voyages en Europe, maison de campagne et *tutti quanti*. Son sentiment frôlait l'adoration. Pourtant, il ne s'est jamais senti entravé pendant leur vie commune. Il ne le comprit que beaucoup plus tard, bien après qu'elle l'eut largué. Dix ans avec chacune de ses conjointes. Avant elles, après elles, d'autres rencontres où il n'a pas toujours eu le beau rôle.

Il roula sur le côté et tenta de sortir de sa torpeur. La pénombre envahissait maintenant le parc. Comme un gros chien, il se leva en se secouant pour chasser la poussière et les brindilles de ses vêtements. Tout en marchant lourdement vers sa moto, il songea à la lettre promise par l'homme. Il la reçut dès huit heures, le lendemain matin, par service de messageries.

Montréal, le jeudi 7 septembre 2006
Monsieur Christian Lemieux,

Par la présente, permettez-moi de déposer une demande de services d'investigation et de vous décrire les modalités liées à votre éventuel travail d'enquêteur. Le but de votre mission est de retrouver une personne disparue du nom de Omara Valdez, citoyenne cubaine, résidante à Santiago de Cuba, domiciliée au 55 1/2 Trocha, entre les rues Cristina et Lostejada, quartier Mariana de la Torre. Aucun numéro de téléphone, car elle n'en possède pas. Cette adresse est aussi celle de sa mère, Lydia.

Comme vous l'avez constaté, mon état de santé m'interdit le voyage. Votre mission consiste à retrouver cette personne et à me faire un rapport le plus complet possible à votre retour. Je vous prie de noter que cette femme a déjà été ou est encore prostituée, et qu'elle est peut-être impliquée dans certains trafics, avec des individus peu recommandables. Il est important d'agir avec discrétion, autant pour sa sécurité que la vôtre. Je préfère que nous ne communiquions pas ensemble au cours de votre mission, ni par téléphone — à plus forte raison parce que je ne parle qu'avec difficulté — ni par télécopieur, ni par courrier électronique, afin de ne laisser aucune indication sur la nature ou le but de votre démarche.

Ce qui m'importe, c'est de savoir si Omara est vivante et d'obtenir les renseignements suivants à son sujet : nom, prénom, nom de son père, adresse, date et lieu de naissance, statut civil, occupation et, surtout, le numéro d'identité figurant sur son carnet d'identification. Les renseignements obtenus devront être rigoureusement exacts, sans aucune erreur d'orthographe. De plus, je désire obtenir un compte rendu de votre séjour à Cuba. Vous devrez donc tenir un journal de voyage décrivant vos activités et me le remettre au retour. Ci-joint, vous trouverez une photographie d'Omara ainsi que le texte du télégramme reçu récemment.

En ce qui concerne votre séjour, vous devrez vous inscrire dans une école d'espagnol et louer une résidence chez un particulier. Votre inscription dans une école de langue justifiera vraisemblablement, aux yeux des autorités, un séjour de trois semaines à Santiago. Si je vous interdis de loger à l'hôtel, sauf la première nuit, c'est que tous les établissements sont étroitement surveillés par la police. Je ne peux que vous conseiller d'agir avec la plus grande discrétion, ne connaissant pas la cause de la disparition d'Omara. Aux yeux de tous, vous devez apparaître comme un étudiant en espagnol et un touriste urbain curieux de la culture cubaine. Un conseil : évitez les discussions politiques.

Votre compte de carte de crédit sera crédité d'un montant de 15 000 $ pour parer à toute éventualité. Vous recevrez le même montant à la fin de votre travail, après la remise des renseignements et de votre journal de voyage. Vous signifierez votre accord en me faisant parvenir une copie de cette lettre dûment signée, accompagnée de votre numéro de carte de crédit et indiquant à quelle date vous effectuerez votre départ.

Suivaient les salutations d'usage. La lettre était signée et accompagnée d'un numéro de téléphone, ainsi que du post-scriptum suivant :

P.-S. : *Je vous demande d'apporter dans vos bagages des articles et des produits divers pouvant servir de cadeaux pour la famille Valdez : aliments, médicaments, jouets, etc.*

Lemieux décrocha de son mur le calendrier du restaurant chinois du quartier et fixa la date de son départ à la fin du mois, soit à la fin de septembre. Il ne pouvait partir plus tôt, car il avait des choses à régler et son passeport était expiré. Il signa rapidement la lettre, inscrivit son numéro de carte et indiqua la date. Il téléphona à Fedex et demanda le ramassage d'une enveloppe. Le tout, sans réfléchir. Ce n'est qu'après le départ du messager qu'il prit un certain recul. Il se parlait à lui-même à haute voix.

— Rechercher une prostituée cubaine ! Qu'est-ce que t'en as à foutre ? Tu cueilles les renseignements et tu ramasses l'argent, un point, c'est tout. Pas d'ennuis !

Chapitre 2

« A lo cubano
botellas ron tabaco a mano
chicas por doquier »
ORISHAS, *A lo Cubano*

(À la cubaine
Des bouteilles de rhum et du tabac à portée de la main
Et de belles filles partout)

Il était sept heures du matin quand le téléphone sonna. Lemieux s'éveilla brusquement et tendit la main à la troisième sonnerie, juste avant que le répondeur ne prenne le relais.

— Allô ! C'est Raoul. Comment ça va, mon *chum* ? Je ne te réveille pas, au moins ?

— Ouais, répondit-il mollement.

Raoul, le meilleur ami de Lemieux, était aussi son ancien partenaire. Il travaillait toujours au service des enquêtes de la police de Montréal.

— Quoi de neuf, le gros ? Tu pars toujours jeudi ?

— Oui. Je viens de recevoir mon passeport.

— Mon chanceux. Je t'envie, tu sais. As-tu fait tes bagages ?

— Je suis presque prêt. C'est dans deux jours seulement. Mais il me reste des courses à faire. J'ai reçu l'inscription à l'école de langues et la confirmation de ma première nuit à l'hôtel. Je dois aussi aller chercher mon billet d'avion à l'agence.

— J'espère que tu n'apportes pas d'arme ? Même pas une

lame. Tu risques de te faire poser de méchantes questions par les douaniers à Cuba.

— Je sais. Depuis le 11 septembre, il n'y a plus rien qui passe. Je pensais apporter un *morceau* démontable, en plastique dur. Et le dissimuler dans plusieurs valises. Mais j'ai abandonné l'idée. De toute façon, je ne fais pas une enquête criminelle. C'est une histoire d'amour.

— Les douaniers, à Cuba, sont plus soupçonneux que tu penses. Tu fais un long séjour en ville. Tu ne t'en vas pas dans une station touristique. De plus, Santiago est située près de Guantánamo. Ils doivent être un peu sur les nerfs dans ce coin-là. Avec ton allure, tu vas te faire baisser les culottes, mon gars. Ils vont te passer au peigne fin.

— Qu'est-ce qu'elle a, mon allure ?

Lemieux détestait qu'on se moque de sa corpulence. Le fait d'être enrobé et d'avoir un air malcommode lui donnait un avantage dans certaines situations. Par contre, quand il rencontrait des gens des forces de l'ordre, cela tournait toujours à la confrontation. Inconsciemment, il se braquait. Il devenait tendu, et cela se sentait.

— Fais-toi petit, mon grand. Tout petit, tout petit. Et fais bien attention à ce que tu mets dans tes bagages. Qu'est-ce que tu apportes ?

— Rien de compromettant. Je vais remplir mes valises de cadeaux, de livres en espagnol, et peut-être de quelques accessoires : mon lecteur CD, un appareil photo, une lampe de poche...

Lemieux omit de dire qu'il trimballait toujours un passe-partout avec lui et qu'il emportait son Leatherman, un outil multifonction.

— Ne charrie pas, je te connais. Laisse tout ce qui peut être dangereux à la maison. Parlant de maison, merci de me la prêter. Je vais m'en occuper pendant ton voyage. Tu as des chandelles, des CD et du bon vin ?

— Ouais. Mais ne vire pas la place en bordel.

Lemieux savait évidemment que Raoul profiterait de son absence pour inviter sa maîtresse à l'appartement, une superbe femme dans la quarantaine, comptable à la coopérative des policiers. De plus, Raoul avait beaucoup de temps libre ces temps-ci, car il était sur le coup d'une suspension au service de police. Lemieux poursuivit :

— Au fait, qu'est-ce qui se passe avec le comité de déontologie ? As-tu des nouvelles ?

— Ça traîne. Les auditions sont reportées de semaine en semaine pour toutes sortes de raisons. J'ai l'impression qu'ils sortent les douillettes pour couvrir l'affaire. Je vais m'en sortir comme un petit communiant après sa première confession. Tout blanc.

L'enquête en déontologie portait sur les agissements de policiers qui auraient donné accès à des informations confidentielles provenant des banques de données informatiques. Même la relation entre Raoul et Lemieux avait été scrutée.

— C'est rien qu'une bande d'hypocrites. Il y en a qui manœuvrent pour te faire mettre sur une tablette grâce à cette histoire-là. Une chance que tu les tiens par les couilles avec tout ce que tu sais.

Lemieux sentait remonter sa révolte contre les jeux de coulisses qui sont choses quotidiennes au sein de la police.

— On est mieux de ne pas parler de cela au téléphone. Moi, je t'appelais tout simplement pour te souhaiter bonne chance. Merci pour les clés. Et paye-toi la traite, toi aussi. Salut !

— N'oublie pas d'arroser mes plantes !

— Avec du blanc ou du rouge ?

Le jour précédant le départ, Lemieux fit une razzia dans une pharmacie à grande surface. Il fit provision de produits d'hygiène, de médicaments et d'articles de papeterie. Il s'arrêta aussi dans un magasin de jouets, une épicerie et une librairie. Il rentra chez lui et il étala ses achats sur le plancher. Il y avait pour deux cents dollars de bricoles : aliments en boîte, savons, jouets, crayons de couleur. C'était sans compter l'achat d'un article plus personnel et très coûteux : des capsules de Viagra.

À la clinique, le médecin de service lui avait dit, en termes choisis, qu'il lui renouvelait son ordonnance ludique. Dans les draps de sa jeune vestale, l'expérience avait été effectivement concluante. Lemieux avait été renversé par les résultats, non pas par la durée et la proportion de l'érection promise, mais à cause d'un effet psychologique des plus particuliers. En abolissant la hantise de la performance, le médicament agissait sur lui comme un puissant moyen de prévenir l'éjaculation précoce. Lemieux s'était senti libéré. La stimulation du pénis devenait secondaire. Il découvrait un étrange effet de *feed-back*. Sa réponse sexuelle devenait plus globale, et le plaisir l'envahissait par des vagues qui emportaient chaque pore de sa peau. Plus encore, il entrait dans un état de rêverie pendant la relation sexuelle. Il eut des *flashes* troublants : la vision simultanée de toutes les femmes de sa vie qui se fondaient en un seul visage et d'autres encore. Fait troublant, il constata cependant qu'il subissait un début de déficience érectile quand il faisait l'amour sans le médicament. Maudite cinquantaine !

Lemieux rangea soigneusement les précieux comprimés dans une valise et passa la journée à compléter ses bagages. En après-midi, il acheta un chapeau et une ceinture, tous deux munis d'une pochette secrète pour y glisser des billets. Les fermetures éclair étaient faites en plastique pour ne pas alerter les détecteurs de métal. Lemieux glissa sept coupures de vingt dollars canadiens, soigneusement repliés, dans la ceinture. Il rangea peu de choses dans le sac de voyage qu'il emportait comme bagage de cabine. En fin de journée, deux grandes valises étaient pleines d'articles et d'accessoires : tout pour faire de lui un touriste généreux et un étudiant studieux. Lui-même commençait à croire qu'il partait en vacances, en lorgnant appareil photo et guide touristique, serviette et maillot de bain. En soirée, il appela ses trois enfants : ses grandes filles et son jeune fils, né de sa deuxième femme. Il dissimula sa peine de les quitter si longtemps. Il pesta intérieurement contre le temps et la distance qui creu- saient irrémédiablement un écart entre ses enfants et lui.

Le lendemain, le jeudi soir, il se rendit à l'aéroport Trudeau de Montréal en milieu de soirée, bien avant le départ du vol de nuit d'Air Transat pour Santiago de Cuba, avec escale à Varadero. C'était un jeudi pluvieux de la fin de septembre, et tout était d'un gris uniforme : le ciel, le béton de la piste et les murs de l'immense aérogare. Lemieux se prêta à toutes les formalités avec des gestes d'automate, en essayant de faire abstraction du sentiment de captivité qui l'étreignait : vérification des documents, fouille cor- porelle dans l'odeur entêtante des souliers, « parcage » dans un salon bondé et attente interminable.

En entrant dans l'appareil, il jeta un regard en direction de la classe club, un genre de fausse première classe. Il reconnut alors deux directeurs de grande entreprise et un politicien, des hommes d'influence bien connus, accompa- gnés de leurs épouses. L'un des deux dirigeants avait déjà été le sujet d'une enquête à laquelle Lemieux avait participé.

L'enquêteur s'était alors frotté aux représentants des cercles du pouvoir, à ces initiés de la transaction douteuse, à ces gens qui se font accorder des prêts personnels ensuite maquillés en perte, qui transfèrent des fonds de l'entreprise à leur bénéfice dans des comptes étrangers et qui peuvent même piller la caisse de retraite de leurs employés. Impunément. Mais ces gens retiennent aussi les services des meilleurs avocats et de fiscalistes chevronnés. Ils ont les contacts, le réseau et la protection nécessaires. Dans le meilleur des cas, en dépit de l'évidence de la fraude, ils écopent d'une belle retraite anticipée assortie d'une prime de départ. Installés au pouvoir, on les voit chanter publiquement les valeurs humaines et la mission sociale de l'entreprise. Ils font alors partie des ressources stratégiques de l'industrie. Ce sont des « intervenants ». Une fois déchus, ils continuent sans vergogne de mener une vie privilégiée. Assis sur son siège, Lemieux ferma les yeux. Paupières closes, il voyait bouger des amibes lumineuses. « Les cercles du pouvoir », se dit-il. Il les voyait palpiter, s'agiter et grossir, le tout, dans une danse organique.

Le grondement de l'appareil le tira de ses pensées. Il regarda autour de lui. En classe économique, il était entouré de nombreux jeunes couples de vacanciers. Tous allaient bientôt monter dans des autobus, pour ensuite être répartis dans divers centres de vacances et, finalement, se faire tondre d'un millier de dollars ou plus par tête. En dépit de son refus d'un tel embrigadement, Lemieux était sensible à la beauté de ces jeunes qui partaient vivre ensemble leur rêve d'amoureux. À l'escale de Varadero, dans la salle de transit, il engagea la conversation avec certains d'entre eux. Ils étaient comme des enfants qui avaient hâte de voir la mer, de danser sur la plage ou de jouer dans le sable. Lemieux s'étonnait de leur candeur et de ce désir de vivre le parfait cliché de vacances. On lui demanda pourquoi il voyageait seul et quel était le but de son voyage. Il répondit aux questions. Il eut ainsi l'occasion de vérifier que la mention de son séjour linguistique créait un effet des plus rassurants.

Les choses se corsèrent à Santiago, à l'aéroport Antonio Maceo, après les contrôles d'usage aux douanes. Lemieux fut invité à passer dans une pièce fortement éclairée. Trois hommes lui faisaient face, deux jeunes et un plus âgé, séparés de lui par une longue table où ses bagages étaient largement ouverts. Lemieux ne savait pas à qui il avait affaire. Est-ce que c'étaient des militaires, des policiers ou des douaniers ? Le plus âgé, qui se tenait en retrait, était sûrement le responsable. Après une fouille méticuleuse des valises, l'un des jeunes douaniers commença l'interrogatoire.

Vous êtes Christian Lemieux. Vous êtes Canadien. Mais quelle est votre occupation ?

— Je suis inspecteur au contrôle de la qualité dans une usine de fabrication de boîtes de conserve.

— Et quel est le but de votre voyage ?

— Je suis en vacances. Je viens pour étudier l'espagnol dans une école de langue.

Lemieux présenta le document confirmant son admission à l'école. L'homme tendit la main, lut attentivement le papier et le déposa sur la table en poursuivant :

— Êtes-vous ici pour des raisons professionnelles ?

— C'est un voyage de tourisme, uniquement.

— Pourquoi n'allez-vous pas en Espagne pour étudier ?

— C'est plus loin et plus coûteux.

— Mais pourquoi ici ? Pourquoi pas au Mexique ?

Lemieux avait prévu ce genre de questions. Il répondit avec flatterie :

— Le système d'éducation de Cuba est reconnu comme l'un des meilleurs du monde latin.

— Vous pourriez aller à l'université de Mexico ou à Guadalajara, par exemple?

— Les plages sont moins belles. Les femmes aussi.

Lemieux avait répondu de façon un peu trop légère au goût de son interrogateur. Ce dernier marqua une pause et toisa Lemieux d'un air irrité, avant de continuer:

— Pourquoi avoir choisi Santiago? Répondez.

Lemieux poursuivit le petit discours qu'il avait soigneusement préparé.

— Dans les guides, on dit que la culture et la musique afro-cubaines sont plus vivantes à Santiago qu'à La Havane. J'ai aussi appris que tous les grands changements politiques sont nés ici, à Santiago: la libération de l'esclavage, la fin de la colonisation espagnole et même la révolution communiste. C'est l'ancienne capitale, une ville importante.

— Vous vous intéressez à la politique?

— Mais non. Seulement à l'histoire et à la culture. Je viens étudier l'espagnol, je le répète.

L'homme se tourna vers son supérieur posté en retrait, l'air interrogateur, comme s'il cherchait une consigne. Le responsable pointa les bagages de Lemieux. Le jeune douanier poursuivit.

— Qu'est-ce que ceci? dit-il en brandissant l'outil multifonction Leatherman.

— C'est seulement un accessoire de camping. Ça peut dépanner pour manger ou pour réparer des trucs.

Le jeune douanier montra le trousseau de clés.

— Pourquoi un si gros trousseau de clés? Il y a des clés de passe-partout là-dedans.

Cette fois, Lemieux mentit effrontément.

— Je suis propriétaire d'une maison à logements, à Montréal. Mes locataires perdent souvent leurs clés.

— Pourquoi apportez-vous tous ces articles dans vos bagages ? Vous connaissez des Cubains ?

— Non. Ce sont surtout des articles personnels. Il y a aussi quelques cadeaux pour les professeurs, mais c'est tout.

— Où allez-vous demeurer ?

— Cette nuit, à l'hôtel Casa Grande. Ensuite, je verrai si je peux trouver à me loger près de l'école.

Lemieux remarqua que les nombreuses boîtes de pâté avaient été retirées de ses bagages et placées à l'écart. Son interrogateur poursuivit.

— Nous allons vérifier tout cela. Pour le moment, vous êtes autorisé à séjourner à Cuba, à la condition que ce soit uniquement pour des vacances, vous comprenez ?

— Compris.

— Et nous confisquons les aliments que vous avez apportés pour des questions d'hygiène. Vous pouvez y aller.

Lemieux était heureux de s'en sortir en ne perdant que quelques boîtes de pâté. Il avait déjà croisé des douaniers mexicains plus exigeants. Il referma ses valises et traversa la salle des arrivées, complètement déserte. Il était deux heures du matin. À l'extérieur, il n'y avait plus que deux taxis en attente. Un peu en retrait, les chauffeurs discutaient avec des employés de l'aéroport. L'un des hommes se détacha du groupe et vint à sa rencontre pour lui proposer ses services. Lemieux monta à bord d'une des voitures, une Nissan blanche de modèle très récent. Il prit place à l'avant, à côté du chauffeur, qui démarra tout en lançant la musique. Les abords de l'aéroport étaient faiblement éclairés. Plus loin, sur l'autoroute, il faisait nuit noire. Le chauffeur conduisait rapidement, évitant les trous de la mauvaise chaussée, comme s'il avait le tracé de la route inscrit dans la tête. Il engagea la conversation avec Lemieux.

— Vous aimez Cuba ?

— Je ne sais pas. C'est mon premier voyage. Je n'ai encore rien vu.

— En vacances ?

— Oui. Je suis ici pour perfectionner mon espagnol et pour me reposer.

— L'espagnol, c'est bien, ça. Il faut parler avec les gens. Faites-vous des amis. À Cuba, vous vous ferez beaucoup d'amis. Comme cela, vous apprendrez plus vite.

Lemieux, qui commençait à ressentir de la fatigue, trouvait le chauffeur un peu trop animé.

— Vous aimez la salsa ? Vous aimez la rumba ? Ici, c'est le pays de la musique et de la danse, vous savez. Et des *chicas*, les belles danseuses.

Lemieux acquiesça silencieusement, d'un léger geste de la tête. Le chauffeur poursuivit.

— Si vous aimez visiter les musées ou les églises, je peux vous servir de guide. Si vous voulez aller à la plage ou voir des sites, même chose. Je vous donnerai mon numéro de téléphone.

— Merci bien.

— Pourquoi aller à l'hôtel Casa Grande ? C'est très cher. Moi, je peux vous trouver une maison chez des particuliers.

— Non merci, je m'en occupe.

L'empressement du chauffeur commençait à peser à Lemieux. Son insistance était-elle motivée uniquement par l'intention de rendre service ? Le chauffeur ne tarissait pas et questionnait Lemieux sur sa situation. Était-il marié ? Avait-il des enfants ? Son âge ? Son emploi ? Christian répondait le plus vaguement possible. Ses sens étaient maintenant en alerte. Il avait l'impression de passer un second interrogatoire, plus insidieux que le premier, même sous un dehors avenant. Le chauffeur le ressentit, car il fit dévier la conversation. Il parla plutôt de lui et de ses conditions de vie. Il disait comprendre l'intérêt de son passager pour les études et l'apprentissage de l'espagnol. Il prétendait avoir étudié la pédagogie. Mais sans emploi dans l'enseignement, il devait faire du taxi pour survivre. La vie était si difficile à Cuba. « Le discours classique pour obtenir un bon pourboire », pensa Lemieux.

Le taxi avait quitté l'autoroute et il roulait dans les rues de la ville. À cause de la noirceur, Lemieux ne distinguait rien. Sous la lueur des rares réverbères, il aperçut des maisons basses, des façades décrépies aux portes de bois vermoulu. La voiture s'engagea dans une longue montée. Lemieux vit quelques silhouettes et de vieilles Lada au repos. Dans ce quartier, les maisons étaient plus hautes, et certaines fenêtres, éclairées. Ils entrèrent dans le centre-ville de Santiago. La voiture parvint devant un square. Les enseignes lumineuses étaient maintenant plus nombreuses et il y avait quelques passants. L'hôtel Casa Grande dominait le square, le parc Céspedes, du haut de ses cinq étages. Seule une petite enseigne identifiait l'établissement. Le chauffeur porta les bagages jusqu'à la réception, sous l'œil sévère d'un gardien ou d'un policier. Lemieux attendit quelques minutes avant qu'un commis ne s'amène. Derrière lui, le chauffeur de taxi et le policier conversaient. Pendant les formalités d'inscription, Lemieux nota que la voiture de taxi était toujours garée devant l'hôtel. Sous prétexte de chercher un document dans ses valises, il observa le chauffeur à la dérobée. Celui-ci conversait maintenant au radiotéléphone de sa voiture.

« Pas de paranoïa, se dit Lemieux. Ils en ont déjà vu des hommes seuls à Cuba. Ils ne vont pas me mettre sur écoute et sur filature tout simplement parce que j'arrive. Ils ont sûrement autre chose à faire. » Cependant, il ne pouvait s'empêcher d'éprouver une certaine appréhension. Les regards trop appuyés du chauffeur, du policier et du commis l'indisposaient. Cette sensation ne se dissipa aucunement quand il entra dans sa chambre. Le mauvais éclairage, les lourdes tentures et le mobilier imposant ajoutaient à son impression. Il écarta la tenture et jeta un regard dans la rue. Un petit attroupement de jeunes gens attira son attention. Massés à l'entrée de ce qui devait être un bar ou une salle de spectacle, ils semblaient attendre ou écouter le spectacle de l'extérieur. Il referma la tenture et éteignit tout.

Le soleil lui éclata en pleine figure lorsqu'il monta prendre son petit-déjeuner à la terrasse, sur le toit de l'hôtel, le lendemain matin. Il flamboyait sur la mer. Il se fracassait sur les rochers de la sierra Maestra qui encercle Santiago. Lemieux était au milieu d'un chaudron en feu. Il était à peine neuf heures, et la ville cuisait déjà. Il fit le tour de la terrasse, ébloui par tant de lumière. Des bâtiments de style espagnol, d'une blancheur immaculée, ornés de balcons et d'arches, flanquaient chaque côté du square Céspedes. Située un peu en retrait dans un angle du square, mais dominante par sa stature, s'élevait la cathédrale Santa Iglesia Basilica, toute blanche et ornée de deux tours coiffées d'un dôme doré. Au-dessus du porche, un ange de l'Annonciation déployait ses ailes.

Lemieux contemplait l'étonnant spectacle de cette ville bâtie comme un amphithéâtre. Devant lui, la cité descendait en pente douce vers la mer. Derrière lui, elle était adossée au cirque des montagnes. Le tout baignait dans la lumière. Les toits de tuile ou de tôle réfléchissaient les rayons. La seule ombre au tableau, c'était la fumée que crachaient plusieurs usines, toutes dangereusement proches de l'agglomération, le long du port. Et les gaz d'échappement des nombreux véhicules qui encombraient les rues.

Lemieux avait maintenant le goût de se mêler à cette vie grouillante qu'il devinait en contrebas. Il avait aussi hâte de boire sa première bière en sol cubain. Il lui tardait d'entrer en action, comme si le soleil avait soudainement rechargé ses piles. Aujourd'hui, il devait visiter l'école de langues pour compléter son inscription et trouver un appartement. Il fut cependant incapable de résister au plantureux déjeuner qui l'attendait. Il ne manquait rien au choix de plats proposé par cet hôtel de grand luxe : omelettes, charcuteries diverses, plateau de fromages, pains de toutes sortes. Tout était exquis, surtout le café, noir et corsé, les jus de fruits frais et l'épaisse confiture de goyaves. La saveur des aliments semblait décuplée par la chaleur. Il se régalait comme un Polonais qui sort d'une mine de charbon. Il remplit son assiette à plusieurs reprises. Il en profita largement, d'autant plus qu'il s'agissait de sa seule journée à l'hôtel. Repu et joyeux, il se sentait dans sa zone de confort.

Au retour du déjeuner, il boucla rapidement ses bagages, heureux de quitter cette chambre trop sombre. Il sortit de l'hôtel, héla un taxi et donna l'adresse de l'école, située au vingt et un, avenue Garzon, l'une des artères principales de Santiago. La voiture s'arrêta devant une élégante maison à deux étages, au crépi bleu pastel. Le rez-de-chaussée était occupé par un salon de coiffure, identifié par une enseigne illustrée d'un ciseau et d'un peigne, ainsi que par une boutique d'alimentation, avec des auvents roulés et des rideaux rouges encore tirés. Le premier étage du bâtiment, qui abritait l'école, était doté d'un majestueux balcon, orné de

plusieurs colonnes supportant des arches. De hautes fenêtres à volets à claire-voie s'ouvraient sur la rue. Le toit était
couronné d'une balustrade aux colonnettes fines et galbées.
Le bâtiment dégageait une impression de grande harmonie.
Il contrastait avec les édifices voisins, au crépi sali, parcouru
de fils électriques qui pendaient librement sur la façade. Une
double porte de bois verni donnait accès à l'école.

Le grincement des gonds et le bruit des lourds bagages
heurtant le chambranle firent sursauter Mercedes Calderon,
assise à un bureau, le nez dans des papiers. Elle ouvrit grand
ses yeux couleur noisette, sous ses courts cheveux noirs, et
regarda entrer le détective d'un air amusé. La directrice de
l'école était une petite femme mince, âgée d'une cinquantaine d'années. Son visage fin, à peine olivâtre, révélait son
ascendance espagnole et affichait quelques rides. Vêtue d'un
tailleur bleu d'une coupe un peu sévère et d'un chemisier
blanc, elle tendit la main à Lemieux, tout en s'adressant à
lui dans un espagnol des plus élégants.

— Je suis enchantée de faire votre connaissance, monsieur Lemieux. Nous vous attendions avec beaucoup d'im-
patience, car il est rare d'accueillir des Canadiens à Santiago.

— Pourtant, il y a beaucoup de Québécois à Cuba,
répondit maladroitement Lemieux, détachant chaque mot,
encore peu familier avec la rapidité du débit de l'espagnol.

— Je ne vous parle pas des stations balnéaires, mais de
notre école, voyons. Ce sont surtout des Européens qui viennent étudier dans notre maison, notamment des Français.
Vous savez, l'influence française est encore présente à
Santiago. Ça fait partie de notre histoire. À l'époque de
l'abolition de l'esclavage en Haïti, de nombreux planteurs
sont venus s'établir ici. Mais qu'est-ce que je dis… je parle,
je parle. Assoyez-vous, je vous en prie. Nous avons des

papiers à signer. Je vous ferai ensuite visiter l'établissement. Nous aurons amplement le temps de discuter plus tard. Vous parlez l'anglais aussi ?

Lemieux acquiesça d'un geste de la tête. Mercedes Calderon poursuivit :

— En fait, mon véritable métier, c'est professeur d'anglais. J'enseigne à l'école secondaire du quartier. Je travaille ici, à l'école d'espagnol, pour me faire un petit supplément. Mais c'est votre titulaire qui s'occupera de vous. C'est un excellent professeur. Je vous la présenterai dès lundi prochain. Vous savez que ce sont des cours privés, n'est-ce pas ?

Lemieux remarqua que Mercedes Calderon louchait légèrement et qu'elle parlait avec nervosité. Celle-ci enchaîna :

— J'espère que nous aurons l'occasion de converser en anglais, un jour ou l'autre. J'ai grand besoin de m'exercer. Nous pourrons le faire après que vous serez installé. Au fait, ma sœur possède une maison à deux étages située tout près, derrière l'école. Elle habite le premier. Le second est pour vous, si vous le désirez. Il est libre, bien équipé, et c'est très calme. Un des voisins fait du taxi. Il viendra au moindre appel. Les petits voisins feront vos courses.

Si Lemieux voyait bien la manœuvre, il trouvait plutôt rassurant d'être pris en charge et installé dans une famille. Il répondit :

— Ça me plaît. Mais parlez-moi un peu des journées à l'école.

— Il y aura des cours théoriques de vocabulaire et de grammaire, le matin, chaque jour de la semaine. L'après-midi sera consacré aux visites et aux sorties culturelles : sites historiques, musées, églises. Après trois semaines, vous connaîtrez Santiago comme le fond de votre poche. Voilà, signez votre formulaire d'inscription ici.

Mercedes se leva d'un mouvement brusque et donna le
signal du départ. Elle entraîna Lemieux dans l'école, composée de nombreuses petites pièces hautes, meublées seulement d'une table, de quelques chaises droites et d'un tableau
noir. Lemieux était étonné de l'aspect rudimentaire de
l'équipement. Mercedes l'invita ensuite à visiter l'appartement de sa sœur. Le quartier derrière l'école montait en
pente douce vers les hauteurs de la ville, dominé par l'éclatante structure rouge et blanche de l'hôtel Santiago, si haute
qu'elle était visible de partout. Ils parvinrent à la calle Jota,
une rue bordée de coquettes maisons à deux étages, aux
jardins entourés de grilles et de murets. Bananiers, manguiers et palmiers poussaient à foison dans ces cours où chacune abritait une basse-cour grouillante et bruyante.

À Santiago, la fumée et les polluants s'accumulent
comme au fond d'un vase, mais les hauteurs sont constamment balayées par un vent doux et frais. L'air du quartier,
chargé d'une odeur d'humus et de parfums de fleurs, était
des plus respirables. C'était encore plus agréable sur la terrasse de l'appartement situé à l'étage. On accédait au loge-
ment par un escalier situé à l'arrière de la maison. La terrasse
surplombait le jardin. Le logis était plus petit que celui du
rez-de-chaussée qui le supportait, ce qui offrait cette terrasse
partiellement ombragée par de grands manguiers chargés
de fruits. L'intérieur comprenait une cuisine dotée d'un
téléviseur noir et blanc, d'une petite salle de bains avec
douche, ainsi que d'une chambre avec un climatiseur et un
ventilateur. La logeuse, sœur de Mercedes, une femme lour-
daude à l'air un peu méfiant, ne demanda pourtant pas
d'acompte à Lemieux. Elle lui remit la clé de la grille du
jardin et celle de la porte. Elle lui signala que les voisines
pouvaient lui fournir café, cigarettes ou autres menus arti-

cles. Un petit garçon ou une petite fille du voisinage se char-gerait de la course au besoin. « Décidément, se dit Lemieux, l'entreprise familiale marche rondement. » En fait, il était des plus heureux de se soustraire à la surveillance des employés et des policiers de service de l'hôtel.

Lemieux était homme à dormir longtemps et profondé-ment. Son organisme exigeait au moins huit heures de som-meil. De plus, il rêvait fréquemment, notait soigneusement ses rêves et les analysait en établissant des correspondances. Il avait lu Carl Jung, Gaston Bachelard, ainsi que de nom-breux ouvrages sur la mythologie afin de mieux interpréter ses songes. Il s'intéressait, en autodidacte, à tout ce qui touche le symbolisme. Alors que les préoccupations de son métier exigeaient qu'il identifie le sujet, les lieux, les faits et les preuves tangibles, il avait développé une passion pour l'aspect caché de la réalité. Que pouvait bien trafiquer le subconscient dans l'ombre ?

En bon enquêteur, il cherchait les indices permettant de tracer le profil d'un étrange suspect : lui-même. Il ne tirait pas de ses rêves des intuitions fulgurantes ni d'étonnantes prémonitions. Mais chaque rêve lui offrait une photogra-phie de son état d'esprit actuel. Il appelait cela de la sur-veillance intérieure. Mais les images étaient parfois très difficiles à interpréter sous le masque des paradoxes. « Je est un autre », comme le dit Rimbaud, aimait-il se rappeler, chaque fois qu'une image onirique faisait mystère. Juste avant le départ pour Cuba, il avait rêvé qu'il choisissait des revolvers dans une espèce de ragoût où ils mijotaient cou-verts d'écume. Actuellement, il était désarmé.

Ce soir-là, il se coucha nu et s'endormit comme à son habitude, malgré le son des émissions de télé qui jaillissaient des maisons voisines, les cris des enfants qui jouaient encore dans la rue et les chants de coqs qui s'égosillent à toute heure à Cuba. Cependant, c'est le concert des cabots qui le tira du sommeil en plein milieu de la nuit. Chaque maison semblait posséder un ou plusieurs chiens de garde. Les bêtes rôdaient dans les jardins ou sur les toits, et leurs aboiements déferlaient par vagues, l'appel d'une première bête provoquant une réponse en chaîne. Les aboiements enflaient et devenaient de plus en plus menaçants. Une nuit, en camping au Québec, Lemieux avait déjà entendu une meute de coyotes en chasse lancer l'appel à la curée. Les aboiements des chiens n'étaient en rien comparables, chaque bête étant sur son territoire. Ceux-ci manifestaient plutôt l'exaspération des bêtes enfermées dans leur enclos, leur frustration et leur rage. Elles étaient prêtes à l'attaque.

Au lever, Lemieux découvrit un petit cornet, fait de papier journal, sur la table de la cuisine. Il contenait une dose de café noir, gracieuseté de la logeuse. Mais le frigo et les armoires étaient vides. Après le café et la douche, il quitta rapidement en direction de l'avenue Garzon pour y trouver une *tienda*. Il fit ses premières provisions sous les yeux curieux de nombreux clients locaux. Vêtu d'un bermuda, de son éternelle veste noire et d'une casquette Budweiser, il était le centre d'attraction. Les gens l'examinaient à la dérobée, certains souriaient même d'un air moqueur. Lemieux était satisfait de l'effet produit. «Impossible de passer inaperçu, aussi bien jouer la carte du touriste à fond», pensa-t-il. Lemieux remarqua qu'un policier, posté près de l'unique caisse, à l'entrée du magasin, fouillait systématiquement tous les sacs, comparant le reçu de caisse et les articles avant d'autoriser la sortie des clients. Lemieux n'échappa pas au contrôle. Ses sacs furent scrutés attentivement.

Dans la rue, il cheminait péniblement à cause de la lourdeur des paquets contenant des bouteilles de bière et d'eau. Les maisons basses et la maigre végétation en bordure de rue n'apportaient aucune ombre. Les enfants se tournaient sur son passage, et des gens jetaient même un regard par les fenêtres des maisons.

Il reçut le même genre d'accueil curieux lors de sa première promenade dans les rues du centre-ville, bondées en ce samedi. C'était jour de courses sur les deux principales artères commerciales, Heredia et Aquilera, deux rues parallèles qui traversent le centre-ville et aboutissent dans le port de Santiago, enserrant au passage le square central, le parc Céspedes. Lemieux saluait les gens au passage. Un vieux l'aborda pour lui demander du savon. Un autre homme, en treillis militaire, lui réclama un peu d'argent pour du pain. Deux ados tentèrent d'engager la conversation, lui demandant s'il désirait des cigares. Lemieux ne se sentait pas suivi, mais constamment observé, à chaque pas. Les regards des femmes se faisaient insistants. Il fut étonné d'entendre certaines d'entre elles, parmi les plus jeunes, lui murmurer des mots d'amour en le croisant. Il se laissa griser.

Lemieux était parti de l'école, sur l'avenue Garzon. Après avoir traversé le Champ de Mars, il s'était engagé sur la rue Aquilera, en direction du parc Céspedes. Il devait se faufiler dans la foule, en marchant sur des trottoirs étroits et inégaux. À cause de sa corpulence, il devait souvent céder le passage et sauter dans la rue pour contourner des gens. Les motos, les voitures et les camions le frôlaient, crachant une abondante fumée noire. Lemieux était étonné par la multitude des produits offerts dans les magasins. Il pensait voir des files d'attente devant des étalages dégarnis et des gens moroses à cause des difficultés de ravitaillement. Au

contraire, les commerces débordaient d'articles. Les boutiques de vêtements offraient de tout, des chaussures aux
cosmétiques. Il croisa même un magasin d'appareils électroniques offrant du matériel japonais dernier cri. Les gens
étaient vêtus de façon colorée, et l'ambiance était joyeuse.
Mais la présence policière gâchait la fête. Il y avait un gardien dans chaque commerce, un policier à chaque coin de
rue et des militaires en attente dans des jeeps à certaines intersections. Il y avait toujours un uniforme dans le paysage.

Étourdi par l'animation, Lemieux s'arrêta à une vaste terrasse ombragée de parasols, située sur la Plaza de Dolores.
Il préféra s'asseoir au bar, dans l'espoir d'engager la conversation. Ce qui ne tarda pas. Une jeune femme vint immédiatement s'asseoir à ses côtés, en lui demandant s'il parlait
espagnol. De but en blanc, elle lui offrit de l'accompagner
durant son séjour. Elle lui tendit la photo de son fils, en
disant que c'était pour le faire vivre. Ce n'était pas le genre
de conversation qui plaisait à Lemieux. Il se méfiait même
de cette approche si directe, en pensant qu'on cherchait
peut-être à lui imposer un chaperon. Il répondit qu'il désirait
être seul. Il fut obligé de le répéter à plusieurs reprises et de
prendre l'un de ses airs rébarbatifs dont il avait le secret,
avant que la jeune femme ne se lasse. Elle partit enfin, non
sans lui laisser ses coordonnées sur un bout de papier. Ce
ne fut pas la seule à l'approcher au bar. Maintenant sur ses
gardes, Lemieux repoussa deux autres femmes, en prétextant qu'il ne parlait pas espagnol, coupant ainsi toute
discussion. Tout en se régalant d'un sandwich jambon et
fromage et de frites, il pensait à son plan de match. Demain,
il continuerait à se familiariser avec la ville. Lundi, les cours
commenceraient. Au début de la semaine, il irait aussi rencontrer Lydia Valdez, la mère d'Omara, la jeune femme dis-

parue. Il prévoyait y aller lundi soir, à la nuit tombée, pour attirer le moins possible l'attention.

Il était près de dix-huit heures quand il revint à l'appartement de la calle Jota. Mercedes était chez sa sœur. Lemieux l'entendit monter à l'étage et frapper.

— Est-ce que vous avez eu l'occasion de prendre contact avec la ville ? dit-elle.

— Oui, et je suis surpris de voir les magasins si bien garnis. Cuba est plus prospère que ce que je pensais.

— Ce n'est qu'en apparence. Vous ne voyez pas la réalité.

— Mais les magasins sont pleins de produits !

— Pour avoir accès aux magasins, il faut des dollars américains. En fait, à des dollars qu'on appelle maintenant *convertibles*. On peut tout acheter en dollars convertibles. Mais personne n'en possède, sauf certains privilégiés.

— Comment se fait-il que le dollar est encore roi dans un pays communiste ?

Mercedes semblait en avoir long à dire sur le sujet. Et elle poursuivit, parlant de façon animée.

— Vous ne connaissez encore rien de la situation ici.

— Je suis ici pour apprendre...

— Nos salaires sont payés en pesos. Le mien, comme ceux des autres. Le salaire minimum moyen est de quinze dollars convertibles par mois.

— C'est le principe communiste. Ça fait qu'il y a un peu d'argent pour tout le monde, non ?

— Faites-moi rire. Le peso cubain ne vaut rien. Tout se paie encore en dollars, ici. Au même prix qu'ailleurs, et ce, depuis la fin du bloc soviétique.

— Voyons. C'est partout pareil. C'est l'effet de la mondialisation des prix et des marchés.

— Vous ne voyez pas les conséquences pour nous. C'est

la chasse au dollar convertible. Cela crée une société à deux vitesses. À Cuba, si vous n'avez pas de parents exilés en Floride ou si vous ne travaillez pas dans le tourisme ou encore dans le commerce gouvernemental, vous êtes cuits. À moins d'ouvrir un *paladar*, un restaurant privé ou de faire du taxi au noir. Mais ça aussi, ça prend des contacts. Ou encore, si vous êtes une jeune femme, vous pouvez toujours travailler au noir, si vous voyez ce que je veux dire.

— Ouais, j'ai déjà fait certaines rencontres. Pas moyen de se promener sans être sollicité.

— C'est bien clair. Vous avez un signe de dollar écrit dans la figure.

— Mais les gens semblent libres, joyeux, heureux même.

— Vous ne voyez rien.

Avant de poursuivre, Mercedes fit comprendre à Lemieux qu'ils devaient être discrets, en pointant vers chez sa sœur et en mettant sa main sur son oreille.

Elle continua à voix forte.

— Il y a beaucoup à dire sur la culture, l'histoire et l'économie cubaines, monsieur Lemieux. Nous devrions profiter des soirées, la semaine prochaine, pour pratiquer notre anglais. En ne parlant qu'en anglais, d'accord ? Nous pourrions nous comprendre mieux. Vous voulez bien ?

— Mais avec grand plaisir, madame la directrice, répondit Lemieux à voix tout aussi forte et en espagnol.

Mercedes sourit pour une rare fois. Ce petit jeu de connivence lui plaisait visiblement.

— Je vois que vous commencez à vous installer.

— Je commence à apprécier l'air de Santiago, sauf la fumée.

Après le départ de Mercedes, Lemieux commença la rédaction de son journal de voyage, notant les détails de son arrivée. Le lendemain, tôt le dimanche, il fut tiré du sommeil par une rumeur sourde, où se mêlaient des bruits de *feed-back* et de friture électrique, et la clameur de voix scandant des slogans, le tout diffusé par de puissants haut-parleurs. Après le café, il s'informa auprès de sa logeuse. Il apprit qu'une importante manifestation se tenait. Il n'avait qu'à suivre la foule, lui souligna sa logeuse. Dès qu'il mit le pied dehors, il fut entraîné. De partout, les gens convergeaient vers l'avenue Las Americas, un large boulevard à quatre voies menant à la Plaza de la Revolución. Sous des bannières d'associations étudiantes, de syndicats et de comités populaires, toute la ville était au rendez-vous. Il suivit le cortège. Cette fois, personne n'osait le solliciter. Tous se tenaient à distance, car le service d'ordre était important. Il évitait ainsi les œillades féminines, les demandes d'argent et les offres de cigares, coutumières en d'autres lieux. Les gens feignaient de l'ignorer. Lemieux parvint au bout de l'avenue, fermée par un vaste parc où était dressée une estrade. Il écouta un long discours qui portait sur les enjeux de la révolution agraire et la question de l'autonomie alimentaire en cette « époque spéciale de guerre en temps de paix ». La foule répondait par des acclamations tièdes.

Le décor, lui, était tout à fait sidérant. Derrière l'estrade des orateurs, érigée à l'entrée d'un parc, s'élevait un monticule dominé par le monument dédié au général Antonio Maceo. Un bronze, d'une hauteur de plus de vingt mètres, représentait le militaire chevauchant une monture cabrée. À côté de la statue équestre du général, une sculpture faite de gigantesques lames de machettes se dressait vers le ciel. D'une hauteur d'environ quinze mètres, ces lames croisées et inclinées faites de rails d'acier jaillissaient du sol et menaçaient le ciel. Lemieux imaginait les mains géantes qui les tenaient, comme si le sol était peuplé de soldats souterrains qui réclamaient leur retour à la vie. Il les voyait crever soudainement le socle de béton et sortir de terre, bras vengeurs et têtes hideuses. Lemieux ne parvenait pas à détacher son regard de cet ensemble monumental qui exprimait violence et fureur.

Sous le soleil de midi, il revint sur ses pas d'une démarche lourde. Les airs de salsa, qu'il entendait au passage des voitures ou dans les maisons, ne parvenaient pas à dissiper la sensation de malaise qui l'étreignait. Le spectacle de cette foule docile qui se faisait haranguer dans ce décor brutal l'interpellait. Il devinait que les gens n'étaient pas là de leur plein gré. Tout le monde était trop sage. Oubliées l'exubérance, l'animation et la joie de vivre de la rue. Les gens étaient venus ici pour remplir un devoir. Il décida d'aller visiter des musées pour se changer les idées. Mais les nombreuses armes et les instruments de torture exposés au musée d'art et d'histoire Emilio Bacardi, de même que les uniformes tachés de sang et les traces de balles sur les murs de la caserne Moncada ne firent qu'exacerber son impression. Au fil de ces visites écourtées, il comprit que Cuba voue un véritable culte aux armes. Ce qui ne fit rien pour chasser le sentiment d'oppression qui montait en lui.

Chapitre 3

« He visto una boca que solo ha dejado
Perturba mi mente desde que la vi »
ELIADES OCHOA, *Sublime ilusión*

(J'ai vu une bouche comme on ne peut que l'imaginer
Elle me trouble l'esprit depuis ce moment)

—Bonjour, monsieur Lemieux. Je me présente. Je suis Donalita Hidalgo.

— Très enchanté, dit Lemieux.

Dans la petite pièce qui servait de classe, il se trouvait nez à nez avec une jeune femme au teint légèrement hâlé, grande et mince, aux hanches fines et aux épaules étroites, dotée d'une poitrine généreuse. Ses cheveux noirs et droits tombaient librement sur ses épaules et entouraient un visage aux traits espagnols. Sa bouche, aux lèvres pulpeuses, était mise en valeur par la couleur de sa peau et soulignée par un rouge vif. Elle se colla littéralement à Lemieux en lui serrant la main, frottant même l'un de ses seins sur son bras. Lemieux sentit un frisson le parcourir, car il venait aussi de humer le parfum de la jeune femme. Donalita poursuivit :

— Je serai votre professeur au cours des prochaines semaines. Nous travaillerons ici chaque matin. L'après-midi, je vous guiderai dans la ville. J'ai prévu un programme d'activités des plus intéressants.

Elle portait sagement une jupe noire qui tombait aux genoux et un chemisier blanc à motifs folkloriques. Elle avait l'air d'une jeune étudiante.

— Quel âge avez-vous ? demanda-t-il à brûle-pourpoint.

Donalita fut gênée par la question. Elle répondit de façon hésitante.

— Pourquoi ? J'ai… Je suis âgée de vingt et un ans.

— C'est que vous paraissez très jeune pour être professeur.

— Ne vous inquiétez pas. Je suis très sérieuse pour mon âge.

Lemieux resta placide malgré le sourire de moquerie qu'affichait Donalita. Mais il ne pouvait détacher les yeux des lèvres rouges de la jeune Cubaine. Celle-ci enchaîna :

— J'ai terminé le premier cycle d'études en littérature espagnole. J'enseigne pour amasser de l'argent afin de poursuivre mes études. Et je suis très compétente, vous verrez.

Troublé, Lemieux déposa les livres qu'il avait apportés sur la table de travail. Il préférait mettre un peu de distance entre cette jeune beauté et lui. Inconsciemment, il se mit à fredonner les paroles de *L'eau à la bouche*, chanson de Serge Gainsbourg. Donalita l'observait d'un air amusé. Elle poursuivit :

— Mercedes m'a dit que vous vous intéressiez à l'histoire de Cuba et à la culture cubaine. Vous aimez la chanson ? Et la littérature ? C'est important pour moi de le savoir. Mieux je connaîtrai vos goûts, plus vite vous apprendrez l'espagnol. C'est lié. D'ailleurs, c'est la méthode de notre école. Comme je suis votre professeur attitré, vous devrez apprendre à vous confier…

Lemieux s'amusait de son petit jeu de séduction. En même temps, Donalita pouvait l'aider à mener ses recherches. Mais dans quelle mesure pouvait-il lui faire confiance ? Il osa :

— J'aurais un service à vous demander…

— Allez-y.

— Je dois rencontrer une personne qui habite à Santiago.

— Tiens, tiens, une femme, peut-être ?

— Si, c'est une femme. Mais non, je ne la connais pas. Un ami m'a demandé d'apporter des cadeaux à sa famille.

— Elle habite où ?

— Calle Trocha, au 55 $^1/_2$. J'ignore où c'est.

— La Trocha, cela signifie la tranchée. C'est une avenue qui forme un arc de cercle. Elle court des hauteurs de la ville jusqu'à la baie de Santiago. Voilà qui nous ramène à l'histoire. En fait, c'est l'ancienne ligne de défense qui protégeait la ville des incursions des pirates, des pillards ou des envahisseurs. Elle a servi plusieurs fois. Elle a été recouverte depuis. Comme c'était une tranchée importante, c'est devenu aujourd'hui l'une des plus larges rues de la ville. Et savez-vous ce qu'on a fait de l'excavation ? Un égout collecteur. Il court sous la chaussée et se déverse, à ciel ouvert, au bout de la rue. Vous allez au numéro 55 $^1/_2$, dites-vous ? C'est près de la mer. Ce n'est pas très riche dans ce coin-là.

— J'aimerais y aller ce soir, mais ça prendrait une voiture, car j'ai des choses à apporter. Pouvez-vous m'aider ?

— Mais bien sûr, comme vous voulez. J'irai vous prendre chez la sœur de Mercedes, en début de soirée. Je viendrai en voiture, avec mon fiancé.

Vers dix-neuf heures, Lemieux attendait l'arrivée de la voiture du haut de la terrasse de son appartement, plongée dans la pénombre. En après-midi, il avait retiré de ses bagages tous les articles qu'il devait offrir en cadeau à Lydia Valdez, la mère d'Omara. Il était même allé dans une *tienda* pour acheter d'autres aliments, en remplacement des boîtes de pâté confisquées. Tous les objets étaient dans des pochettes de plastique à ses pieds. Quand Donalita arriva, accompagnée de son fiancé, il leur offrit d'abord un verre.

Son frigo était bien garni de bière Hatuey et Cristal. Cette attention fut appréciée par les deux jeunes Cubains, notamment par le jeune homme. Les deux tourtereaux ne cessaient de reluquer les nombreux sacs remplis à craquer. Lemieux donna rapidement le signal du départ.

Dans sa vieille Lada bleue, le jeune Cubain mit la musique à fond la caisse. Les sons graves vibraient à la limite de la distorsion, crachant un rythme de salsa endiablé. Lemieux, fidèle à ses habitudes, s'amusa à noter les noms de rue. La voiture emprunta l'étroite rue Aquilera, l'artère commerciale de Santiago, et roula en direction du square Céspedes. À cette hauteur, elle tourna à gauche et longea la basilique. Elle traversa plusieurs intersections avant de s'engager, à droite, sur la Trocha. À mesure que la voiture descendait vers la mer, l'animation grandissait dans la rue bordée de grands arbres. Des charrettes tirées par des chevaux, des vélos hors d'âge, des triporteurs bringuebalants, des motos et des camions crachant des panaches noirs, sans compter les vieilles autos américaines, transportaient des gens dans un concert de klaxons. Les hautes habitations du centre-ville cédaient peu à peu la place à des bâtiments bas, certains en mauvais état. Aux toits de tuiles succédaient les toits de tôle ondulée. Sur les trottoirs, des attroupements se formaient autour des échoppes colorées des cordonniers, des marchands de vêtements ou des vendeurs ambulants de boissons glacées. À l'intersection de la Trocha et de la rue Cristina, un marché public offrait des amoncellements de légumes-racines, de piments et de bananes plantains sur des étalages rudimentaires. La baie de Santiago n'était qu'à deux rues.

La voiture s'arrêta devant un pâté de masures, un assemblage de cases de béton serrées les unes contre les autres, parfois superposées sur deux étages. Une habitation en béton supportait même une paillote de bois vermoulu, comme si une case africaine avait poussé sur son toit. Plusieurs habitations n'avaient pas de crépi et laissaient voir l'assemblage des blocs de parpaings à nu. De nombreuses fenêtres étaient ouvertes à tous les vents, de simples ouvertures sans volets ni rideaux. Pendant que Donalita allait aux renseignements, Lemieux tentait de s'adapter à ce changement d'environnement. Il était brusquement plongé dans les bas quartiers de Santiago. Trois vieilles femmes, assises à même le trottoir, discutaient avec Donalita. Elles fumaient. Elles firent de grands gestes en direction d'une entrée sans porte, entre deux maisons, qui donnait accès à un couloir. Une des vieilles se leva et traversa la rue, entraînant Donalita vers l'ouverture. Toutes deux disparurent dans l'ombre. Donalita revint accompagnée d'une femme de race noire, mince et grande, aux traits masculins, avec de gros bigoudis de toutes les couleurs sur la tête. Elle était vêtue d'un chandail rouge des Steelers de Pittsburgh, qui faisait voir ses épaules noueuses. Elle était visiblement ennuyée par cette visite et regardait la voiture d'un air hostile.

Lemieux s'extirpa de l'arrière de la Lada. La femme fit signe à Lemieux d'approcher. Celui-ci prit les sacs dans la voiture. Il pénétra, à la suite de la femme, dans l'étroit boyau au sol inégal, ses sacs raclant les parois du passage. Il marcha ainsi à tâtons sur quatre à cinq mètres, guidé par une faible lumière qui luisait à l'avant. Il buta sur un tuyau courant sur le sol. Au bout du couloir, il entra dans une pièce unique aux murs blancs et nus, exception faite d'une image du Sacré-Cœur. À l'entrée, un petit comptoir de béton supportant un réchaud au gaz, noirci et croûté, formait le coin-cuisine. Dans un angle de la pièce, un téléviseur était posé sur un support en fer forgé rouillé. La table de cuisine, située près de la télé, était encombrée de bouteilles de bière. Trois chaises dépareillées complétaient le mobilier dont l'une, en bois, portait d'évidentes traces de brûlures, comme si elle avait été récupérée d'un incendie. Une échelle de meunier conduisait à la chambre à l'étage. Un tuyau d'amenée d'eau courait au plafond et était muni d'un robinet auquel était accroché un broc. L'alimentation électrique provenait aussi du plafond, et les fils, prolongés par des rallonges, pendaient librement sur les murs.

Lemieux n'avait jamais fait face à un tel dénuement. Dans cette maison, située au niveau de la mer et près d'un égout, il n'était pas difficile d'imaginer la situation lors de la saison des pluies : inondation et refoulement des eaux usées, invasion de moustiques et maladies. Et l'été, la chaleur devait grimper dangereusement et transformer ces cubes de béton en four. Malgré l'aspect misérable des lieux, la femme qui accueillait Christian n'avait rien d'une indigente. Sous son air méfiant et dur, elle imposait le respect. Elle défendait son territoire. Il émanait d'elle une impression d'autorité et de dignité. Mais elle ne parvenait pas à dissimuler une certaine lassitude. Comme si elle devait fournir trop d'efforts pour survivre. Le visage hostile, elle ne jeta même pas un regard aux sacs que Lemieux apportait. Elle s'adressa à lui dans un espagnol à l'accent nasillard.

— Qui êtes-vous et pourquoi êtes-vous ici ?

— Je m'appelle Christian Lemieux. Je suis du Canada. Je suis envoyé par un ami de votre fille. J'aimerais rencontrer votre fille.

— Omara n'est pas ici, désolée.

Lemieux ne releva pas l'omission et poursuivit :

— Je veux savoir si vous êtes bien sa mère, Lydia.

— Si. Et après ?

— Je suis ici pour retrouver Omara. Madame Valdez, je sais que votre fille a disparu.

Lemieux tendit le télégramme reçu par son client et signé du nom de Barbara. Lydia Valdez porta la main à son front et s'effondra sur une chaise.

— Ah oui, c'est adressé au fameux Canadien qui est amoureux de ma fille, mais qui ne vient jamais la voir.

— Cet homme est très malade, madame Valdez. Il ne peut plus voyager. Il m'envoie pour vous aider à retrouver votre fille.

— Je n'ai pas de nouvelles de ma fille depuis près de deux mois. J'ai essayé de savoir. Rien.

— Mais son amie, Barbara, celle qui a signé le télégramme, elle doit bien en savoir plus ?

— Barbara n'est plus à Cuba. Elle est en Allemagne, depuis un mois, à la suite de l'invitation d'un touriste. Elle est partie pour longtemps. Quand on peut quitter Cuba... De mon côté, tout ce que je sais, c'est que ma fille a disparu à peine une semaine après sa sortie de prison.

— Comment ça ? Omara était en prison ?

— Vous ne saviez pas ?

Le client n'avait évidemment rien dit de cet emprisonnement à Lemieux. Il reprit :

— Pourquoi Omara était-elle en prison ?

Lemieux n'entendit pas la réponse. Une main s'abattit sur son épaule. Derrière lui, une vieille Noire toute ridée le menaçait en brandissant la statuette d'un saint. Elle lançait des imprécations dans un langage incompréhensible. Lemieux avait sursauté violemment, moins à cause du geste qu'en raison des cris des deux femmes. Lydia hurla à

Lemieux de faire une aumône à la vieille : « Donnez-lui de l'argent. C'est pour son saint. Ça éloigne le malheur ! » Lemieux tendit un dollar convertible. La vieille agrippa le billet. Lydia la chassa d'un geste, tout en vociférant. La vieille sorcière battit en retraite comme une araignée qui regagne son trou. Elle disparut dans le couloir en marmonnant. Le calme revenu, Lydia reprit :

— C'est ma mère. Excusez-la, car elle perd un peu la tête. Elle se fait des histoires avec la religion. La croyance, c'est sa seule consolation.

— Dites-moi, j'ai besoin de parler avec vous. Nous pourrions manger, vous et moi, dans un endroit plus tranquille ? Je suis libre demain soir.

— D'accord. Mais je vous préviens, je ne sais rien sur ce qui est arrivé à ma fille.

— Vous me parlerez de sa personnalité. Et j'ai aussi besoin de certains renseignements sur elle : numéro de carnet d'identité, nom du père, adresse.

— Je vous les donnerai demain.

Les cris de la vieille avaient attiré l'attention. Une jeune Noire d'une dizaine d'années, aux cheveux crépus, descendit l'échelle de meunier. Un jeune homme entra, portant un instrument de musique semblable à une guitare. Un couple de voisins était posté à l'entrée et observait la scène. Lydia présenta brièvement la plus jeune de ses filles et son fils, l'oncle de la famille et son épouse. Lemieux profita de l'occasion pour tendre les sacs. Les provisions, les produits de beauté et les jouets firent alors leur effet. Tout le monde participa fiévreusement au déballage des paquets. Lemieux prit rapidement congé. Il retrouva les fiancés dans la voiture et leur demanda de le déposer chez lui, ce qui interrompit leurs caresses. ¡ *Qué calor !*

Assis à la table de cuisine de son appartement, Lemieux écrivait dans son carnet de voyage. Lors de sa rencontre avec Lydia Valdez, il n'avait évidemment pas abordé des sujets comme la prostitution, la drogue ou le vol. Mais Omara avait été arrêtée sous un chef d'inculpation. Pourquoi avait-elle été incarcérée ? À cause d'une activité politique ou criminelle ? Il penchait vers la seconde hypothèse. Il était vingt-deux heures quand il entendit des pas dans l'escalier. Au son, il devina que c'était Mercedes qui s'amenait et que sa démarche était hésitante. Il la vit apparaître dans l'encadrement de la porte donnant sur la terrasse. Mercedes avait le teint rosé par l'alcool et elle louchait un peu plus qu'à l'habitude. Lemieux comprit qu'elle avait passé sa soirée à boire du rhum en compagnie de sa sœur, la logeuse. Ils passèrent à la cuisine, où elle se laissa tomber dans une des deux berceuses, près de la télé. Christian reprit place à la petite table pliante qui faisait office de table de cuisine. À cause de la chaleur, la Cubaine s'épongeait fréquemment le cou et elle jouait négligemment avec la bretelle de son soutien-gorge par l'ouverture de son chemisier. Elle demanda une bière. L'état d'ébriété un peu avancé de Mercedes avantageait Lemieux. L'alcool ferait fondre les inhibitions de la directrice et favoriserait les confidences. Tel qu'entendu, Lemieux engagea cette fois la conversation en anglais.

— J'aimerais que vous me parliez de la prostitution à Cuba.

— Sujet intéressant pour un touriste, répondit-elle en anglais. Cherchez-vous une compagne ?

Lemieux poursuivit sans répondre.

— Est-ce qu'il y a beaucoup de tourisme sexuel, ici ?

— Vous vous intéressez au marché de la chair fraîche ? Cela peut nous amener loin…

Mercedes semblait s'amuser à déjouer les questions de l'enquêteur. Elle ouvrait et fermait les jambes sous sa jupe longue, comme une gamine. Lemieux restait toutefois imperturbable. Il dit :

— Je vois que ça ne donne rien de nous parler, ce soir.

— Au contraire, dit vivement Mercedes. Si vous m'écoutez, vous allez en apprendre. Mais il faut m'écouter. ¡ *Basta !*

Quoique surpris par la véhémence de Mercedes, Lemieux préférait ne pas répondre. Il attendait qu'elle reprenne sa conversation. Il avait aussi peur que le fil se rompe.

— Oui, il y a beaucoup de prostituées à Cuba. Les filles font marcher l'économie. Elles attirent les étrangers des pays riches. Elles rabattent leurs clients vers les taxis et les restaurants. Elles paient les policiers pour pouvoir pratiquer. Elles servent même d'informatrices. Elles...

— Mais je sais déjà tout cela. C'est partout pareil. Dans la plupart des pays du monde...

— Non ! Ici, ce n'est pas pareil, dit Mercedes en levant le bras. Demandez-vous à qui ça profite. À Cuba, ce n'est pas une activité contrôlée par la mafia. Vous êtes dans l'un des seuls pays communistes. C'est le gouvernement qui profite de la prostitution. C'est bien le gouvernement qui a déclaré que le tourisme était la première industrie de l'île, non ? Mais qui en profite vraiment ? Dites-moi ?

— J'ignore.

— C'est l'armée.

— Comment ça, l'armée ? Qu'est-ce qu'elle vient faire là-dedans ?

— C'est un secret de polichinelle. À Cuba, c'est l'armée qui est propriétaire de plus de la moitié des entreprises touristiques. Propriétaire, j'ai dit. L'argent passe donc directement des poches des touristes aux coffres de la défense. Vous faites une course en taxi ou vous partez en excursion avec un guide : vos dollars deviennent des armes et des munitions.

— L'argent du tourisme servirait donc directement à financer l'armée et la police, dit Lemieux.

— Plus encore. Comme le tourisme est la principale industrie du pays, d'autres secteurs lui sont subordonnés, notamment l'agriculture, l'industrie alimentaire et le transport. Vous êtes-vous demandé pourquoi on vient nous parler de la nécessité de la révolution verte ? Ce n'est pas pour nous nourrir. On nous ment en pleine face. C'est pour grossir l'armée. C'est elle qui contrôle l'approvisionnement. C'est elle qui réquisitionne les aliments pour le tourisme. Pendant que les gens de la rue sont rationnés. Avez-vous déjà essayé de trouver du poisson à Santiago ?

— Nous sommes bien loin de la prostitution.

— Pas si loin. La pénurie alimentaire organisée a ses conséquences. C'est la faim qui pousse les filles dans la rue. Elles ont des parents à faire vivre, des frères, des sœurs et, parfois même, des enfants. Et cette prostitution par nécessité fait rouler le tourisme. Tout baigne dans l'huile pour l'armée. Elle empêche même les filles de quitter le pays. Près de cinquante ans de révolution pour en arriver là !

Lemieux apporta deux autres bières. Sans le remercier, Mercedes poursuivit sur sa lancée :

— Vous ne devinez pas l'ampleur du phénomène. Au début des années 1990, il y avait des centaines et des centaines de filles entre douze à dix-huit ans qui se prostituaient dans le seul village de Varadero. Retenez surtout leur âge, monsieur Lemieux. Il y avait là autant de prostituées que d'habitants. Et il y avait des centaines de filles venant de partout qui travaillaient aussi à La Havane ou à Santiago.

Savez-vous ce que cela signifie dans une école secondaire ?
Chaque mois, des filles cessaient leurs études et s'évanouis-
saient dans la nature. Chaque mois, je perdais de jeunes étudiantes, et certaines parmi les meilleures. La même chose se
produisait dans les écoles des autres villes, à Holguín, à
Camagüey, à Matanzas. Les filles prenaient la direction des
stations balnéaires ou de La Havane. Vous n'êtes jamais allé
à La Havane ? Le grand boulevard en front de mer, le
Malecon, est un bordel à ciel ouvert. C'est à mon tour de
dire que ça ne donne rien de vous parler.

— Désolé. Vraiment. Ça doit être difficile pour un professeur.

— Ce qui est difficile à vivre, Christian — permettez-moi
de vous appeler Christian — c'est l'interdiction de parler.
Le gouvernement incite indirectement les filles à partir de
la maison. La police sait où elles sont. Mais les professeurs
n'ont pas et n'auront jamais le droit de dire un mot. C'est
critiquer le régime. Et ici, on ne joue pas avec cela.

— Mais personne n'a essayé d'arrêter ça ?

— C'est le gouvernement lui-même qui est parfois obligé
d'agir. En 1995, d'immenses rafles ont été effectuées pour
faire taire les critiques internationales. L'image du pays était
en jeu. Quelle ironie ! L'armée devait nettoyer son propre
jardin. À Varadero, par exemple, l'armée a ratissé chaque
maison pour déloger les filles et les ramener dans leur ville
d'origine. Aujourd'hui, c'est peut-être moins visible, mais
l'hémorragie continue, car les plus jeunes prennent la relève.
Et personne ne peut rien dire, surtout pas les professeurs. Il
faut protéger l'image du système d'éducation comme celui
du système de santé. Il ne faut jamais dénoncer le gouvernement. Il ne faut pas dire que celles qui partent deviennent souvent des droguées. Il ne faut rien dire à celles qui

ne partent pas et qui se demandent pourquoi étudier. Et que pensent-elles ? Qu'il suffit de danser et de faire l'amour pour toucher de l'argent. Il y a pire encore, mais je ne veux pas en parler. J'en ai déjà trop dit.

Mercedes resta longtemps silencieuse. Lemieux comprit que, même en parlant en anglais, elle avait sûrement alerté sa sœur ou les voisins par son ton de voix. Elle se leva brusquement et elle chancela sous l'effet de l'alcool. Lemieux se précipita vers elle pour la soutenir. Ils se retrouvèrent soudainement corps à corps, et la bouche de Mercedes se pressa sur ses lèvres. Tout aussi soudainement, elle le repoussa et le quitta. Il entendit le bruit des pas dans l'escalier, puis le long de la maison, et le claquement de la grille du jardin qui se refermait. Il alla ensuite vérifier si elle était verrouillée. Il revint et resta longtemps accoudé à la table de cuisine, devant une autre bière. Il pensait aux questions tendancieuses du chauffeur de taxi, aux fausses déclarations d'amour des passantes, aux sous-entendus de son professeur Donalita, aux confidences en anglais de Mercedes. Et il pensait aussi à ceux qui doivent se taire et qui souffrent d'être complices par leur silence. Il se rappelait les omissions de la mère d'Omara.

Lemieux se heurtait de plein fouet au barrage du non-dit et du surdit, de la dissimulation et de l'amplification à la cubaine. Dans ce pays, on semble avoir une prédilection à gonfler la réalité et, simultanément, à masquer la vérité. En souriant, il revoyait la scène de la terrasse : à la télé, un vieux documentaire montrait le grand barbu faisant un grand discours révolutionnaire, pendant que des jeunes femmes interpellaient le détective en le sifflant. Mais sa pensée allait aussi vers Mercedes, qui soignait sa neurasthénie à grand renfort d'alcool, et vers Lydia, qui soignait aussi mal sa peine.

Pouvaient-elles lui mentir ? Qui avait le plus intérêt à le faire ? Quand il éteignit, il resta longtemps à la fenêtre de sa chambre. Il observa la ronde obsédante d'un doberman posté sur le toit de la maison, située juste à sa hauteur, en face de chez lui. La bête était aux abois.

Le lendemain, Lemieux retourna à l'école de l'avenue Garzon. Il fut heureux de se retrouver en présence de la dansante Donalita. Son exubérance presque juvénile et son dynamisme lui firent oublier les questions de pauvreté et de prostitution qu'il ressassait. L'enchaînement des exercices de grammaire et de vocabulaire, que l'enseignante conduisait avec énergie, donnait une espèce d'ordre ou de discipline mentale à Lemieux. En après-midi, ils firent une longue promenade, sans but précis, ce qui permit à Christian d'entamer la conversation. Il invita Donalita à prendre une bière sur une terrasse située tout près de l'hôtel Santiago. Il se mit à lui raconter l'incident survenu chez Lydia, quand la vieille l'avait agressé.

— C'est quoi, cette affaire-là ? C'est du vaudou ?

— Mais non, le vaudou se pratique en Haïti. Ici, c'est tout à fait différent.

— Cette vieille femme m'a pourtant attaqué avec une poupée. Je n'ai pas vu d'épingle, mais...

Donalita éclata de rire.

— Elle vous a seulement présenté son saint patron personnel. Savez-vous ce qu'est la *santeria*, monsieur Lemieux ?

— Aucune idée. De la magie noire ?

Lemieux, qui s'intéressait pourtant à l'histoire des religions, n'en savait strictement rien.

— Non. C'est une vraie religion, c'est la véritable croyance des Cubains d'origine africaine. Le mot *santeria* signifie la religion des saints. La plupart des Africains amenés comme esclaves à Cuba venaient d'une même région, qui est aujourd'hui le Nigéria, et appartenaient au peuple Yoruba. Ils ont gardé leurs traditions, leur musique, leur culture, leurs rituels et leur foi.

— Quelle est la différence avec le vaudou?

— C'est plus qu'un ensemble de pratiques magiques et de sorcellerie. La *santeria* est une religion monothéiste avec des valeurs spirituelles profondes. Ces valeurs sont représentées par des divinités ou des saints, les *orishas*, qui aident les gens à vivre selon les principes de la foi.

— Vous y croyez, vous?

— Oui. C'est très important pour moi. Comme pour la majorité des Cubains. Même le pape a reconnu l'importance de la *santeria*.

— Et vous avez un *orisha*?

— Je suis sous la protection de Yemaya, la grande mère de tous qui règne sur les océans et qui protège particulièrement les femmes enceintes.

— Et l'*orisha* de la vieille qui m'a harcelé?

— J'ignore. Faudrait voir la statue. C'était sans doute une divinité masculine. Elles sont plus agressives. J'espère que ce n'était pas Changó.

— Pourquoi?

— C'est un dieu terrible.

Donalita n'en dit pas plus. Elle joua nerveusement avec le fin bracelet de pierres bleues et blanches à son poignet. Lemieux se garda bien d'interrompre le silence. Il réfléchissait à la société cubaine. «Ici, une chose en cache toujours une autre. Sous le peso cubain, on trouve le dollar américain. Sous le catholicisme, des cultes africains. Sous le discours révolutionnaire, le tourisme sexuel. C'est un pays à tiroirs, se dit-il, plein de secrets.»

Le soleil déclinait déjà quand ils quittèrent la terrasse. Sur le chemin du retour, vers l'avenue Garzon, Lemieux fut ébloui par la beauté de la lumière. Les crépis de teintes pastel des maisons semblaient rayonner d'un feu intérieur. Le vert des arbres étincelait. Le ciel était d'une brillance inouïe. Il en fit la remarque à Donalita. Elle répondit que c'était là l'effet de la pollution qui diffractait la lumière.

Chapitre 4

« Como no tengo dinero
Tu cariño es falsedad »
ELIADES OCHOA, *Cariño falso*

(Comme je n'ai pas d'argent
Ta tendresse n'est que fausseté)

Lydia Valdez l'attendait sur le trottoir devant sa maison, les cheveux lissés, et vêtue sagement d'un pantalon beige et d'un chemisier bleu. Elle invita Lemieux à marcher. Ce dernier nota que le taxi pour touristes qui l'avait conduit à la maison de Lydia n'avait toujours pas quitté les lieux, et que le chauffeur les observait. Il oublia rapidement ce détail, emporté par l'animation de la Trocha en ce début de soirée. Ils tournèrent à gauche, sur la rue Aquilera, et ils entamèrent la longue montée vers le parc Céspedes. Les fenêtres et les portes des maisons étaient ouvertes, révélant la vie des habitants de ce quartier populaire. La musique jaillissait de partout, les airs romantiques de boléro se mêlant aux rythmes répétés de salsa et de hip-hop. Lemieux admirait les appartements aux hauts plafonds. Lydia s'arrêta soudainement devant la porte d'une de ces grandes demeures et invita Lemieux à entrer. Il se retrouva dans une salle à manger pavée d'un riche carrelage, meublée de lourds meubles en bois et décorée de nombreux bibelots de mauvais goût. Ils prirent place à une grande table. Lydia appela quelqu'un à voix haute.

Ils furent chaleureusement accueillis par un couple d'âge mûr qui, après les salutations, s'éclipsa vers l'arrière. Au cours du repas, quand l'un d'eux venait porter un plat, il repartait tout aussitôt. Lemieux pensa que Lydia leur avait sûrement demandé d'être discrets. Mais l'atmosphère un peu compassée de cette maison bourgeoise pesait sur la discussion. Lydia gardait un air distant et poli. Lemieux ne parvenait pas à détendre l'atmosphère. Il raconta brièvement sa seule rencontre avec son client, au Canada. Lydia semblait appréhender les questions sur sa fille, Omara. Elle parlait plutôt de sa famille et de ses enfants, nés de pères différents, et elle évoquait les conditions de vie difficiles. Lemieux l'interrompit.

— Que faisait votre fille, Omara ? Était-elle étudiante ?

— Non.

— Avait-elle un emploi ?

— Non.

— Mais alors, que faisait-elle ?

— Elle profitait de sa jeunesse. Elle aimait la belle vie et adorait faire la fête. Elle avait des amis. Elle partait souvent en voyage à La Havane ou à Varadero pour les rencontrer.

Lemieux ne savait pas s'il devait aborder le sujet de la prostitution. Il craignait de heurter Lydia qui semblait déjà très réticente. Il ne savait trop si c'était par pudeur à l'idée de se confier ou par peur d'être écoutée. Il poursuivit :

— Madame Valdez, j'ai besoin de renseignements sur Omara. Parlez-moi de son caractère.

— Dans la maison, Omara, c'est un vrai tourbillon. Joyeuse et insouciante. Mais elle est incapable de faire comme tout le monde et d'entrer dans les rangs. C'est un esprit indépendant. Je dirais qu'elle a besoin de liberté.

Lemieux enchaîna :

— Pouvez-vous me dire pourquoi elle a fait de la prison ?

Lydia baissa les yeux. Elle n'avait presque pas touché au

plat de riz aux haricots noirs et au jambon ni à la salade. Elle hésita avant de répondre.

— C'est à cause d'une histoire de faux billets. Omara avait reçu un cadeau en argent. Il y avait deux cents dollars en quatre grosses coupures. Quand elle s'est présentée à la banque pour les changer, le commis a découvert que c'étaient des faux. Elle a été immédiatement arrêtée.

Lemieux savait que le salaire mensuel moyen était très bas à Cuba. Un tel cadeau représentait de quoi vivre pendant des mois.

— Et savez-vous pourquoi elle avait reçu une telle somme ?

— Le cadeau venait d'un ami, un Espagnol. C'était un homme âgé qui venait la visiter chaque année. Ils vivaient ensemble pendant son séjour qui durait jusqu'à un mois. Nous le connaissions bien et nous avions confiance en lui. Il faisait un peu partie de la famille. À son départ, il offrait toujours un cadeau à Omara.

— Comme le Canadien, mon client ?

— Non. Lui, on ne le voyait pas. Il écrivait parfois, et il nous envoyait de l'argent. Il avait rencontré Omara à Varadero, il y a une dizaine d'années. Peut-être se voyaient-ils sans que je le sache. Elle ne me disait pas tout.

Lemieux fit un rapide calcul mental. Omara avait donc dix-huit ans quand elle avait rencontré le Canadien.

— Et qu'est-il arrivé avec l'Espagnol ?

— Plus aucune nouvelle. Après l'arrestation d'Omara, il a coupé tout contact. Ma fille a essayé de communiquer avec lui par téléphone, mais en vain.

Lemieux songea qu'il y avait beaucoup d'hommes et d'argent dans la vie d'Omara. Lydia lut dans ses pensées.

— Ma fille est une bonne personne, n'en doutez pas. Elle

est croyante. Elle aime sa famille. Elle est attachée à son frère et à sa sœur. Elle fait tout pour nous aider.

— Elle s'est peut-être trouvé un autre... ami ?

— Elle ne serait jamais partie sans donner de nouvelles, c'est impossible. C'est ce qui m'inquiète.

— Et si elle avait quitté le pays, comme *balsera* ?

Lemieux faisait référence aux nombreux Cubains qui tentent de rejoindre les côtes de la Floride sur des embarcations de fortune.

— Impossible, elle n'aurait jamais quitté l'île sans m'avertir.

— Écoutez-moi, Lydia. Je ne peux rien faire pour Omara si je n'ai pas une piste plus précise. Connaissez-vous une personne qui peut m'aider ?

— Je vais vous faire rencontrer un homme du nom de Leonardo. Il devrait d'ailleurs être au parc Céspedes, ce soir. Il en sait peut-être plus, car c'est un ami d'Omara. Il connaît les habitudes de ma fille. De plus, il fait du taxi. Il pourra vous être utile. Vous pouvez compter sur lui.

Lemieux se demandait s'il n'était pas aiguillé encore une fois sur l'ami de service qui fait du taxi. Avant de quitter le *paladar*, Lydia, qui n'avait rien mangé, demanda une pochette de plastique pour apporter les aliments. Elle rafla même le pain dans la corbeille. Dans la rue, elle proposa à Lemieux d'aller vers le parc Céspedes. Dans la rue Aquilera, un vieux Noir, assis sur une mauvaise chaise de bois, grattait ses chevilles déformées et souillées de terre à l'aide d'une machette. Il salua le couple qui passait devant lui, en soulevant son chapeau de paille.

Lydia avait pris le bras de Lemieux et le guidait. Au lieu d'entrer dans le parc Céspedes, elle l'entraîna vers la cathédrale.

— Il y a une célébration de la messe. Vous voulez entrer ?

Lemieux rigola intérieurement. L'idée d'entrer dans une église était plutôt bizarre, surtout par un chaud samedi soir dans une ville animée. Lydia poursuivit :

— Il y a une messe et j'aimerais communier.

Lemieux mit l'initiative de Lydia sur le compte de sa dévotion. N'avait-il pas appris plus tôt que la croyance est bien vivante à Cuba ? S'il devait se plier à cette demande pour gagner la confiance de la mère d'Omara, ce détour religieux avait peu d'importance. Il accepta de l'accompagner, tout en trouvant la situation incongrue.

Ils entrèrent dans la basilique bondée de fidèles. L'odeur de l'encens, dans l'humidité tropicale de la basilique, tenait du remugle. Lemieux écoutait le bruissement de la foule. Tout cela réveillait en lui de lointains souvenirs : examen de conscience, confession, état de grâce... Des images de son enfance et de sa préadolescence se bousculaient. Il se revit lors d'une cérémonie de la fête-Dieu, étourdi par l'odeur s'échappant de l'encensoir qu'il portait et par l'incessant refrain des prières qui montait dans l'air de la nuit.

Au moment de la communion, Lydia se tourna vers lui : « Est-ce que vous voulez communier, vous aussi ? » Lemieux soupçonna Lydia de chercher à le mettre à l'épreuve, de tenter de le sonder. Il accepta, toujours pour maintenir le lien avec elle. Ils firent donc la file en direction de la sainte table. Et c'est dans cette procession un peu empesée, cheminant lui-même de son pas lourd, qu'il prit conscience que cet épisode n'était pas anodin. Il était surpris de la tournure des événements. De sa présence à une messe. De son respect du rituel. De son recueillement, même. Il n'avait plus l'impression de jouer un jeu. Le geste de s'avancer vers la communion semblait avoir crevé sa bulle d'enquêteur qui demande toujours à voir des preuves, des images vidéo, des rapports de surveillance. Il entrait dans une zone inconnue.

Après avoir reçu l'hostie, Lemieux retourna à son banc et s'agenouilla. Logée au plexus, une étrange sensation d'anxiété s'empara alors de lui. Elle vibrait en lui. Dans la posture de communiant, tête baissée, replié sur lui-même, il ressentait la douleur et l'angoisse muettes de la mère d'Omara, recueillie à ses côtés. C'était comme si Lydia lui transmettait la peine qui palpitait en elle. Une promesse se forma en lui. Ce n'était pas les vœux pieux d'un homme sans conviction. Pour la première fois, cette enquête banale en apparence prenait une véritable importance. Ce n'était plus un voyage de tourisme. Ce n'était plus un simple travail d'investigation. L'affaire devenait un engagement personnel. Il souhaita retrouver Omara. Il devait réussir. Il était lui-même étonné de nourrir cette détermination. Depuis son arrivée, il avait accompli son travail de façon détachée. Il ressentait maintenant de la ferveur.

Il était dans un état second à sa sortie de l'église. Il devinait que Lydia avait moins cherché à éprouver sa foi qu'à le faire communier avec sa réalité de mère. Ce qu'il comprenait maintenant, c'est qu'elle ne l'avait pas invité à l'église pour le mettre à l'épreuve, mais pour le convertir secrètement, sans paroles, à la cause de sa fille. Elle lui avait fait vivre une forme d'initiation. Incapable d'exprimer ce qu'il ressentait, Christian serra gauchement Lydia dans ses bras.

Il l'invita ensuite à boire une bière à l'hôtel Casa Grande. Elle accepta avec appréhension. Lemieux comprit pourquoi, quand il affronta les questions du policier de l'hôtel qui refusait d'admettre Lydia. Lemieux raconta qu'il était un ami de la famille de longue date, précisant même qu'il n'avait pas vu Lydia depuis dix ans. L'autorisation d'entrer fut donnée après une longue discussion et un don discret. Ils furent enfin autorisés à pénétrer dans les lieux, mais non sans essuyer les regards soupçonneux du policier. Le rez-de-chaussée de l'hôtel était occupé par un vaste salon, ouvert par de larges arcades sur la rue et sur le parc Céspedes, très animés à cette heure. En fond de salle, un restaurant gastronomique était protégé du bruit par de hautes portes vitrées. Lydia semblait fascinée par le spectacle du restaurant bondé. Lemieux, lui, était absorbé dans ses pensées. C'est elle qui rompit le silence.

— C'est la première fois que je viens ici de toute ma vie. Nous n'avons pas le droit d'entrer ici. Ni l'argent.

— Ça explique pourquoi on nous a posé tant de questions.

— On nous interdit surtout de fréquenter les étrangers. C'est encore plus difficile pour une femme comme moi qui habite les bas quartiers. Je ne fais pas partie de leur monde. Si j'étais jeune, belle et élégante, ce serait une autre histoire.

En disant cela, Lydia indiqua le restaurant. C'était la fin du repas. Des clients dansaient dans la fumée des cigares. De nombreuses jeunes femmes faisaient la fête en compagnie de touristes plutôt âgés. Lemieux saisit l'occasion.

— Est-ce que votre fille accompagnait parfois des touristes ? Est-ce qu'elle faisait comme ces filles ?

Lydia ne répondit pas, mais elle se mit à pleurer silencieusement. Elle saisit la main de Lemieux.

— Je ne peux pas croire qu'elles font cela. Si jeunes avec des hommes si vieux.

— ...

— Ce sont nos filles, nos enfants, qui dansent avec des vieillards pour de l'argent.

— C'est la même chose dans le parc ou en ville. Il y a plein de filles qui s'offrent, dit-il.

— Mais c'est la première fois que je vois cela d'aussi près.

Le serveur se pointa, non sans les avoir longuement fait poireauter. Il jeta un regard de reproche à Lydia, qui s'épongeait les yeux, et il ne s'adressa qu'à Lemieux. Celui-ci commanda de la bière. Le serveur mit encore plus de temps pour revenir avec les consommations, comme s'il tentait de les décourager. Lemieux supportait très bien l'attente. Il sentait que Lydia avait des choses à raconter. Fidèle à ses vieilles habitudes de lézard, il décida d'attendre qu'elle prenne la parole.

— Je sais ce que ma fille faisait avec les touristes, c'est vrai. Elle était une *jinitera*, comme ces filles. Une *chevaucheuse*.

Lydia avait parlé sans détacher les yeux des couples enlacés derrière les vitres du restaurant. Lemieux enchaîna :

— Est-ce qu'elle fréquentait encore des touristes avant sa disparition ?

— Non. En prison, la vie de ma fille a basculé. En fait, la prison semblait l'avoir transformée. À sa sortie, elle voulait changer sa situation, se trouver un emploi et refaire sa vie.

— Elle avait un ami ou un amoureux ?

— Non, pas depuis sa sortie de prison. Elle disait qu'elle était incapable d'aimer et qu'elle ne croyait plus à l'amour. Elle accusait sans cesse les hommes d'être des machos, surtout les Cubains. Elle disait qu'ils ne savent rien de la tendresse et de l'affection. Et qu'ils n'ont aucun respect. Elle n'était plus la même. Elle passait d'un extrême à l'autre.

— Elle avait des copains ? Des gens pour l'aider ?

— Sauf Leonardo, le chauffeur de taxi que je veux vous

présenter… je ne vois pas qui. Les autres, je ne peux pas les appeler des amis. Ma fille avait changé, mais pas son milieu.

Lemieux mesurait tout le chemin parcouru au cours de la soirée. Toute méfiance était maintenant tombée. Il en oubliait le manège des vieux avec leurs jeunes beautés et les regards hargneux des serveurs. Il subissait stoïquement la chaleur suffocante et la cacophonie des radios d'auto et des klaxons dans la rue. L'important, c'était la femme qui était devant lui, les yeux rougis et les traits rongés d'inquiétude pour sa fille. Il se sentait lié à elle. Lemieux, qui se méfiait généralement de ses émotions, était envahi par un sentiment d'amitié envers Lydia. C'était plus que de la compassion. Il avait lui-même deux filles du même âge.

Lemieux prit Lydia par le bras et l'accompagna vers la sortie de l'hôtel Casa Grande. À peine sur le trottoir, il fut interpellé par un marchand ambulant. Celui-ci l'agrippa et le tira à l'écart pour lui présenter un plateau où s'étalaient des bijoux et des pièces de monnaie. Le marchand se faisait insistant, forçant Lemieux à regarder la marchandise. Celui-ci chassa le vendeur d'un geste et fit volte-face. En se retournant, il constata l'absence de Lydia. Plus aucune trace de la mère d'Omara. Elle était pourtant avec lui, dix secondes plus tôt. Il ne parvenait pas à le croire. Il traversa la rue, regardant à gauche et à droite. Il attendit de longues minutes, fouillant du regard la foule du parc Céspedes. Déjà quelques prostituées l'avaient repéré et s'intéressaient à lui. Il marcha quelques pas pour s'éloigner de l'hôtel. C'est alors qu'une jeune femme s'approcha de lui et lui souffla à l'oreille son prénom : Christian. Comment pouvait-elle le connaître ? Elle lui fit signe de le suivre. Elle entraîna Lemieux dans une rue étroite et sombre. Il la suivit avec une certaine inquiétude, ne sachant trop que penser. Tout en marchant, il ne pouvait ignorer les hanches rondes et la démarche souple de la jeune Noire.

Après plusieurs changements de direction, ils parvinrent à une petite place. Elle indiqua une vieille Lada, cabossée et peinte seulement d'un apprêt antirouille, qui était stationnée sous un réverbère. À côté de la voiture, les bras levés au ciel, un homme d'une forte corpulence criait : « C'est impossible de vivre ici ! Totalement impossible ! » Il frappait sur le toit du véhicule, tout en lançant ses imprécations. Quand Lemieux s'approcha de la voiture, l'homme l'invita à monter rapidement. Lemieux prit place à l'arrière. En ouvrant la portière, il reconnut Lydia, tremblante et apeurée. L'homme et la jeune Noire prirent place à l'avant. Le chauffeur se présenta sous le nom de Leonardo. Lydia raconta les derniers événements. Au sortir de l'hôtel, deux policiers l'avaient rapidement isolée, pendant que le marchand retenait l'attention de Lemieux. Les policiers avaient formellement interdit à Lydia de fréquenter un étranger et ils lui avaient intimé l'ordre de rentrer immédiatement à la maison sous peine d'arrestation. Par chance, Leonardo était dans les parages, posté en attente de la rencontre prévue avec Lemieux. Il s'était porté garant de Lydia auprès des policiers et il avait promis de la ramener à la maison.

Lemieux était étonné que cela se soit déroulé à quelques mètres de lui, et sans qu'il en ait la moindre connaissance. Il avait pourtant l'impression d'avoir regardé partout. Il en concluait qu'il n'était vraiment pas sur son terrain, lui, l'enquêteur vigilant.

De son côté, Leonardo ne décolérait pas. Il ponctuait le récit de Lydia en frappant son volant et en répétant : « Impossible ! » Sa jeune amie essayait en vain de le calmer. Lydia demanda qu'on la ramène sans plus tarder. La voiture s'ébranla dans un bruit mécanique qui n'avait rien de rassurant et au son de l'éternelle salsa crachée par l'autoradio. Les vibrations ébranlèrent la glace de la portière avant, côté passager, qui s'abaissa brusquement avec fracas. Leonardo sortit de la voiture et remit la vitre en place. Il remonta à bord, encore plus furibond. En cours de route, le chauffeur changea plusieurs fois de direction en apercevant au loin des voitures de police, nombreuses à patrouiller le centre-ville de Santiago à cette heure. Il n'emprunta pas la Trocha, mais s'enfonça dans un dédale de petites rues.

Lemieux, complètement désorienté, fut soulagé de voir se terminer cette course sans encombre. Lydia, visiblement exténuée, courut se réfugier chez elle. Elle s'engouffra sans se retourner dans le sombre couloir menant à sa maison. Calé sur la banquette arrière défoncée, Lemieux commençait à ressentir une grande fatigue. L'expérience irréelle de la communion. Les pleurs de Lydia. Le coup du marchand ambulant. La sensualité des femmes. Lemieux était envahi par un sentiment de vulnérabilité. Il en perdait ses repères. Il ne savait plus où il en était. Il devait maintenant s'en remettre à Leonardo pour la suite de son enquête, à une personne encore inconnue une heure plus tôt. Ce dernier semblait maintenant plus préoccupé par les baisers de sa belle mulâtresse que par l'idée de participer à une enquête. Et le chauffeur devait trouver son passager un peu encombrant. Sur le chemin du retour, Lemieux demanda qu'on le dépose, non pas à la maison, mais dans un endroit où il pourrait prendre un verre. Leonardo lui suggéra de visiter la discothèque de l'hôtel Las Americas. Il conseilla à Lemieux de prendre du bon temps et de s'amuser en belle compagnie pour oublier cette soirée. Dans le stationnement de l'hôtel, Leonardo donna ses coordonnées à Lemieux et l'invita à l'appeler dans deux jours, soit jeudi. Il précisa qu'il serait absent en raison d'un voyage à Holguín.

L'entrée de la discothèque était dissimulée par d'abondants palmiers nains et des plantes tropicales. Mais le son qui traversait les murs suffisait pour guider un aveugle. Lemieux croisa et salua courtoisement le policier de garde. En quittant la voiture, il avait aussi remarqué la présence de quatre militaires lourdement armés qui faisaient le guet à bord d'une jeep de couleur brune, à l'arrêt, dans le stationnement de l'hôtel. Il poussa la porte de la discothèque et se retrouva dans une vaste pièce sombre. À l'entrée, il y avait un bar d'une dizaine de places. À la droite de celui-ci, la piste de danse illuminée et, à la gauche, une salle peu éclairée, meublée de causeuses profondes et de tables. L'endroit était peu fréquenté, en ce début de semaine, et la plupart des tabourets du bar étaient libres. Lemieux s'installa là et enfila deux *mojitos* coup sur coup. Le groupe Los Van Van faisait éclater cuivres et percussions. Lemieux hochait la tête au rythme de la salsa, l'air buté. Les questions fusaient dans sa tête. Comment faire avancer cette enquête ? Comment obtenir la moindre indication ? Leonardo savait-il quelque chose ? Qui étaient les amis d'Omara ? Quels endroits fréquentait-elle ?

La chanson *El Negro esta cocinando* jouait quand Lemieux fut approché par une plantureuse Noire d'une trentaine d'années. Elle attira son attention par le petit sifflement familier, caractéristique des arnaqueuses cubaines. Il comprit tout de suite que c'est lui qui allait se faire cuisiner. Gonflant la poitrine, elle se colla littéralement à Lemieux, faisant jaillir ses seins d'un soutien-gorge trop petit. « En ce début de semaine, ce sont les plus vieilles qui travaillent, pensa Lemieux. Sûrement parce qu'elles ont encore besoin de gagner des sous. Les jeunes ont fait leur argent en fin de semaine. » Il y avait en effet une dizaine de femmes seules dans la boîte, toutes dans la trentaine. Certaines dansaient entre elles. D'autres fumaient, assises sur les causeuses. Toutes avaient l'air désœuvrées. Lemieux en était maintenant à son troisième cocktail et son jugement commençait à s'émousser sérieusement. Il laissa faire la femme sans la repousser. Il commit l'erreur de lui offrir un verre. Celle-ci sentit qu'elle mettait peu à peu le grappin sur sa proie, et elle l'invita à s'asseoir dans un coin sombre. Elle commença à le caresser et à l'embrasser. Elle n'était pas belle, mais elle ferrait son poisson d'une main experte.

La musique semblait narguer Christian. Il se sentait largué et en pleine dérive. Il aurait mieux fait d'aller se coucher. Au contraire, il se laissait ficeler. Il assistait à ce mauvais spectacle de séduction en sachant très bien qu'il en paierait le prix. Il perdait peu à peu le sens de la réalité. Il était pourtant vide, sans désir pour la fille. Plus le temps passait, plus celle-ci s'enhardissait. Pour Lemieux, tout se déroulait de façon irréelle. La fille lui proposa de louer une chambre. Il accepta. Il la laissait le manœuvrer. Ils se dirigèrent ensemble vers l'hôtel. La fille l'entraîna vers la réception et rejoignit le policier de service. Elle se tourna vers Christian et lui demanda un billet de dix dollars pour le flic. À la réception, elle fit la réservation. Elle poussa son client vers le comptoir où celui-ci régla la chambre par carte de crédit. Ils montèrent deux étages. Au premier, un policier armé dormait dans un fauteuil. Sur le toit, un policier faisait une ronde. Le walkie-talkie qui crépitait avait attiré l'attention de l'enquêteur.

La fille voulait de toute évidence expédier rapidement les formalités amoureuses. Lemieux aussi. Il participa de mauvaise grâce, d'autant plus que le sexe très poilu de la dame ne lui inspirait pas confiance. Il élimina les préliminaires, revêtit son condom et s'exécuta de façon mécanique. « Gros zéro. Du sexe triste, c'est ça. Mais qu'est-ce que tu as fait là ? Et, surtout, qu'est-ce que tu fais là ? », se demandait-il tout en se rhabillant. Au cours de l'acte sexuel, Lemieux avait palpé d'étranges marques au dos de sa partenaire, des zébrures profondes ou des marques de coups. La femme demanda à Christian de l'inviter au restaurant de l'hôtel. Encore une fois, Lemieux ne rejeta pas la demande. Soumis et sans volonté, il alla s'attabler. La femme commanda deux sandwichs, en disant à son client que le deuxième était pour son fils. Elle ne les toucha même pas. Elle les enfouit plutôt dans son sac et quitta Lemieux. En sortant de l'hôtel, il fut joyeusement salué par les deux serveurs du restaurant, ainsi que par le policier de garde dans le hall.

Lemieux se sentait humilié et furieux. Humilié d'avoir cédé si facilement au petit jeu économique qui faisait l'affaire des serveurs, des policiers et des filles, et furieux de son manque de respect envers lui-même. Il ne pouvait expliquer son comportement que par sa récente rupture et le besoin de toucher un corps de femme. Il s'était jeté dans un piège qu'il avait lui-même posé. Que cherchait-il ? Que pensait-il trouver dans cette rencontre sordide ? Il avait l'impression de s'être trompé de moment et d'endroit, et d'avoir tout joué faux. Que pensait-il obtenir en venant ici ? Il avait posé quelques questions. La fille ne savait rien sur une collègue disparue et prénommée Omara. Elle n'en avait rien à cirer de cette concurrente. Et elle avait même fait la jalouse. Chose certaine, si des policiers s'intéressaient à la présence de Lemieux à Santiago, ceux-ci devaient être un peu plus rassurés. Christian avait joué au touriste idiot, consommé plus que son saoul, encouragé les talents féminins locaux et généreusement payé la prestation de services sexuels, ainsi que la prime alimentaire. C'était le seul bénéfice lié à cette coûteuse escapade. Lemieux en gardait un goût amer.

Il revint à pied vers la calle Jota. Il suffisait de traverser l'avenue Las Americas, de passer devant l'immense hôtel Santiago et de s'engager dans le quartier avoisinant. Il était trois heures du matin. De rares voitures filaient à toute allure, des taxis pour touristes qui ne ralentissaient même pas à sa hauteur. Arrivé à l'appartement, il tomba comme une roche. Dans son sommeil, il rêva qu'il était prisonnier dans un camp de concentration. Il marchait en compagnie d'une jeune femme famélique dans la cour du camp. Il lui répétait que, l'important, c'était de continuer à marcher. Il l'encourageait à poursuivre, comme si leur vie à tous les deux en dépendait. Ils arpentaient la cour du camp, comme si c'était le seul moyen de s'opposer aux gardiens et de survivre à l'hostilité et à la violence qui régnaient dans le camp. Comme au cinéma, l'image avait fondu au noir. Dans la scène suivante, il contemplait les braises ardentes d'un poêle à bois, qu'il observait par une petite porte sur le devant du four. Il approchait des braises qui composaient un paysage complexe et mouvant jusqu'à s'en chauffer le visage.

À son réveil, les effets de l'alcool ingurgité la nuit dernière et les souvenirs des événements de la veille le hantèrent douloureusement. Lemieux tenta aussi d'interpréter son rêve. Il était toujours étonné par le caractère énigmatique des images oniriques. Il ne comprenait rien à celle de la contemplation des braises. Vision de Cuba ou d'un univers intérieur ? Il ne cessait de se répéter qu'il avait vu un monde de feu, en lui, sans trop savoir comment interpréter cette scène. Le premier segment du rêve lui paraissait plus clair. «Le camp de concentration, c'est ma perception de Cuba, pensa-t-il. Je m'intime l'ordre de continuer. Et peut-être d'utiliser l'aspect féminin de mon être, mon *anima* ou de faire confiance aux valeurs féminines, afin de résoudre cette enquête. »

Chapitre 5

« Quien no ha dicho una mentira
Todo el mundo ha sido un poquitico mentiroso »
Los Van Van, *Quien no ha dicho una mentira*

(Qui n'a jamais raconté un mensonge
Tout le monde a déjà été un petit peu menteur)

Du matin au soir, la présence de la musique cubaine est obsédante. Elle s'échappe, de façon tonitruante, de toutes les maisons et de toutes les voitures, des postes de télé comme des autoradios. Cette enfilade interminable de chansons envahit et remplit le moindre moment et chaque espace de la vie quotidienne. Les pulsations des percussions de style africain, les appels déchirants des sections de cuivre et l'omniprésence des chœurs donnent à cette musique un aspect collectif presque tribal. Chaque chanson s'ouvre sur la prochaine dans une chaîne interminable portant sur le même thème. Célébration de l'amour et de la passion, du temps et de la vie, du corps et des baisers. Invitation à l'abandon, au vertige des sens et aux caresses, par le rythme et les répétitions. Un long, immense et déraisonné appel à l'amour, pour paraphraser le poète. Avec un seul leitmotiv : *Te quiero.*

« *Te quiero, te quiero* grommelait Lemieux, tout en marchant en direction de l'école. Ils exagèrent avec leurs chansons. C'est un autre beau mensonge à la cubaine. Tout le monde danse sur un volcan en chantant des chansons d'amour. Mais c'est peut-être la seule manière de sentir un peu de liberté. »

Lemieux en avait plus qu'assez des airs de salsa, de boléro, de hip-hop, de rumba. Son juke-box personnel débordait de tous ces sons. Il était incapable d'en prendre plus. Avant son départ, il croyait que la musique cubaine n'était qu'un truc pour touristes. *Besame, besame mucho.* Il savait maintenant que le moindre geste de la vie quotidienne avait ici besoin de cet environnement musical. S'il se sentait parfois réfractaire ou incapable d'en absorber plus, il ne pouvait s'empêcher d'être subjugué. Il comprenait, de façon diffuse, que cette musique permettait aux gens d'échapper à des contraintes ou de se lier à des réalités encore imperceptibles pour lui.

À l'école de l'avenue Garzon, la gracieuse Donalita l'attendait. Indolente, elle s'avança vers lui pour l'accueillir et pour lui faire la bise, lui donnant tout le temps de bien humer l'odeur capiteuse de son corps. Elle le prit ensuite par le bras pour le guider vers la table. Lemieux fut tout étourdi par cette bouffée de parfum où se mêlaient des effluves d'encens et la fragrance fruitée des freesias. « Quelle séductrice, pensa Lemieux à la vue de la grande et mince Cubaine. Encore une chance qu'elle soit en amour… » Il avait l'impression que toutes les Cubaines étaient bien dans leur peau, s'abandonnaient langoureusement au regard des hommes, bougeaient et dansaient de façon provocante pour allumer le désir. Il avait observé de jeunes écolières, des grands-mères, des marchandes dans la rue, d'élégantes employées de banque. Toutes avaient le charme du « serpent qui danse au bout d'un bâton », comme si les femmes cubaines étaient libérées, dès leur naissance, et pour leur vie entière, de toute fausse pudeur.

Le sang battait maintenant aux tempes de Lemieux. À cause de la présence de Donalita ou des effets des excès de la veille, il fut très mauvais étudiant ce matin-là. Dès midi, il proposa de sortir. Il retrouva avec plaisir la fraîcheur des grands arbres de la terrasse près de l'hôtel Santiago. Il prit son premier repas de la journée, soit un traditionnel sandwich jambon et fromage, avec frites et bière. Il en avait marre de la pauvreté de la cuisine cubaine. Depuis son arrivée, il n'avait mangé que des sandwichs ou du poulet rôti, accompagné de riz aux fèves noires ou de frites. Les viandes étaient toujours raides et sèches, durcies autant par l'élevage que par la cuisson. Il n'avait évidemment pas goûté de poisson dans cette ville située sur le bord de la mer! Par chance, la bière était toujours fraîche. À sa surprise, Donalita but une bière avec lui. Pour la première fois depuis l'arrivée de Lemieux, elle semblait se détendre. Elle était presque allongée sur son fauteuil et appréciait le fait de ne rien faire. Christian avait d'ailleurs décliné toute invitation à visiter un musée ou une église. ¡ *Mañana* !

— Donalita, j'aimerais que vous me parliez de la situation de la femme à Cuba.

— Ah bon ? Je vois que vous vous intéressez toujours aux questions sociales. Mais pourquoi la situation de la femme ?

— J'aimerais comprendre un peu plus la nature des rapports entre les hommes et les femmes à Cuba. De plus, disons que j'ai devant moi un témoin idéal...

Lemieux avait appuyé ses propos en posant un coude sur la table, la main posée sous le menton, et il fixait la belle Donalita.

— Vous allez me troubler, monsieur Lemieux. Tenez, je pourrais vous dire que la révolution a beaucoup amélioré les conditions des femmes à Cuba. Les rapports de l'ONU sont très élogieux à ce sujet. Mais pour mieux répondre à votre question, je vais vous parler encore de la *santeria*.

— Mais pourquoi mêler les sujets ?

— C'est que la *santeria* comprend de nombreuses figures féminines. Cela donne une image de l'intérieur. Cela vaut bien mieux qu'un portrait socio-économique.

— Allez-y.

— Je vais vous conter une des légendes de la *santeria*. On appelle ces récits des *patakis*. Cette histoire raconte comment Ochún a fait sortir Oggún de la forêt.

— Ce sont deux *orishas* ?

— Oui, et des plus importants. Oggún est le dieu qui régit le fer, le travail et la guerre. C'est saint Pierre, dans la religion catholique. Alors que Ochún...

— Je sens que la déesse de l'amour va apparaître...

— Ne riez pas. C'est vrai qu'elle est la déesse des eaux douces, de la fertilité et de l'amour. Dans la religion catholique cubaine, c'est la sainte patronne de Cuba, la Vierge noire de la charité du cuivre.

Lemieux appréciait de plus en plus ce jeu de cache-cache religieux. Il s'amusait à imaginer les changements de personnage, le noir prenant la place du blanc, une figure païenne se cachant sous le saint catholique, une sainte abritant sous ses jupes un dieu vengeur, dans un joyeux carnaval religieux. La *santeria* commençait à lui fournir certaines clés sur la réalité cubaine. Il encouragea Donalita à poursuivre :

— Allez Donalita, racontez...

— D'accord. Un jour, le dieu Oggún a décidé de quitter la compagnie des hommes et de se retirer en forêt. Il en avait assez de travailler pour la société et de régler les problèmes liés à l'organisation du travail des hommes. Mais en partant dans la forêt, il a emporté avec lui tous les secrets de la technique et de l'industrie.

— Votre dieu du travail a fait la grève, si je comprends bien.

— Oui. Avec son départ, tout s'arrêta. Il n'y avait plus d'outils et plus aucun travail pour les hommes, ni agriculture, ni industrie. La famine commença alors à sévir. Mais personne ne réussissait à convaincre le dieu de revenir dans la société. Un jour, la plus jeune et la plus belle des déesses, Ochún, demanda la permission de tenter de ramener Oggún à la civilisation. Alors que tous les autres dieux s'opposaient à une telle initiative, Obbatalá, le père de tous, lui accorda la permission. Ochún partit à la recherche du dieu. La déesse entra dans la forêt en dansant, vêtue de voiles légers et transparents. Elle tenait en main un petit flacon qui semblait contenir du parfum. Quand elle aperçut Oggún, elle dansa avec encore plus de sensualité, jouant de ses voiles pour révéler peu à peu son corps.

— Je vois, je vois : *a lo cubano*.

— Ne faites pas le macho… La déesse faisait semblant de ne pas voir Oggún. En tourbillonnant, elle s'approcha peu à peu de lui. La danse de la déesse était si envoûtante que le dieu fut captivé. Elle s'approcha ainsi jusqu'à le toucher. Ochún ouvrit alors le flacon qu'elle portait et elle enduisit les lèvres d'Oggún d'un miel magique, au pouvoir hypnotique. Elle continua ensuite à danser, comme si elle ne voyait pas le dieu. Mais pas à pas, elle attira lentement Oggún jusqu'au centre de la ville, remettant parfois du miel sur les lèvres du dieu. Le retour du dieu du travail fut acclamé par les hommes. Celui-ci affirma qu'il avait réfléchi et qu'il revenait chez les hommes de sa propre volonté. Il ne voulait pas admettre qu'il avait été séduit par le charme d'une femme. Mais les gens savaient la vérité, et Ochún gagna ainsi le respect de tous.

— Quel sens donnez-vous à cette histoire de séduction ? Que toutes les Cubaines jouent à être des séductrices ?

Donalita leva les yeux au ciel, exaspérée.

— Vous ne comprenez rien. C'est de l'âme cubaine qu'il s'agit et du rapport particulier entre l'érotisme et le travail qui sous-tend toute la vie des Cubains. Ici, toutes les femmes s'identifient à la déesse Ochún. Et toutes reconnaissent cette histoire comme la leur.

L'esprit de Lemieux était absorbé à établir des correspondances entre cette légende et ses récents rêves sur l'*animus* et l'*anima*. Il fut brusquement tiré de sa réflexion en entendant Donalita discuter avec une femme à la peau très noire et aux traits fortement négroïdes. Celle-ci portait des vêtements très ajustés, soit un bustier jaune et un bermuda noir, et elle ne portait visiblement pas de slip ni de soutien-gorge. Elle disait qu'elle travaillait à l'hôtel Santiago. D'habitude, Donalita repoussait les gens qui venaient immanquablement mendier ou vendre des articles, cassettes, cigarettes ou alcool de contrebande. Cette fois-ci, l'enseignante semblait sympathiser avec la jeune femme. Lemieux, même s'il ne voulait pas se mêler à la conversation, saisit l'essentiel. Il comprit de quel type d'emploi il s'agissait. C'était une mère célibataire en manque d'argent. Et sans client. Lemieux vit Donalita donner discrètement de l'argent à la fille qui s'éclipsa aussitôt. Lemieux s'adressa à son professeur :

— Et vous, Donalita, pourriez-vous être mon guide comme dans la légende ?

Les lèvres rouges et les yeux de Donalita s'arrondirent sous l'effet de la surprise et de l'amusement. Elle éclata de rire, en secouant ses cheveux noirs.

— Je ne comprends pas. Vous voulez aller danser ? Vous désirez que je vous charme ? Si c'est pour sortir, un soir, ça peut s'arranger. Mais vous devrez me faire un beau cadeau de mariage. Je suis fiancée, vous savez. Il faudrait aussi que j'en parle avec mon homme.

Lemieux était étonné de la désinvolture de Donalita et de la facilité avec laquelle elle pouvait évoquer le fait de danser ou de faire l'amour avec lui. Il poursuivit :

— Ce n'est pas ce que j'ai en tête. Mais vous, faites-vous souvent de telles propositions à vos étudiants ?

— Cela s'est déjà produit, mais je n'avais pas de fiancé alors.

— Donalita, je ne vous demande pas de baiser avec moi. Je dis que j'ai besoin d'aide pendant mon séjour à Cuba.

— Si vous avez besoin de transport ou de conseils, je ferai tout mon possible.

— Donalita, je n'ai pas besoin d'un professeur ou d'un guide touristique. Je répète que je cherche de l'aide. Je ne suis pas à Cuba uniquement pour apprendre l'espagnol. J'ai un autre travail à accomplir.

— J'aimerais mieux qu'on ne parle pas de cela. Je ne veux pas m'occuper de vos affaires. Je ne veux rien savoir.

Donalita gardait maintenant le visage fermé et elle jouait nerveusement avec les mèches de ses cheveux. Lemieux laissa tomber. Il sentit une chape de non-dit recouvrir la conversation. Il flairait là une épaisse couche de mensonge. Il devinait que Donalita connaissait le but de son voyage. Mais pourquoi refusait-elle de l'aider, alors qu'elle acceptait de sortir avec lui et d'aller danser ? Il changea de sujet et parla plutôt de la mer qu'il n'avait pas encore vue. Elle s'anima quelque peu. Mais la conversation tourna court, car un froid s'était installé. Ils se quittèrent poliment.

Avant de revenir à la maison, Christian s'arrêta dans un magasin d'alimentation pour faire ses provisions de bière et d'eau. Chemin faisant, il pensait à la mer qu'il avait entrevue une seule fois depuis son arrivée, du haut de l'hôtel Casa Grande. Il marchait lourdement dans cette atmosphère caniculaire et l'odeur entêtante d'humus. Il respirait difficilement, à cause de l'humidité et de l'inversion climatique qui gardent les fumées et les polluants au sol. « Belles vacances ! », se dit-il. Il retrouva avec soulagement l'ombre du jardin et la fraîcheur de son appartement. Il mit le climatiseur et le ventilateur en marche. Il s'étendit et s'endormit aussitôt. La ville de Santiago sembla se refermer sur lui comme les doubles vantaux d'un caveau humide et poussiéreux.

Des coups frappés à la porte le tirèrent de sa longue sieste. Il devait être environ vingt heures. C'était Mercedes qui, fidèle à sa promesse, venait discuter avec lui. Contrairement à la première rencontre, elle prit place face à Lemieux sur un des tabourets de la table de cuisine. Elle portait une robe longue, à motif de fleurs, un peu défraîchie et fermée de haut en bas par une longue rangée de petits boutons. En fait, elle était plutôt dévêtue, car elle avait détaché de nombreux boutons de son corsage et de sa jupe. Sans soutien-gorge, elle s'offrait au regard de Lemieux. Elle demanda une bière. En prenant une première gorgée, elle soupira de soulagement. Elle laissa glisser une bretelle de sa robe, ce qui fit apparaître ses épaules et la naissance de ses seins. Comme d'habitude, Mercedes ne devait pas en être à sa première consommation. Lemieux s'interrogeait sur cette femme qui, dès sa journée de travail terminée, s'empressait de se griser. Elle semblait se transformer complètement, dès le soir venu. La femme responsable disparaissait. Une autre se montrait, sensuelle, mais violente, intense, et agitée. Elle donnait même l'impression d'être perturbée. Lemieux n'était pas insensible au charme mature et à la secrète fragilité de la directrice. Il aborda même le sujet, en anglais, tel qu'ils avaient convenu :

— Tu es une personne étrange, Mercedes. On dirait que tu as deux personnalités. Quand je te vois à l'école, tu es tellement réservée ! Ici, j'ai l'impression d'avoir une autre femme devant moi.

— Le jour, je joue mon rôle. Toujours à l'heure et fidèle au poste. Il faut que je sois impeccable. Surtout devant les parents des enfants auxquels j'enseigne. Mais après le travail, le temps m'appartient. C'est à moi. Je fais à ma tête. En fait, j'ai le goût de tout oublier...

— Oublier quoi ?

— Tout. La situation, les conditions de vie et, surtout, la tricherie. Je ne devrais pas te raconter ma vie.

Au contraire, Lemieux avait l'impression que Mercedes allait lever un nouveau pan de voile. Il se taisait, mais elle ne continua pas. Elle fouilla soudainement dans une poche de sa robe et en tira un cigarillo, un seul. Elle demanda à Lemieux de l'allumer. Celui-ci fouilla dans les tiroirs de la cuisine pour y trouver des allumettes. L'ancien policier ne fumait plus depuis quelques années et il n'avait jamais de briquet sur lui. Il s'approcha de Mercedes, sans un mot. Il alluma le petit cigare et regarda la femme se dissimuler dans les volutes de la fumée. Il préféra aller sur la terrasse pour respirer et attendre. C'est elle qui rompit le silence :

— Rentre, Christian, j'ai à te parler. Viens derrière moi.

Lemieux quitta la terrasse, revint à la table.

— Viens. Colle-moi un peu.

— La soirée s'annonce chaude...

— Mets tes mains sur mes épaules.

Lemieux caressa doucement le cou de Mercedes. Ses mains passèrent lentement des épaules à la poitrine. Il lui

dénuda complètement le sein gauche et il en caressa le bout.
Ses doigts dessinèrent l'aréole avant d'effleurer doucement
le mamelon érigé.

— C'est bon ?, demanda-t-il.

— Va t'asseoir et écoute maintenant.

Pris à contre-pied, Lemieux se leva, se dirigea vers la salle
de bains. Il enfila une capsule de Viagra en souriant. Il revint
s'asseoir sur le tabouret en face de Mercedes. Il remarqua
qu'elle ne replaçait pas sa robe pour cacher sa poitrine. Le
comportement de la directrice le désarçonnait.

— Mercedes, c'est toi qui m'as demandé d'approcher.

— Je le sais. Mais là, je veux que tu m'écoutes.

Le ton de la directrice était devenu cinglant. Lemieux sentait qu'elle refoulait avec peine les sentiments contradictoires qui l'habitaient.

— J'ai le goût de toi. Tu as le goût de moi. Je veux que
ça soit clair. Mais on va s'approcher autant avec notre tête
qu'avec nos mains.

— Je comprends.

— Moi, j'en ai assez de la tricherie. Il y a toujours trop
de tricherie.

— Mais qu'est-ce que tu entends par tricherie ?

Le soupir de Mercedes n'en était pas un de soulagement,
mais de vive exaspération.

— Fais attention ! Parlons des vraies affaires. Sais-tu que
tu es filé depuis ton arrivée à Santiago ? La police veut savoir
pourquoi tu es à Cuba. Chaque jour, je dois faire un rapport à ton sujet.

— Et Donalita, dans l'affaire ?

— Elle aussi fait un rapport. C'est à moi qu'elle fait son
compte-rendu. De plus, ma sœur doit aussi faire un rapport.
Mais elle, c'est une autre filière. C'est celle du CDR, le

Comité révolutionnaire de quartier. La vendeuse de café. Le voisin chauffeur de taxi. Même les ados jouant au ballon dans la rue. Tous peuvent avoir leur mot à dire sur ton cas.

Elle ponctua sa phrase d'un *Take care!* qui n'admettait aucune réplique.

Lemieux était estomaqué. Il était entouré de gens qui l'observaient et qui racontaient ce qu'il faisait sans qu'il le sache, lui, le spécialiste de la surveillance. Mercedes poursuivit :

— Allez, viens vers moi. Viens, embrasse-moi.

— Veux-tu bien me dire à quel jeu tu joues ?

— J'ai des choses à te dire. J'ai aussi besoin de sentir ton affection. Sans cela, ça ne passera pas.

Lemieux revint derrière Mercedes. Il se pencha pour l'embrasser, tout en plongeant les mains dans sa robe. Ils se caressèrent de longues minutes.

Mercedes rompit l'étreinte et lui fit signe de s'asseoir.

— Ici, tout le monde a droit de regard sur tout le monde. Dans notre système, les gens se surveillent mutuellement. On fait tous de la vigilance. Le voisin d'en haut, celui d'en bas. Le frère, la sœur. Le mari, sa maîtresse. La femme, son amant. C'est entièrement planifié. L'espionnage fait partie de notre héritage communiste. L'Union soviétique a éclaté, le mur de Berlin est tombé. Mais ici, rien n'a changé. À Cuba, le modèle est toujours en place.

— Pourquoi les Cubains acceptent-ils cette situation ?

— Parce qu'il y a des récompenses en fin de compte. Si tu cherches un emploi et, surtout, si tu veux le garder. Si tu veux que tes enfants puissent travailler. Si tu veux avoir le droit de faire quoi que ce soit. Si tu veux avoir le droit de respirer ! Il y a des récompenses, mais il y a des punitions aussi. Les prisons sont pleines à Cuba. On n'interne pas seulement les dissidents, mais on s'en prend aussi aux sidatiques, aux homosexuels et aux prostituées. Il y a de la torture aussi. As-tu déjà entendu parler d'étranglement progressif, d'électrocution sur un sommier de métal mouillé, de torture d'un parent devant son enfant?

— Voyons donc. Ce sont des cas exceptionnels. Les Américains font pire à Guantánamo. Vous êtes libres, ici.

— En apparence seulement. Aujourd'hui, moi, je ne vois même pas la différence entre l'ancien dictateur Batista et le gouvernement actuel. C'est toujours la même histoire. On a toujours une mafia ou une police au-dessus de la tête. Donne-moi un autre baiser maintenant.

Mercedes faisait passer Lemieux du chaud au froid. Il s'agenouilla à ses côtés et il l'embrassa fougueusement. De son bras droit, il entoura les épaules de Mercedes. De sa main gauche, il entrouvrit la robe déjà largement déboutonnée et remonta le long des cuisses. Elle écarta les jambes. Le baiser se fit plus ardent encore. La main de Lemieux ne rencontra aucun obstacle, car Mercedes était nue sous sa robe. Elle soupira longuement quand il caressa de la main les grandes lèvres de son sexe mouillé. Soudain, Mercedes secoua la tête et se ressaisit:

— Stop! J'ai encore à te parler.

Lemieux prenait plaisir à ce double jeu qui le faisait passer du désir à la réflexion, de la discussion aux caresses. Sagement, il reprit place sur son tabouret. Au loin, il entendit des tambours qui résonnaient dans la nuit, à forte distance. Quelques aboiements de chien retentirent, venant des cours ou des toits voisins. Lemieux écoutait et attendait que Mercedes reprenne ses confidences. Celle-ci se servit elle-même une autre bière avant de continuer. Lemieux remarqua qu'elle commençait à tanguer.

— Je vais te raconter une affaire. Quand j'étais petite fille, j'ai été prise par mon frère. J'étais son jouet sexuel. Les abus ont continué pendant mon adolescence. Mon père le savait, ma mère aussi.

— Tout le monde se taisait?

— Les gens de la famille, des oncles et des tantes, le savaient. Personne ne bougeait. Je ne sais pas... Peut-être que ça les excitait de me voir soumise.

Lemieux était secoué par cette confidence brutale qui lui rappelait certains souvenirs récents. Mercedes poursuivit.

— Ça, c'est mon histoire. C'est mon affaire, je m'en occupe. Mais ça me tue d'enseigner aujourd'hui à des enfants et de devoir me taire.

Mercedes posa sa canette de Cristal sur la table d'un coup sec. Elle parlait maintenant avec rage.

— C'est corrompu ici. Elle lança, de façon cinglante: *I tell you!*

Lemieux sursauta et dit:

— Tu es pourtant professeur et directrice de l'école de langues. Tu as un certain pouvoir.

— Ce que je dois apprendre aux jeunes, c'est à ne pas poser de questions. On me demande de me taire et d'apprendre aux autres à le faire. Prends le sujet des abus sexuels. On sait qu'il y a des prêtres et des évêques, des missionnaires qui se sont livrés à des abus sexuels. C'est dans l'actualité. Mais à Cuba, les prêtres, ce sont les responsables du régime. Nos frères révolutionnaires. Ils sont beaux, nos frères!

— Tu y vas raide, Mercedes.

— C'est le gouvernement qui encourage le tourisme sexuel, en accord avec certaines mafias. Il y a des gens qui en profitent, pas seulement les chauffeurs de taxi ou les gardiens d'hôtel. Mais là, je t'en dis encore trop. Le *shut up*! suivi du *shit*!, que lança Mercedes sifflèrent et explosèrent aux oreilles de Lemieux. Allez... Viens plutôt m'embrasser!

Cette fois, Lemieux s'agenouilla entre les jambes de Mercedes. Il enfouit sa tête dans l'échancrure de sa robe. Il attira Mercedes vers lui en glissant ses mains sous les fesses de la femme. À demi couchée, la tête appuyée sur le rebord de la table, elle s'offrait à lui. Doucement et délicatement, il la caressa de la bouche jusqu'à ce qu'il la sente peu à peu se tendre. Elle gémissait de plus en plus fort. Emportée par son plaisir, elle pressait la tête de Lemieux contre son sexe. Avec ses mains, il lui caressait simultanément le vagin et l'anus. Christian l'amena ainsi vers l'orgasme. Mercedes fut soudainement secouée de spasmes. Son corps s'arc-bouta encore plus et s'agita de tremblements. Elle pinça violemment ses mamelons en lançant un gémissement. Puis, elle s'affala, rompue et haletante.

— Ta sœur a dû nous entendre, dit Lemieux, toujours agenouillé devant Mercedes.

— Pas important. De toute façon, elle n'a pas compris ce que nous avons dit. Mais tout se sait avec le temps. Tout se sait, sur moi, comme sur toi. Compris? Même les raisons qui t'amènent ici.

— Moi, mais je ne suis qu'un touriste qui vient étudier l'espagnol.

— Je sais que tu es ici pour une autre raison et que tu recherches quelqu'un. Les policiers doivent en savoir encore plus sur toi en faisant des recoupements.

— Tu sembles bien renseignée. D'accord, je cherche aussi à rencontrer une personne à la demande d'un ami.

— Oui, mais cette personne est disparue.

— Il semble y avoir un problème. Moi, mon rôle, c'est seulement d'aider à la retrouver.

— Je ne sais pas pourquoi, mais ça ne semble pas apprécié.

— Rencontrer quelqu'un. Prendre de ses nouvelles. Il n'y a pas de mal là-dedans.

— *Beware !*

Sur ce, Mercedes se dégagea. Elle était debout, mais dans un équilibre instable. Elle repoussa le bras que Lemieux lui offrait en disant :

— Je reviendrai te voir demain. Je resterai à coucher si tu le désires. Mais ce soir, je suis incapable d'aller plus loin. J'ai trop de choses en tête. Tu comprends ? Mais j'ai tellement, tellement besoin de te parler…

Elle marcha vers la porte en titubant, les bras écartés comme pour se protéger d'une chute. Elle s'arrêta pour s'adosser au cadre de porte. Elle se tourna vers Lemieux et réclama un dernier baiser. Elle pivota à nouveau d'un geste brusque et disparut. Christian l'entendit descendre maladroitement l'escalier, progresser le long de la maison et parvenir à la grille à l'entrée du jardin. Il avait laissé le cadenas ouvert. Elle referma la grille derrière elle, fit claquer la fermeture de la serrure et secoua la grille pour s'assurer que tout était verrouillé. Du haut de la terrasse, il vit Mercedes s'engager dans la rue. Le grand manguier lui cachait la vue. Il entendait le bruit de ses talons sur la chaussée. Le silence régnait. Pour une rare fois, même les chiens ne faisaient pas de tapage.

C'est alors que l'enquêteur entendit le bruit d'une voiture qui démarrait en poussant le moteur à fond. L'auto, toujours en accélération, passa à la hauteur de son appartement. Debout sur la terrasse, il eut à peine le temps de l'apercevoir. Il savait que Mercedes, à demi ivre, marchait sur la chaussée un peu en aval. Le hurlement des pneus qui freinent d'urgence lui vrilla la tête. Il perçut ensuite deux bruits distincts. Le premier fut celui d'un corps qui heurte le capot d'une voiture, suivi d'un autre plus étouffé, un corps qui retombe sur la chaussée.

Après un instant de silence, un nouveau hurlement de pneus déchira l'air. La voiture quittait les lieux précipitamment. Christian dévalait déjà l'escalier à pleines jambes. Il jura en déverrouillant le cadenas de la grille. Il courut jusqu'à la première intersection. Mercedes gisait par terre, le corps désarticulé. Sa tête et l'une de ses jambes étaient dans un angle inhabituel par rapport à son corps. Du sang s'écoulait de son nez et de sa bouche. Il se pencha vers elle. Il prit son pouls sans déceler aucun signe de vie. Déjà, des voisins accouraient, la sœur de Mercedes en tête. Lemieux sentit la main d'un homme s'abattre sur son épaule. C'était le voisin, le chauffeur de taxi, qui l'invitait à le suivre. « La police arrive. Il est mieux que vous ne soyez pas là », lui dit-il. Il le suivit comme un somnambule.

L'agitation était à son comble dans l'appartement de la propriétaire, envahi par le voisinage. Deux jeunes policiers, un homme et une femme, interrogèrent brièvement Lemieux, lui demandant de s'identifier, de préciser l'heure de la sortie de Mercedes, mais sans plus. Les lamentations des proches de la femme, les commentaires des voisins qui s'interpellaient d'une maison à l'autre et les cris des enfants éveillés par l'accident l'accompagnèrent jusqu'à son appartement. Il remonta l'escalier d'un pas plus pesant que jamais. Toute la nuit, il entendit les conversations, et parfois les pleurs de la logeuse.

Chapitre 6

« Lo que tu haces
Como tu vives
Todo lo quieren saber »
ELIADES OCHOA, *Qué humanidad*

(Ce que tu fais
Comment tu vis
Tous désirent le savoir)

« Il est arrivé un accident. Mercedes est morte. Oui, morte, morte, morte ! » Cette phrase, la sœur de Mercedes la répétait inlassablement au téléphone, en criant et en pleurant. Lemieux n'avait pas vraiment dormi de la nuit, constamment tiré de son sommeil par cette litanie. L'aube se levait sur Santiago. Les coqs avaient pris la place des chiens dans le concert animal. Lemieux aurait préféré refaire un peu ses forces plutôt que de se débattre dans cet engourdissement douloureux. Mais il en avait été incapable. Il avait encore le goût de cette femme sur la bouche. Il respirait encore le parfum de son sexe. Il l'imaginait encore vivante. Même si elle était déprimée, névrosée et peut-être même paranoïaque, c'était une des seules personnes qui lui avait dit la vérité depuis son arrivée. Les questions se bousculaient dans le désordre. Avait-elle fait un faux pas sous l'effet de l'alcool ? Ou s'était-elle jetée volontairement sous les roues de la voiture, dans un geste suicidaire ? Depuis la première rencontre avec Mercedes, il la devinait très vulnérable. Avait-elle mis un terme à son angoisse de cette façon ? Quand elle avait quitté l'appartement, elle était troublée et fatiguée. Mais elle ne semblait pas désespérée. Elle lui avait même donné rendez-vous pour le lendemain. Et pourquoi la voiture avait-elle quitté les lieux de l'accident ? Il est vrai qu'il faisait nuit. Ce n'était qu'un banal délit de fuite. Un voisin avait sûrement observé la scène. Son témoignage permettrait de retrouver le chauffard. Et si personne n'avait été témoin ? Si personne ne parlait ?

Mais la véritable question qui tenaillait Lemieux était de savoir quel rôle avait joué leur conversation dans cet accident. Il avait été mis en garde par son client de ne pas aborder les questions politiques. Mercedes ne parlait que de cela. Avaient-ils été épiés lors de leurs conversations ? Christian avait l'impression d'être guetté par des bêtes aux yeux luisants comme ceux des chiens qui maraudaient sans cesse, la nuit, sur les toits du voisinage.

Le soleil était levé quand il trouva un peu le sommeil. Il s'endormit enfin malgré les sonneries répétées du téléphone et les éclats de voix. Il eut une pensée pour Donalita, avant d'être emporté. Comment apprendrait-elle la mort de Mercedes ? Puis, il sombra. Il rêva. Quelqu'un lui avait ouvert la poitrine et avait inséré un émetteur sous la peau. C'était un petit engin électronique. La cicatrice, déjà guérie, avait la forme d'une bouche. Il s'éveilla sur cette étrange image. Il n'avait dormi que quelques heures. Le soleil réchauffait déjà l'appartement. Quand il se leva, il fut accablé par la lumière éclatante qui frappait la terrasse. Il ressentait encore beaucoup de fatigue. Péniblement, il fit du café. Il resta longtemps assis à la table de la cuisine, dans un état de stupeur. Il n'avait même pas le courage d'ouvrir son journal de voyage pour y consigner les derniers événements. Ni la force de s'habiller ni le goût d'aller à l'école de langues.

Il s'enfuit sous la douche pour rafraîchir sa peau brûlante, pour retrouver ses esprits et pour échapper aux bruits qui provenaient de chez la logeuse, mais il ne parvint pas à calmer le flot de ses pensées. Il décida alors d'appeler Leonardo, comme prévu, afin de le rencontrer. Ce dernier était désormais sa seule source. De plus, il désirait faire des courses. Il avait besoin d'argent, d'un médicament contre les crampes intestinales; il voulait aussi acheter un dictionnaire anglais pour l'offrir à Lydia lors de leur prochaine rencontre. Comme le seul téléphone disponible était celui de sa logeuse, il descendit au rez-de-chaussée. Quand il entra dans la cuisine, celle-ci berçait un enfant en pleurant, le visage complètement défait. Elle jeta un regard suppliant à Lemieux, comme si elle lui demandait de respecter son chagrin et de partir. Il lui fit comprendre par geste qu'il désirait téléphoner. Au bout du fil, Leonardo accepta de venir sur-le-champ.

De retour à l'appartement, le détective fixait le téléviseur. La télévision d'État diffusait un documentaire historique sur la marche triomphale des barbus de la révolution, de Santiago à La Havane, en 1959. Lemieux buvait sa première bière de la journée quand Leonardo arriva. Il était vêtu d'un t-shirt qui mettait en valeur ses larges épaules et la forte musculature de ses bras. Il demanda immédiatement une bière quand Christian l'informa de la mort de Mercedes. Il garda le silence longtemps, assis dans la même berceuse qu'avait déjà occupée la femme. C'est lui qui brisa le silence en donnant le signal du départ.

C'est Lydia, la mère d'Omara, qui avait demandé à Lemieux de lui trouver un dictionnaire anglais-espagnol. En compagnie de Leonardo, il se retrouva de nouveau sur la rue Aquilera, cette artère où toute l'activité commerciale de la ville semble se concentrer. Le chauffeur trouva un stationnement à proximité d'une librairie. Ils étaient encore dans la Lada quand un policier s'approcha de la voiture. L'agent se pencha vers Leonardo tout en observant longuement Lemieux. À l'invitation du gardien de la paix, Leonardo sortit de la voiture. Ils se retirèrent sous le porche d'un immeuble pour parlementer. Les passants qui frôlaient la voiture lançaient des regards curieux à Christian. Certains étaient arrêtés sur le trottoir opposé et observaient la scène. Leonardo revint et dit à son ami que tout allait bien. Il lui demanda d'attendre encore un peu dans la voiture. Leonardo entra dans la librairie et en ressortit rapidement avec un livre en main. C'était un gros dictionnaire usagé, une vieille édition des années soixante, qu'il jeta sur les genoux de l'enquêteur. Il lui demanda sept dollars pour cette course.

Lemieux avait aussi besoin d'argent. Leonardo prit la direction de l'hôtel Las Americas, qui offrait les services d'un bureau de change. Quand ils entrèrent dans le stationnement de l'hôtel, Leonardo se raidit au volant de sa vieille Lada. Dans une jeep, quatre militaires les regardaient. Ils ordonnèrent au chauffeur de taxi d'arrêter et de sortir de son véhicule. Ce dernier demanda à Christian de ne pas se mêler de l'affaire et d'aller se promener un peu en retrait. Sur l'avenue Las Americas, des gens faisaient la file en attendant les vieux camions qui tenaient le rôle de véhicules de transport en commun. Les passagers embarquaient dans de gros camions d'un autre âge ou à bord de grandes plates-formes tirées par des tracteurs. Lemieux vit même un vieil autobus d'écoliers du Québec, bien identifiable à sa couleur jaune. Tous les véhicules étaient bondés à pleine capacité. L'enquêteur préférait ne pas être à la place de Leonardo, qui discutait avec les quatre hommes en treillis kaki et armés de mitraillettes. Dix minutes plus tard, Leonardo rejoignit son ami en disant encore une fois que tout allait bien. Il avait toujours cet air sérieux, autoritaire et même un peu buté de l'homme qui a la situation bien en main. Mais ce qui inquiétait Christian, c'était de ne pas savoir ce qui se passait. Il se demandait pourquoi ils avaient déjà été interpellés deux fois. De retour dans l'auto, après avoir effectué un retrait en espèces au bureau de change de l'hôtel, il interrogea son chauffeur.

— Mais qu'est-ce qui se passe ? Est-ce que quelqu'un me suit ?

— Mais non. Ce n'est pas à cause de toi. Ils en ont après moi. Ils sont toujours sur mon dos.

— Qu'est-ce qu'ils t'ont demandé ? Qu'est-ce que tu leur as dit ?

— J'ai raconté des histoires. En fait, je n'ai pas le droit de transporter un étranger. Alors, je leur ai dit que tu es un ami de mon père en vacances à Santiago. D'ici à ce qu'ils puissent vérifier...

— Ils peuvent sûrement le faire. Qu'est-ce qui va t'arriver ?

— Je devrai aller m'expliquer au poste. J'aurai peut-être une amende. Je devrai payer un bon montant.

— Mais pourquoi tu fais cela ? Si c'est interdit, pourquoi le fais-tu ? En plus, si tu dois payer une amende... qu'est-ce que ça te donne ?

— C'est trop long à expliquer. Je t'en parlerai ce soir, d'accord ? Nous irons prendre une bière dans un endroit tranquille. Pour le moment, allons plutôt à la pharmacie.

— Comment fais-tu pour rester si calme ? Tu as vu comment ils sont armés ?

— Ils peuvent aller se faire foutre !

Comme Lemieux commençait à souffrir de problèmes

gastriques, il avait demandé à Leonardo de lui trouver un médicament. Depuis les années quatre-vingt dix, Cuba s'était tournée vers la médecine verte et l'herboristerie africaine, car l'embargo empêchait le pays de s'approvisionner normalement. La pharmacie où ils entrèrent n'offrait donc que des herbes médicinales, faute d'autres médicaments. Les étagères ne contenaient même pas d'analgésiques ou de remèdes contre le rhume ou la grippe. Il n'y avait ni pansements adhésifs, ni mercurochrome, ni peroxyde. Lemieux ne voyait que des rangées de bocaux contenant des herbes séchées. Il préféra ne pas penser aux gens qui avaient besoin d'un traitement de chimiothérapie ou d'un produit pour les malaises cardiaques ou encore d'un médicament pour contrôler l'hypertension. Christian laissa à Leonardo le soin de décrire ses symptômes au pharmacien. Celui-ci leur remit une potion de couleur brunâtre, avec une forte odeur de racines, qui tira une grimace à Lemieux lorsqu'il en prit une première gorgée. Le goût était comparable à du pastis qui aurait été concentré et vieilli. En remontant à bord de la Lada, Lemieux demanda à son chauffeur de le déposer à l'école et de l'attendre.

Il arriva juste au moment où Donalita s'apprêtait à mettre la clé sur la porte. Elle se jeta dans les bras de Lemieux en pleurant.

— Monsieur Lemieux, enfin! Je croyais que vous ne viendriez pas. Quel malheur! Mercedes! Mercedes! Mais quel malheur! Il faut organiser les funérailles. L'école sera fermée jusqu'à la semaine prochaine.

Lemieux n'avait pas bougé, serrant contre lui Donalita qui hoquetait.

— J'ai une faveur à vous demander. Je veux aller dès maintenant au sanctuaire El Cobre. Je désire aller prier pour

Mercedes. J'aimerais que vous m'accompagniez.

— Aucun problème. Leonardo est sûrement libre. Allons-y.

Lemieux remarqua que Donalita avait tiré ses cheveux vers l'arrière et les retenait en un chignon, ce qui dégageait entièrement les traits de son visage. Elle portait des bijoux d'argent, de grands anneaux comme boucles d'oreilles et, au cou, une fine chaîne ornée d'une petite croix.

Ils montèrent à bord de l'auto de Leonardo. Le sanctuaire El Cobre était situé à une vingtaine de kilomètres. La route montait doucement, mais constamment, traversant un paysage de cultures maraîchères et de plantations de café. À un carrefour, en pleine campagne, des vendeurs de fleurs accoururent vers la voiture, bloquant la route. Donalita ouvrit la fenêtre de sa portière et acheta un bouquet de fleurs, non sans en négocier longuement le prix. La voiture repartit enfin. Donalita expliqua à Lemieux que la *Virgen de la Caridad del Cobre*, la déesse Ochún de la *santeria*, était l'*orisha* de Mercedes. Elle ajouta que la couleur de la Vierge était le jaune et le doré. Le bouquet était d'ailleurs composé d'immenses fleurs de la taille des tournesols, entièrement jaunes jusqu'au cœur. Lemieux ne pouvait qu'apprécier la beauté de la jeune Donalita, vêtue d'une robe bleu foncé; elle portait un bouquet de fleurs d'un jaune éblouissant. De plus, son attitude de recueillement et son regard méditatif l'embellissaient au plus haut point.

Ils traversèrent le village d'El Cobre. La petite agglomération était déserte en ce début d'après-midi. Lemieux fut étonné du peu d'animation et de la morne tranquillité des lieux. Il s'attendait à trouver une foule aux abords de l'édifice de la sainte patronne de Cuba. Cette impression se confirma quand la voiture s'engagea sur le petit chemin menant au sanctuaire. La basilique à deux clochers apparut, toute blanche, isolée sur une colline et entourée de verdure. Il n'y avait ni hôtels ni restaurants à proximité. Par son dénuement, le site même inspirait la dévotion. Lemieux remarqua aussi les larges excavations créées par les mines de cuivre des environs. Les activités minières, aujourd'hui abandonnées, avaient dévoré des pans de colline tout autour, donnant au paysage un aspect lunaire. Dans le vaste stationnement, il n'y avait que deux autres voitures. Des vendeurs ambulants lézardaient à l'ombre en attendant les rares pèlerins. Ils se levèrent à l'approche de la Lada. Leonardo leur cria de rester à distance, tout en précisant à Lemieux qu'ils ne vendaient que de la camelote.

Donalita et Lemieux entrèrent seuls dans la salle d'exposition des ex-voto, située au sous-sol de l'église. Leonardo préféra les attendre à l'extérieur. L'enseignante resta longtemps à observer les divers objets exposés : des bouteilles de rhum, des photographies de famille, des drapeaux cubains, des bateaux miniatures et même des jouets. Tous ces articles témoignaient de faveurs obtenues. Les mains dans le dos, elle les contempla longuement, s'approchant pour lire des inscriptions ou des lettres. Au mur, de nombreuses médailles, des décorations militaires et des clés garnissaient de grands tableaux d'affichage. Les tables d'exposition et les alentours étalaient l'ensemble des problèmes humains : les ruptures amoureuses comme les difficultés politiques; les maladies infantiles comme les tourments de l'agonie; les problèmes d'alcool comme les accidents de la route. Une affiche en noir et blanc en faveur des prisonniers politiques attirait l'attention par sa simplicité. Rayée par une grille, une silhouette noire se détachait dans un rectangle blanc qui représentait la porte d'une cellule.

C'est Donalita qui, sortant enfin de sa longue médita-
tion, invita Lemieux à monter l'escalier menant à l'église de
la Vierge. Lemieux remarqua l'affiche portant le mot
subida, qui indiquait l'escalier. Le mot signifie *ascension*. Ils
parvinrent dans une petite chapelle, située à l'arrière de la
vaste nef, plongée dans l'obscurité. Ils se recueillirent face à
un autel imposant, orné de colonnettes de marbre. Sur
l'autel, dans une châsse, une petite statue trônait. La Vierge
de la charité, la sainte patronne de Cuba, ressemblait à une
poupée noire, vêtue d'une cape d'or et auréolée de bijoux
dorés. Elle était posée debout sur une coupe d'or, elle-même
supportée par un double piédestal de marbre blanc, le tout
couronnant l'autel monumental. La taille de celui-ci et la
hauteur des piédestaux élevaient ainsi la sainte patronne à
plus de trois mètres. Elle apparaissait menue et fragile, mais
dominante et inaccessible.

De pair avec l'étude des rêves, Lemieux s'intéressait
beaucoup à l'histoire des mythes et des religions. Il savait
que les statues de vierges ou de saintes noires constituent
une énigme pour les chercheurs. Ces étranges figures seraient liées au culte de la déesse mère et seraient d'origine
immémoriale. Au cours de voyages en France, il avait vu la
sainte Sarah des gitans, cachée dans une petite chapelle aux
Saintes-Maries-de-la-Mer, et la minuscule vierge noire de
Rocamadour, nichée dans une forteresse médiévale. Toutes
ces statues étaient de dimension réduite, comparativement
aux représentations glorieuses, sinon ostentatoires, de
l'Immaculée Conception.

La vierge noire a la couleur de la terre. C'est la Terre
Mère, Gaïa, maîtresse du lieu, Univers ou cosmos, qui a le
pouvoir de devenir tout. Les religions officielles n'ont jamais
pu effacer la trace de cette image mythique. Elles ont aussi

été incapables de la couper de ses racines africaines. Elles la tolèrent, tout en la refoulant, en la diminuant et en la soustrayant aux regards. C'est comme si la négritude contenait un aspect païen qui devait être dissimulé, voire occulté par la colonisation religieuse blanche. Enfouie ou surélevée, la petite vierge noire, même si elle est réduite à la forme d'une graine, n'en apparaît pas moins comme la représentation de la matrice universelle, dotée de la capacité infinie de donner naissance. Une autre histoire de non-dit, celle-là à l'échelle de l'histoire religieuse.

Donalita tira Lemieux de ses pensées. Elle vint lui prendre le bras et l'invita à s'agenouiller sur un prie-Dieu. Elle sembla s'absorber dans la prière, à ses côtés. Lemieux la toucha et lui dit à l'oreille :

— J'ai besoin de vous parler. Il y a quelque chose que je dois savoir.

— Ce n'est pas l'endroit ni le moment.

— C'est à propos de Mercedes. Avant de mourir, elle m'a révélé certaines choses.

— Je ne peux rien vous dire.

— Personne ne nous écoute ici. Je veux savoir si...

Surgissant de nulle part, une vieille sacristine apparut. La surveillante rabougrie toussota pour les ramener au silence. Cette arrivée empêcha Lemieux d'aller plus loin.

— Venez, dit Donalita.

Elle se leva et entraîna Lemieux vers un grand tableau accroché près de la sortie.

— Vous voyez ce qui est inscrit ?

L'image représentait la patronne de Cuba sauvant trois pêcheurs dans une barque sur une mer démontée. Coiffant le tableau, une inscription se lisait ainsi : « Aujourd'hui comme hier, la Vierge de la charité est une force d'intégration, de réconciliation et de libération pour le peuple. » À quoi faisait-elle allusion ? Au drame des *balseros* ? Lemieux ne vit qu'une manœuvre de diversion dans le geste de Donalita. Il en fut irrité.

— Vous ne voulez pas répondre à mes questions, Donalita ? Cessez de parler par énigmes.

— Si vous voulez nous comprendre, nous, les Cubains, réfléchissez à ces trois mots : intégration, réconciliation et libération.

— Je ne comprends pas le lien.

— Ce n'est pas seulement un discours religieux. Pour nous, ce sont des directives, monsieur Lemieux. Cela a une importance humaine et personnelle, sociale et… même politique. Réfléchissez-y, sinon vous resterez à la surface des choses.

— Mais quel rapport cela a-t-il avec la mort de Mercedes ?

— C'est à vous de le comprendre, dit Donalita.

Lemieux prit la décision de garder encore plus de distance avec elle. Et, surtout, de lui cacher qu'il savait qu'elle surveillait ses activités. Son impression que Donalita lui jouait un double jeu se confirmait. Elle semblait vouloir l'éclairer, puis elle brouillait les pistes. Il risqua cependant une dernière question.

— Est-ce que vous croyez que j'ai quelque chose à voir avec sa mort ?

Donalita préféra encore une fois garder le silence. Elle lui indiqua plutôt la sortie.

Le passage de l'obscurité de la basilique à la lumière du soleil donna la migraine à Christian. Ils marchèrent sur la vaste esplanade dénudée. Il jetait parfois un œil interrogateur à Donalita, mais celle-ci restait de glace. Ils montèrent en silence dans la voiture de Leonardo. Celui-ci mit le mutisme du couple sur le compte du recueillement et il démarra la voiture en respectant leur silence. Intérieurement, l'ancien policier fulminait. « Il n'y a pas moyen de me fier à personne, pensait-il. Surtout pas à Donalita. Elle ne me dit rien ou alors, il me faut deviner à partir de demivérités. Qu'est-ce qu'elle entend, par intégration ? » Son sentiment de frustration atteignait un certain sommet. Rien n'avançait dans ses recherches. À l'impuissance s'ajoutait le sentiment qu'il était un jouet dans l'affaire. Chacun s'ingéniait à le neutraliser. On le laissait mariner pour qu'il laisse tomber son enquête. La stratégie était simple : affaiblir le poisson. Sauf que c'était lui, le poisson.

De retour à Santiago, Lemieux demanda qu'on le dépose chez lui et qu'on le laisse seul. Leonardo dit qu'il reviendrait en début de soirée, vers dix-neuf heures. Christian passa ensuite sous la douche. Les trois mots indiqués par Donalita lui revenaient en tête comme un leitmotiv. Il ne pouvait que se les répéter sans en percer le sens. Il revint s'asseoir à la petite table de cuisine, après s'être versé une bière. Il se rappelait que, sur le tableau du sanctuaire, il était écrit que la Vierge noire était patronne de Cuba depuis 1915. Il se mit à feuilleter ses guides sur Cuba qui traitaient de l'histoire du pays. Il apprit que la colonisation espagnole s'était terminée quinze ans auparavant, soit en 1899, et que l'esclavage avait été aboli à peine vingt-cinq ans plus tôt. La devise était peut-être liée à ces événements. Elle semblait lancer une invitation. La population noire était incitée à s'intégrer à un nouveau milieu, à vivre en harmonie avec les anciens colonisateurs ou les esclavagistes, bref, à ainsi mériter sa liberté. La scène de la tempête, vue sur le tableau du sanctuaire, pouvait très bien évoquer la traversée des esclaves ou les remous coloniaux. De prime abord, Lemieux ne voyait pas d'autre interprétation que cette explication historique.

Mais les remarques de Donalita lui faisaient soupçonner que cette devise avait une autre importance. Elle disait que la Vierge noire protégeait tous les Cubains et, notamment, les femmes liées à Ochún. Ces trois mots — *intégration, réconciliation et libération* — pouvaient-ils être les bases d'une pensée religieuse, actuelle et personnelle ?

Les pensées de Lemieux se tournèrent alors vers la vie de la défunte Mercedes. Il se remémora leurs discussions. Il se rappela ses confidences sur l'inceste, la prostitution et la corruption. Comment réagissait-elle intérieurement face à ces gestes aussi dévastateurs pour elle-même ou pour les autres ? Comment pouvait-elle établir l'équilibre entre son rôle d'enseignante et l'obligation de garder le silence ? Selon lui, la directrice avait tenté de tolérer ces événements, mais elle s'était ainsi placée en complète contradiction avec la devise. Dans son existence, il avait été tout à fait impossible de respecter les directives spirituelles. C'était sans doute pourquoi elle s'était libérée quotidiennement de ce fardeau par l'abus d'alcool ou de sexe. Et c'est peut-être ce qui l'avait tuée. Dans le cas de Mercedes, dont la déesse Ochún était pourtant l'*orisha*, tout s'était joué à rebours.

Lemieux commençait à comprendre le sens de la devise de la déesse noire, la Vierge de la charité. Il découvrait que ces trois mots constituaient l'une des clés de l'âme cubaine, non seulement liés à l'histoire, mais inscrits au cœur de chaque individu. Chacun cherchait une réponse dans ce monde soumis au désenchantement. *Dentro de lo posible.*

Ce soir-là, l'enquêteur eut tout le temps de réfléchir, de lire et de mettre à jour son carnet de voyage avant le retour de Leonardo, car celui-ci se présenta à l'appartement en milieu de soirée seulement. L'explication qu'il donna concernant son retard fut bien vague. Peu importait pour Lemieux. Le but, c'était de prendre le temps, toute la nuit s'il le fallait, pour mieux connaître ce chauffeur de taxi et pour savoir s'il était digne de confiance.

À bord de la vieille Lada, ils roulèrent en direction du quartier le plus riche de Santiago, situé à proximité de la calle Jota, sur les plus hautes collines de la ville. Cette partie de la ville abrite des ambassades, des sièges sociaux et des grandes institutions d'État. Leonardo stationna devant un établissement au nom français, La Maison. C'était une vaste habitation de style créole, avec boutique de mode et parfumerie, ainsi qu'un jardin avec terrasse. Il invita Lemieux à traverser le magasin pour passer au jardin. Ils prirent place à une table retirée. L'endroit était tranquille, car ce soir-là, on n'y présentait pas de défilé de mode ou de spectacle. La température était d'une grande douceur. Les nombreux haut-parleurs d'une chaîne stéréophonique haut de gamme diffusaient en sourdine les derniers succès de la chanteuse italienne Laura Pausini. Les nombreuses plantes vertes, dont de superbes palmiers, et l'architecture exquise des lieux créaient une atmosphère romantique. Lemieux et Leonardo avaient plutôt l'air de sombres conspirateurs dans ce décor élégant, idéal pour des rencontres galantes. Mais ils étaient seuls dans un coin. De plus, le Cubain avait affirmé qu'il avait des amis à cet endroit et qu'ils pouvaient ainsi parler en paix. Lemieux attaqua de front :

— Parle-moi d'Omara. Tu la connais bien, n'est-ce pas ?

— On a fait des affaires ensemble, à Santiago, chaque été. J'étais son chauffeur préféré pour l'accompagner avec ses clients.

Lemieux comprenait que le gabarit de Leonardo l'avantageait pour remplir ce rôle.

— Qu'est-ce que tu faisais comme chauffeur ?

— Le circuit habituel : *playa, paladar y salsa*. Quand le touriste avait besoin de bière, de rhum ou de cigare, je faisais les courses. On me demandait parfois d'attendre devant l'hôtel ou à quelques pas de l'auto, si le besoin était plus pressant. Je pouvais aussi protéger Omara en cas de pépin. Mais elle savait se débrouiller.

— Tu travaillais avec Omara depuis longtemps ?

— Depuis près de dix ans. Et cela a continué jusqu'à son emprisonnement. Mais depuis sa sortie de prison, je n'ai pas eu de ses nouvelles. Pas un signe d'elle. Pourtant, Santiago n'est pas une grande ville. Je sais ce qui s'y passe. Mais là…

— Tu veux dire que toi non plus, tu ne sais rien ?

— Si je savais quelque chose, j'en aurais déjà parlé à sa mère qui se morfond d'inquiétude. La vérité, c'est que je n'en sais pas plus qu'elle. D'après moi, Omara ne vit plus à Santiago ou alors, elle a eu de gros ennuis. Je te le dis, tout se sait en ville.

Lemieux soupira. Encore une fois, la porte se fermait sous son nez. Il préféra en prendre son parti pour l'instant.

— Dis-moi plutôt… pourquoi fais-tu du taxi ? Et pourquoi la police est-elle toujours après toi ?

Cette fois, Leonardo s'assura que personne ne les écoutait en regardant de tous les côtés. Il répondit.

— C'est une histoire particulière. Je suis le fils d'une famille bien vue par le régime. Mon père est un professeur d'éducation physique et un instructeur de soccer très reconnu. Naturellement, il a voulu que je devienne un athlète. Le sport est un bon moyen de reconnaissance sociale à Cuba. Fais de la musique ou fais du sport, me disait mon père, et tu pourras un jour sortir du pays.

Lemieux percevait les effets d'écho, trop appuyés, des

chansons de Laura Pausini. Il se prit à penser qu'il devait aussi se méfier des exagérations dans les propos de Leonardo. Il se laissait néanmoins bercer par l'une et par l'autre.

— Tu dois me croire, dit le Cubain. Ici, tout le monde veut sortir du pays. Ce n'est pas nouveau, mais ça devient pire de jour en jour. Qu'est-ce qui va arriver après le départ du vieux ? Les gens ont peur. On ne l'aime pas, mais il faut lui donner ce qui lui revient. Il a réussi à tenir le pays ensemble. Demain ? C'est certain que ce sera l'anarchie. La seule solution, c'est de partir. Demande à n'importe qui. On ferait n'importe quoi.

— Toi, as-tu déjà essayé de quitter l'île ?

Encore une fois, Leonardo s'assura que personne n'écoutait la conversation avant de continuer.

— Oui. J'avais alors vingt ans. J'étais devenu un spécialiste du marathon. J'étais même considéré comme l'un des meilleurs nageurs du pays. On me traitait comme un champion. Mon père était fier de moi. Mais j'étouffais làdedans. C'est débile comme encadrement. Ta vie ne t'appartient pas. J'ai décidé d'abandonner. J'ai tenté le tout pour le tout. Je me suis jeté à l'eau dans le vrai sens du terme. J'ai essayé de rejoindre la base de Guantánamo à la nage.

— Ça ne se peut pas ! Tu as nagé quelle distance ?

— Une trentaine de kilomètres.

— Mais pourquoi te lancer à l'eau si loin de la base ?

— C'était pour éviter d'être repéré par les postes de contrôle. Sur la route, plus on approche de Guantánamo, plus on voit des guérites. C'était la seule façon de les contourner. De plus, j'avais la capacité physique pour le faire. Le problème, c'étaient les bancs de barracudas. Je te le dis, mon ami, je les voyais approcher comme des torpilles. J'étais obligé d'arrêter de nager pour ne pas les attirer avec mes mouvements.

— Tu t'es fait attaquer ?

— Non. Mais je me suis épuisé. Le stress et la peur m'ont peu à peu vidé. Ensuite, la mer a fait le reste. Quand le vent s'est levé, quand les vagues ont grossi, j'ai commencé à couler. À ce moment-là, j'ai vraiment paniqué. J'ai bu une bonne tasse. La mer a joué avec moi comme si j'étais un chiffon. À demi noyé, j'ai été rejeté sur le rivage. Je suis resté longtemps inanimé.

Lemieux ne pouvait s'empêcher d'admirer Leonardo. Il imaginait l'effort déployé par le fuyard qui devait briser le rythme de sa nage pour rester immobile dans l'eau parmi les squales, forcé chaque fois à prendre un nouveau départ, malgré les courants, malgré la fatigue, malgré l'angoisse. Lemieux voyait là un véritable acte de courage, un geste d'héroïsme qu'il aurait été bien incapable d'accomplir. La tentative de Leonardo était comparable à celle du jeune homme qui avait quitté Cuba en planche à voile, traversant ainsi les cent cinquante kilomètres le séparant de la Floride. Ce dernier avait réussi et son succès avait fait les manchettes.

— Qu'est-ce qui t'est arrivé ?

— Une patrouille militaire cubaine a repéré mon corps sur une plage à proximité de Guantánamo. J'ai été arrêté. Grâce aux contacts de mon père, je n'ai pas fait de prison. Mais j'ai été puni. J'ai perdu le droit de m'entraîner, d'étudier et de travailler. Pas le droit de travailler, tu sais ce que ça signifie ? Je suis comme un banni. Je dois vivre en marge et travailler au noir. C'est pour ça que les policiers sont toujours sur mon dos. Ils cherchent à me prendre en train de briser mes conditions. Ça fait partie de ma peine. On cherche à m'humilier.

Lemieux comprenait maintenant pourquoi Leonardo jurait si fort, la première fois qu'il l'avait rencontré.

— Mais la police doit bien savoir ce que tu fais quand tu promènes une fille et son client.

— Là, on touche au tourisme, mon vieux. Il y a toujours moyen de s'arranger dans ce cas-là. La police prend sa cote. Mais plus tu es arrêté souvent, plus le prix monte. C'est le jeu du chat et de la souris. Quand tu es bien pris, on peut même te demander des services spéciaux...

— Quel genre de services ?

— De fournir des renseignements sur les touristes. De fouiller dans les valises des clients. Ils s'arrangent pour te cerner et, ensuite, ils t'utilisent comme informateur.

« Nous y voilà, pensa Lemieux. C'est clairement un aveu qu'il doit me suivre et m'observer. Mais pourquoi me dit-il tout cela ? » Leonardo précéda la question de Lemieux :

— Moi, ce que je veux, c'est sortir de Cuba à n'importe quel prix. Je vais tout tenter. Je vais essayer encore. Et je voudrais que tu m'aides à le faire. Sais-tu à quoi je rêve ? C'est de devenir bûcheron et de travailler dans les forêts du Canada, dans les Rocheuses. J'ai déjà vu un film à la télé...

— Je ne vois pas comment je pourrais t'aider, dit Lemieux.

— Si, tu le peux ! Il suffit de me faire parvenir une invitation à visiter ton pays quand tu seras de retour. Le Canada, c'est bon. Ce n'est pas comme les États-Unis.

— Et après, qu'est-ce que tu feras ? Défection ?

Leonardo fit un geste du plat de la main, signifiant d'y aller mollo avec les grands mots. Il regarda encore une fois autour de lui avant de poursuivre.

— Je m'arrangerai, tout simplement, sans te faire de problème. On ne sera pas mariés, nous deux. Je disparaî-trai dans la nature, après t'avoir remboursé, bien sûr. Mais l'invitation, c'est la clé. Il me faut une invitation de la part d'un ami, pour un pays comme le Canada. Tu comprends ? De plus, je parle un petit peu l'anglais.

Lemieux pensait au dossier judiciaire de Leonardo. Il ajouta :

— Tu n'auras jamais la permission, Leonardo.

— Faux. Ça s'achète, ça aussi. Grâce à mon père.

— Tu comprends l'anglais. Alors, on va faire un *deal*. Tu fais ta part ici, je ferai la mienne à mon retour.

— C'est ça que je veux, mon ami. C'est donnant, donnant.

Les deux hommes échangèrent une poignée de main virile, en riant.

— Qu'est-ce que tu proposes de faire pour retrouver Omara ? demanda Lemieux.

— Tu sais, je n'étais pas un ami intime d'Omara. Pas si intime. Encore moins son amoureux. Il faut remonter la filière de sa famille. Il faut encore parler avec Lydia, sa mère, pour obtenir des noms. Moi, je connais les endroits qu'elle fréquentait. Va falloir patrouiller.

Lemieux devinait bien où Leonardo voulait en venir. En multipliant les sorties, le chauffeur pourrait tirer de l'argent de lui et même manger à ses frais. Il l'accompagnerait et, en même temps, il effectuerait son travail de surveillance, si c'était le cas. Il pourrait même accomplir cela en étant accompagné de sa fiancée du moment. Le triple jeu à la cubaine. Ou le coup de circuit, s'il parvenait même à obtenir une invitation en retour de ses services. Lemieux trouvait Leonardo des plus habiles. En même temps, il ne pouvait refuser la proposition du chauffeur, car il avait besoin d'un guide dans cette affaire. Christian se demandait aussi si les arrestations du matin n'étaient pas une mise en scène. Cela expliquerait pourquoi le Cubain avait demandé à Lemieux de se retirer chaque fois qu'il discutait avec les policiers. L'enquêteur fut tiré de ses pensées par le chauffeur qui lui passa un bras autour des épaules en lui murmurant :

— Mais tu dois me promettre de ne jamais rien dire, ni de mon histoire ni de notre entente. Cela pourrait me créer de graves problèmes.

— Mais tu en parles librement, dans un bar, à un étranger. Alors qu'on pourrait bien nous entendre.

— Je connais l'endroit. C'est ma place. On est en terrain ami.

— C'est pourtant facile de capter des conversations à distance.

— C'est possible. Mais à Cuba, c'est moins raffiné que cela. Ce sont les yeux et les oreilles des gens qui font de l'espionnage.

— Je sais, répondit Lemieux.

Leonardo rebelle ? Leonardo informateur ? Sûrement les deux. Lemieux commençait à sonder cet art de la manipulation où excellent les Cubains. D'une part, le chauffeur semblait très critique face à la situation actuelle, ouvertement opposé au régime et déterminé à gagner sa liberté. Sa force physique, son énergie et sa volonté semblaient entièrement tendues vers ce but. D'ailleurs, Lemieux n'aurait pas aimé l'avoir comme adversaire ou ennemi. D'autre part, le Cubain avouait être appelé à se compromettre avec les autorités, à jouer de ruse pour subsister et à collaborer avec la police. Jusqu'où cela allait-il ?

Pour poursuivre la discussion, Lemieux invita Leonardo à manger. Il lui demanda de choisir son *paladar* préféré. Ces derniers jours, Christian s'était très mal alimenté et avait souffert de crampes intestinales. Le médicament déniché le matin par Leonardo avait déjà replacé son estomac. Ragaillardi, mais affamé, l'ancien policier avait hâte de s'attabler devant un véritable repas. Il se laissa guider vers un restaurant situé dans une superbe maison d'un seul étage, de style espagnol, au crépi bleu impeccable et au parterre débordant de plantes grasses. Quatre tables seulement occupaient une vaste salle de séjour qui s'ouvrait sur une cour intérieure fleurie et verdoyante. Les patrons préparèrent un délicieux poulet rôti, accompagné de bananes plantains frites, bien croquantes, d'une splendide salade de tomates et de concombres, ainsi que de riz garni de fèves noires. Si le menu était des plus traditionnels, la qualité de tous les aliments permit à Lemieux de réviser son jugement sur la cuisine cubaine. Surtout que le patron leur proposa du vin, soit un Marquis de Cacerès bien honnête.

Les plats, la nuit et le vin aidant, la conversation prit un tour plus personnel. Leonardo avoua d'abord qu'il savait que Lemieux était un enquêteur à la poursuite d'un sujet. Il savait qu'il s'agissait d'un travail. Il confirma les doutes de Christian concernant les trois interpellations. Chaque fois, Leonardo avait décliné le nom de son passager et décrit leurs activités. Il avoua cependant qu'il ignorait pourquoi la police s'intéressait ainsi à cette affaire, somme toute, personnelle. Selon lui, Omara était une prostituée active, mais déjà âgée sur le marché de la chair fraîche. De plus, son séjour en prison devait avoir calmé ses ambitions. Leonardo résuma ainsi la situation : il ferait tout pour renseigner Lemieux et endormir les policiers en échange de la fameuse invitation.

L'enquêteur décida de jouer prudemment. Il ne confirma pas au Cubain qu'il était détective privé et que la recherche d'Omara était en fait un travail. Il réaffirma plutôt qu'il était à la recherche de l'amoureuse d'un ami malade, en phase terminale. Leonardo accueillit ces propos sans sourciller. Les deux hommes semblaient attablés pour une partie de poker. Deux joueurs du même acabit.

Mais lui, Lemieux, était-il si différent de Leonardo? Les deux costauds avaient d'étonnantes ressemblances physiques. Cheveux courts pour le chauffeur, tête rasée pour l'ancien policier. Larges épaules, bras puissants et corps trapus. Peu à peu, ils commençaient à se reconnaître comme des semblables, avec une franchise trouée de certaines omissions. Ils devenaient respectueux l'un envers l'autre. En plus de leur ressemblance physique, ils partageaient une identité commune, dans la mesure où ils étaient des contestataires impuissants. Le Cubain rêvait de vivre dans le monde américain, mais il ne pouvait accéder à cette vie et il ignorait tout de ses contraintes. Malgré ses efforts, l'enquêteur était incapable de cerner et de comprendre la vie et l'environnement cubains. Il restait foncièrement nord-américain. C'est là qu'ils pouvaient s'aider mutuellement. Il était déjà une heure du matin quand ils se quittèrent, plutôt ivres que vaguement gris.

Dans la Lada, en route vers l'appartement de la calle Jota, Leonardo confia à Lemieux ce que tous les chauffeurs de taxi savaient déjà. La mort de Mercedes n'était pas un accident. Le chauffard avait même été protégé lors de l'accident. D'autres voitures avaient bloqué certaines rues pour faciliter sa fuite et empêcher toute poursuite du véhicule. Certains disaient que Mercedes buvait de plus en plus à la suite de sa rupture avec son mari, un membre influent du parti. De plus, elle manifestait trop ouvertement sa dissidence lors de ses beuveries. D'autres affirmaient qu'elle travaillait au projet de créer une organisation politique féminine de lutte contre la violence et les agressions. Les rumeurs étaient nombreuses à son sujet. Mais toutes tendaient vers la même conclusion : on s'était débarrassé d'une personne qui pouvait difficilement être intimidée ou emprisonnée, mais qui devenait de plus en plus gênante. Il fallait la réduire au silence. Quand Lemieux demanda à Leonardo de préciser qui pouvaient être les auteurs, Leonardo fut très vague. Depuis sa conversation avec Donalita, Lemieux s'en doutait bien : on avait provoqué la *liberación* de Mercedes.

« Si j'étais à Montréal, fulminait Lemieux, je pourrais parler moi-même aux chauffeurs, aux concierges et aux filles. J'aurais des informateurs dans certains bars et je remonterais mon réseau de contacts. À Montréal, je pourrais passer inaperçu et entrer où je veux. Ici, si je pose la moindre question, j'ai l'air d'un Martien avec des lumières sur la tête. J'ai l'impression de me peinturer dans le coin de la pièce. » Lemieux titubait de fatigue en regagnant son appartement. Il se jeta dans son lit. La nuit serait courte, et il avait grand besoin de sommeil.

Il fut éveillé par Leonardo qui frappait à grands coups à la porte de sa cuisine. Il faisait un soleil aveuglant. La main gauche devant les yeux, pour se protéger de l'intensité des rayons, Lemieux fut heurté par le Cubain qui le bouscula en criant : « Les enfants de pute ! Les chiens ! » Il était dans un état d'excitation comparable à celui de leur première rencontre. Il jurait et ne décolérait pas. Lemieux devina facilement que la police était encore en cause. Il laissa déferler la tempête, tout en faisant comprendre à son visiteur que la propriétaire pouvait tout entendre.

— Celle-là, c'est une vraie vipère. Mais je m'en fous !

Lemieux agita les mains, faisant signe à Leonardo de baisser la voix.

— Toi, Lemieux, n'essaie pas de me faire taire. J'ai encore été arrêté, ce matin. Le pire, c'est que j'ai perdu mon calme.

—Tu ne sembles pas l'avoir retrouvé, répondit le détective.

— Ils nous traitent tous comme des animaux, dès l'instant où nous faisons un pas de côté. Ce matin, ils m'ont arrêté tout près de chez moi. Ils ont commencé par l'interrogatoire habituel. Ils ont effectué une vérification à ton sujet. Ils savaient que tu n'es pas un ami du paternel. Ensuite, ils m'ont donné un avertissement officiel. Là, ça s'est vraiment gâté. Ils m'ont menacé d'une détention de trois jours ou de m'enlever le droit de circuler ou encore de me placer éventuellement en résidence surveillée. C'est là que j'ai explosé.

Lemieux était convaincu que Leonardo ne lui jouait pas la scène. Le chauffeur tremblait de tous ses membres, autant de peur que d'humiliation.

— Ils voulaient te pousser à bout, c'est évident.

— Ils ont réussi, dit Leonardo.

— J'espère que tu n'as pas touché à un agent ?

— Non, non. Mais j'en ai assez de l'intimidation !

— Finalement, tu as réussi à partir ?

— Oui, mais ils m'ont sommé à comparaître. Je vais devoir aller m'expliquer devant les autorités. Mais je m'en fous. Je vais me battre.

Leonardo arpentait la cuisine de Lemieux en mimant le bruit d'une mitraillette. « Des hommes comme lui, s'ils prenaient un jour les armes, ça pourrait changer la situation », pensa Lemieux. Il devait y en avoir plusieurs, des gens prêts à exploser, mais sans cesse contenus par les contrôles. Leonardo discourait à voix forte, affirmant qu'il faisait partie de cette génération de jeunes adultes qui ne connaissent du régime socialiste que les contraintes de cette période dite spéciale. Spéciale, par le renforcement du contrôle, oui. L'obligation de comparaître signifiait que des sanctions sévères pouvaient être prises contre lui. De plus, ce genre de confrontation se tenait parfois de façon musclée, avec de la violence verbale ou même physique. Leonardo ne craignait pas la bagarre, mais il redoutait la prison, car la police cubaine n'hésitait pas à enfermer ceux qu'elle considérait comme des contrevenants. Les gens étaient séquestrés sans communication avec l'extérieur pendant des jours, parfois quelques semaines. Les parents et les amis qui se présentaient au poste de police pour obtenir des nouvelles se faisaient brutalement virer sans plus d'explications ou encore, ils se faisaient dire qu'il n'y avait personne du nom à l'intérieur de la prison. Les policiers en profitaient même pour intimider les visiteurs. Aucune explication n'était fournie. Aucun recours n'était possible.

— Allez, viens, Leonardo. Lydia doit nous attendre. Partons, ça va te changer les idées, coupa Lemieux.

Christian avait enfilé un t-shirt et un bermuda. Dans les multiples poches de sa veste noire, il répartit ses effets : de l'argent, une carte de crédit et son passeport. Il rejeta l'idée d'apporter son appareil photo, préférant avoir les mains libres.

La vieille Lada les attendait devant la maison. Leonardo s'y prit à deux reprises pour réussir à fermer la portière du côté du passager. La voiture s'ébranla avec un bruit familier de ferraille. Ils allèrent ensuite faire le plein chez un voisin, un Noir obèse en bleu de travail. Celui-ci versa le contenu de deux bidons de vingt litres dans le réservoir. Par cette chaleur, l'odeur d'essence empesta l'habitacle. Leonardo conduisait avec beaucoup de nervosité. Comme lors de la première nuit, il changea plusieurs fois de direction pour éviter toute mauvaise rencontre ou pour s'assurer qu'il n'était pas suivi. La salsa qui jouait à tue-tête ne parvenait pas à dissiper son inquiétude. Ils parvinrent sur la Trocha, écrasée par le soleil. Lydia les attendait debout, à l'ombre du couloir menant à sa maison. Elle s'engouffra dans la voiture en disant « Quelle chaleur ! ». Elle demanda à Leonardo de lui passer l'unique manette qui servait à abaisser les glaces.

La route qui menait au Castillo San Pedro del Morro, situé à moins de dix minutes du centre-ville de Santiago, était fréquentée par de nombreux taxis et des cars menant les visiteurs à ce site touristique réputé. Elle était donc gardée par des patrouilles militaires. Ils croisèrent un point de contrôle, mais ils ne furent pas inquiétés. Leonardo respirait mieux, comme si la pression se relâchait à mesure qu'ils approchaient de la forteresse.

L'imposante fortification de pierre se dressait à l'entrée de la baie de Santiago, dominant le goulot d'entrée du haut d'imposants rochers. Au XVIIe et au XVIIIe siècles, la fortification défendait la ville contre les attaques fréquentes des frères de la côte, des corsaires et des flibustiers qui infestaient les parages. Elle servait aujourd'hui de Musée de la piraterie et proposait aux visiteurs des collections d'armes et de costumes.

Lemieux avait l'impression que les échos des attaques des capitaines Morgan, Monbars ou Roc résonnaient encore en ces lieux. Dans son adolescence, il s'était gavé de romans d'aventures et de voyages. Il était passionné pour les aventuriers de la piraterie, tout particulièrement par la vie et surtout la mort de Jean Lafitte, le dernier des grands flibustiers français. Après une existence remplie de péripéties étonnantes, Lafitte était monté un jour sur son brigantin, *The Pride*, pour disparaître à l'horizon de la mer pour toujours. L'aventure d'un autre pirate français, Robert Mission, était tout aussi extraordinaire. Celui-ci avait fondé une ville à Diégo-Suarez, sur l'île de Madagascar : *Libertalia*, la cité de la liberté, où les *liberi* parlaient une nouvelle langue internationale et où régnaient les principes de l'égalité et de la fraternité.

Leonardo invita Lydia et Lemieux à prendre le café sur une terrasse à proximité de la forteresse. Il les laissa faire seuls la visite, préférant profiter de l'ombre. Lydia et Lemieux entrèrent donc sur le site et s'y promenèrent comme un couple de touristes, escaladant les vieux escaliers de pierre menant aux remparts. Tous deux jouissaient de la fraîcheur apportée par la brise marine et par celle des salles d'exposition obscures. Le Musée de la piraterie n'était pas différent des sites dédiés à la révolution ou à l'histoire des beaux-arts. Lemieux ressentit la même répulsion devant l'étalage des armes et des uniformes. Dans la cour de la forteresse s'élevait un bâtiment plus récent, une petite casemate de béton. En s'approchant, ils découvrirent que c'était une prison désaffectée, aux cellules fermées d'énormes grilles. Après l'époque de la piraterie, la forteresse avait aussi servi de centre de détention pour les indépendantistes qui s'opposaient à la colonisation espagnole.

S'approchant de la prison, Lydia fit un geste très significatif. Elle secoua des deux mains les grilles d'une cellule et, tout en fixant Lemieux droit dans les yeux, elle lui dit :

— La prison, c'est ça, vous comprenez ?

— Lydia, j'aimerais que vous m'en parliez.

La mère d'Omara resta longuement silencieuse sous le

soleil. Elle ne secouait plus les grilles. Elle les tenait fermement, comme si elle se concentrait pour tenter d'écarter les
barreaux ou pour les faire disparaître. Le corps immobile,
la tête penchée dans une attitude de profonde réflexion ou
même de prière, elle tourna lentement la tête vers Christian.

— Je vous ai déjà dit qu'Omara avait été condamnée à
cause d'une histoire de fausse monnaie.

— Oui. Et que le gouvernement est particulièrement cha-
touilleux sur les questions d'argent. Mais ça cloche. Ce
n'était pas votre fille qui avait fabriqué les faux billets. De
plus, elle ne voulait pas les faire circuler puisqu'elle les
présentait à une banque.

— Exact. Je n'ai pas dit toute la vérité. En fait, les faux
billets ont été la goutte d'eau qui a fait déborder le vase.
Depuis longtemps, les autorités cherchaient à coincer ma
fille.

— Pour quelle raison ?

— Selon eux, c'est parce qu'elle faisait de la prostitution.

— Mais pourquoi l'emprisonner ? On ne mérite sûrement pas d'entrer en prison pour cela.

— Elle ne payait pas les policiers, c'est cela, le problème.
Elle faisait tout pour s'esquiver. On a décidé de l'interner.
Ici, on appelle ces endroits des Centres de rééducation pour
fins de modification de comportement. Mais cela veut
dire...

Le mot était enfin lâché. Lemieux était persuadé qu'il
progresserait si l'on voulait bien appeler un chat, un chat.
Lydia serrait toujours les barreaux dans ses mains. Elle
poursuivit :

— Elle a été détenue dans un camp de travail ou de réin-
sertion. Peu de personnes savent quelle est la vie des
détenues à l'intérieur de ces murs. On dit qu'elles doivent

faire des travaux agricoles et horticoles ou encore de la couture.

— Vous avez dit que c'était un camp de rééducation.

— Oui. Les centres ont pour but de ramener les filles dans leur famille, au travail, dans la société. Dans ces camps, le gouvernement prend certains moyens pour modifier le comportement des filles. Ne me demandez pas lesquels. Omara n'a jamais voulu me répondre.

— Vous avez l'impression qu'il s'est passé quelque chose ?

— C'est anormal ce qui s'est produit. D'une part, Omara est sortie de prison animée des meilleures intentions. Elle était complètement transformée. Elle disait à tout le monde qu'elle allait changer de vie. D'autre part, je sentais qu'elle vivait avec une peur secrète et avec de l'angoisse au ventre. Je percevais tout cela confusément. Je priais pour que sa rééducation soit un succès. J'espérais que sa peur était celle de retourner en prison. Mais je sentais qu'Omara était troublée.

Lemieux était assis sur un muret de pierre, à l'ombre d'arbrisseaux, et jouait à lancer de petits cailloux devant lui, tout en écoutant la Cubaine. Il cachait mal une certaine satisfaction. Les tiroirs commençaient à s'ouvrir et à révéler leur contenu secret. Peu à peu, à la lumière des entretiens personnels, les faits apparaissaient. Les recoupements devenaient possibles. L'important était d'établir une relation de confiance et d'égalité. Les confidences viendraient bien. Sa bonne vieille méthode du tête-à-tête semblait fonctionner.

— Vous savez, Omara était notre soutien de famille. Grâce à elle, son frère a pu étudier la musique et tout le monde a pu manger. Elle apportait des vêtements et, surtout, de la nourriture.

— C'est donc elle qui vous faisait vivre.

— Oui. C'était notre seule bouée. Quand elle a été jetée en prison, nous n'avons plus rien eu sur la table. Ce sont des parents et des voisins qui nous ont nourris. C'était une *jinitera*, peut-être. Mais à mes yeux, ce n'était pas une prostituée. Comprenez-vous?

Lemieux s'avoua intérieurement qu'il ignorait tout de la faim et qu'il en savait bien peu sur la prostitution par besoin. Mais sans affirmer qu'une pute n'est qu'une pute, il ne voyait pas de différence, de prime abord, entre la prostitution à Montréal ou à Santiago. Entre l'attraction d'une jeune fugueuse, prisonnière de sa banlieue et attirée par les nuits de Montréal, et la jeune Cubaine éblouie par le luxe des touristes de l'hôtel Casa Grande. Dans les deux cas, il voyait se profiler l'ombre des protecteurs et des prédateurs, des gangs de rue ou de trafiquants. Dans les deux cas, la drogue devait servir de courroie de transmission, pour transformer en paradis artificiel ce qui n'est qu'un commerce dégradant. L'histoire se déroulait au son du même hip-hop, dans les mêmes lieux sombres et aux mêmes heures tardives. Et, après une rumba de quelques jours, la Cubaine et la Québécoise se retrouvaient avec seulement quelques pièces en poche et, toujours, le même rêve en tête. En plus, avec le manque de drogue, de speed ou de coke, qui les faisait marcher comme des dératées au petit matin.

Que signifiait cependant les mots *chevaucheuse* ou *écuyère*, employés par Lydia? Ils décrivaient malicieusement la position dominante de la femme sur un homme dans l'accouplement, où le touriste étranger joue le rôle de bête de somme. L'image exprimait-elle un autre non-dit à la cubaine? Une forme d'euphémisme humoristique et charmant, cachant l'industrie du tourisme sexuel? Mais la réflexion de Lydia le forçait à nuancer sa pensée. Y a-t-il des formes atténuées de prostitution ? Le fait de vendre son corps pour soutenir sa famille ou de ne le faire qu'occasionnellement change-t-il quelque chose à l'affaire ?

Lydia s'était éloignée des grilles des cellules pour s'asseoir sur le muret, à côté de Lemieux. Elle lui prit le bras et elle resta longtemps silencieuse, comme une statue africaine. Christian trouvait son expérience de plus en plus captivante. Il commençait à mieux percevoir la personnalité de la société cubaine. Grâce aux visites de sites et de musées, aux cours d'espagnol et aux conversations, mais surtout, aux contacts établis avec les gens, il découvrait le caractère de Cuba, et tout particulièrement celui de Santiago. L'ancien policier avait déjà visité la Martinique et la Guadeloupe, ces départements d'outre-mer qui gravitent sagement autour de la France. Il avait lu sur Haïti, pays troué de cancers sociaux, sans hygiène, sans éducation, sans sécurité intérieure. Il prenait conscience que les Cubains possèdent une histoire, une culture et une religion où la notion de liberté est fondamentale. Cuba avait réussi à se libérer de l'influence des pirates, des Espagnols, des Américains et des Russes, parfois par la force, parfois par un détour de l'histoire. Ce besoin de liberté venait de très loin. Il surgissait du passé africain. Il se manifestait par une farouche volonté de vivre debout, revendiquée par chaque individu. Même si le régime communiste avait transformé cela en grands discours. Même si la dictature trahissait aujourd'hui l'esprit de ce discours.

Lemieux avait cependant hâte de retrouver Leonardo afin de poursuivre son enquête. Il fallait remonter la filière des *jiniteras* de Santiago. Malgré ce qu'il disait, le Cubain devait en savoir beaucoup sur ce milieu, à titre de chauffeur de ces dames. Christian invita Lydia à partir. Ils revinrent à petits pas sous le soleil. Ils quittèrent l'enceinte de la forteresse et ils se dirigèrent vers le restaurant où Leonardo devait les attendre. La Lada était à l'arrêt sous de petits palmiers, les fenêtres baissées. Mais Leonardo n'était pas près de l'auto ni à la terrasse du restaurant. Au bar, personne ne l'avait vu depuis une heure. Lemieux et Lydia espéraient le trouver endormi à l'ombre sous les palmes ou assis sur un rocher près de la mer. Ils scrutèrent les environs. Bredouilles, ils revinrent à l'auto. C'est alors que Lydia trouva une petite note, griffonnée à la hâte et glissée sous l'un des essuie-glaces. Elle disait: *Problème avec l'auto. Parti chercher pièces. Revenez en taxi. Leo.* Lydia y alla de quelques commentaires.

— Ce n'est pas la première fois. Il n'est pas fiable, comme sa bagnole. D'ailleurs, depuis que ma fille a disparu, on ne le voit presque plus à la maison. Il n'a pas d'allure. Quel ami!

Lemieux pensa aux nombreuses significations du mot *amigo* à Cuba.

Dans le taxi, le chauffeur se mit à poser de nombreuses questions. Visiblement agacée par le manège de l'homme, Lydia répondit vaguement. Elle arborait son air buté de la première rencontre. Lemieux se promit de la tenir à l'écart de ses prochaines recherches. D'ailleurs, elle lui avait fourni tous les renseignements qu'elle possédait. Sa fille avait sûrement une amie ou un copain — suffirait d'un seul — qui en savait plus. Il fallait pousser les recherches auprès de gens que la mère d'Omara ne connaissait pas. Christian était ennuyé par l'absence de Leonardo, mais il l'imaginait plutôt en train de baiser avec une belle amie croisée par hasard que de bricoler sous sa Lada en plein soleil. Leonardo surgirait sûrement en soirée, les yeux brillants, avec un petit sourire en coin accroché aux lèvres, et accompagné d'une nouvelle fiancée.

Lemieux revint à la maison de la calle Jota en fin d'après-midi. Il s'aperçut avec surprise que la propriétaire avait déposé deux superbes mangues sur sa table. Il sortit son Leatherman. La première était toute chaude et d'un goût capiteux, et elle exhalait un parfum exquis. Mais la deuxième, qui semblait tout aussi à point, était cependant pourrie jusqu'au cœur. Il la jeta avec dégoût, stupéfait par la forte odeur de décomposition qu'elle dégageait, une fois crevée sa peau orange et rouge. Le soleil couchant allumait des teintes comparables à celle des mangues dans le ciel. Lemieux patienta, dans l'espoir d'aller de nouveau manger dans un *paladar* avec Leonardo. Mais celui-ci ne donna pas de ses nouvelles. Lemieux abandonna l'idée vers vingt et une heures, non sans avoir tenté de joindre le chauffeur par téléphone. Mais personne ne répondit.

Assis sur la terrasse de l'appartement, calé dans une berceuse, Lemieux sentait passer les chauves-souris à quelques mètres à peine de sa tête. Il les devinait au bruit de frôlement quand elles étaient en vol et du froissement de leurs ailes quand elles atteignaient le feuillage. Il suivait leur course jusqu'au grand manguier où elles allaient se percher. Il était dans cet état de rêverie qui vous laisse perméable à la moindre sensation. Comme un escargot blotti dans une coquille, apparemment sourd au monde extérieur, mais en mesure d'amplifier le moindre signal sonore. En même temps, il savait que cet état d'esprit lui permettait de mieux comprendre la vie tout autour. Il se laissait imprégner des moindres détails. Cela lui rappelait qu'il avait employé la même méthode avec les gens du crime organisé et des bandes de motards, quand il faisait de l'écoute électronique pour le compte de la police. L'observation et l'écoute, c'était sa seule technique. C'était devenu son mode de vie, ce qui faisait de lui un être plutôt contemplatif. Donalita n'avait-elle pas parlé d'intégration ? Était-ce la même chose ? On peut entendre la mer dans un coquillage vide…

Lemieux laissait les bruits de la soirée envahir son cerveau, heureux de goûter à la tranquillité du quartier. Mais le silence était des plus relatifs. L'enquêteur s'amusait à répertorier les sons et à deviner la vie quotidienne des gens grâce aux indices fournis par tous les bruits. L'appel strident d'une mère qui demande à son fils de rentrer. L'indicatif musical des informations à la télé, dans le lointain. Le choc d'ustensiles et d'assiettes lors d'un repas chez un voisin. Les changements d'intonations et de tons au cours d'une discussion entre conjoints. Et toujours, le mélange des musiques populaires les plus diverses, mais toutes cubaines. Lemieux enregistrait tout cela simultanément sur plusieurs pistes, comme si son cerveau était un appareil de studio. Il échantillonnait les sons.

Une exclamation trancha la douceur de la soirée. L'appel de son nom venait du rez-de-chaussée. Il entendit ensuite des pas dans l'escalier menant à son appartement. La tête de la propriétaire apparut en haut de la cage. Elle lui fit signe d'approcher et de la suivre au premier. Lemieux se secoua et sortit de la torpeur dans laquelle sa rêverie l'avait plongé. Il suivit la sœur de Mercedes au rez-de-chaussée. En entrant, il eut un regard pour le parc d'enfant dans lequel dormait un bambin, vêtu simplement d'un chandail et d'une couche. Il prit le récepteur. Il n'entendit que des gémissements. C'était Lydia, dont les pleurs étouffaient les paroles. Puis, il devina qu'il était arrivé quelque chose. Un accident. Un accident mortel. Un autre. Leonardo. Complètement abasourdi, Lemieux remit le téléphone à sa logeuse. Celle-ci prit l'appareil. C'est elle qui posa les questions et qui transmit les réponses à Christian, ce dernier ne semblant plus comprendre un mot d'espagnol. La logeuse devait lui répéter ce qu'elle entendait. Encore là, le regard vitreux de l'ancien policier ne garantissait pas qu'il comprenne quoi que ce soit à toute parole. Il était en état d'hébétude.

« Deux morts ! Deux, depuis que je suis ici ! Et peut-être à cause de moi ! », pensait-il. Il comprit que Leonardo avait été découvert non loin de Santiago, près d'une plage très fréquentée, celle de Siboney. Son corps, partiellement dévoré par les requins, avait été trouvé en début de soirée. La rumeur disait qu'il avait tenté de fuir à la nage. La nouvelle de la noyade du nageur d'élite avait vite circulé dans la foule des baigneurs et elle avait été rapidement colportée en ville. C'est par des voisins que Lydia avait appris le décès de l'ami de sa fille. Tout Santiago savait maintenant que le fils d'un professeur respecté avait trouvé la mort dans une nouvelle tentative de fuir Cuba. Christian savait que c'était presque impossible, car Leonardo avait abandonné le projet de partir à la nage. Lemieux partit se réfugier dans son appartement. En montant, il imaginait les morsures sur le corps boursouflé du Cubain. Il surmonta difficilement la nausée qui le prit.

Leonardo avait-il menti à Lemieux et tenté une nouvelle fois de quitter Cuba sans prévenir personne ? Sa mort était-elle liée aux récents démêlés du chauffeur avec la police ? Quel rôle Lemieux avait-il joué dans la mort de Leonardo ? Leur rencontre en était-elle la cause ? Le détective était tenaillé par ces questions et par l'hypothèse qui commençait à germer dans son esprit. Leonardo était peut-être mort parce qu'on cherchait à gêner son enquête sur la disparition d'Omara. Et ainsi lui couper toute aide. Comme cela avait été le cas pour la mort de Mercedes, on cherchait à camoufler l'affaire en faisant croire à un accident. Si c'était des agents du gouvernement qui agissaient, ils se libéraient en même temps d'un opposant. Mais la différence entre intimider, écarter ou incarcérer un dissident et le supprimer était trop grande. Dans quel but avait-on provoqué la mort de Mercedes et de Leonardo ?

Quelques heures auparavant, Lemieux était convaincu d'avoir enfin trouvé un guide. Il était en mesure de suivre une piste menant à Omara. Lemieux était certain d'avoir établi une entente avec lui, non pas de confiance entière, mais du moins équitable. Il se retrouvait brusquement au point de départ. Pire encore, il se sentait épié, suivi et manipulé. Il se coucha en redoutant un cauchemar. Le sommeil l'engloutit comme une vague et le mena vers le fond. Les spécialistes appellent cela le sommeil paradoxal, sans doute parce que les images oniriques constituent fondamentalement des paradoxes.

Dans son rêve, il s'éveillait. Une vague rumeur le tirait du sommeil. Gisant sur le dos, il était incapable de faire le moindre mouvement et d'émettre le moindre son. Tout ce qu'il pouvait faire, c'était d'écouter. Il entendait des cris. Les gens s'interpellaient d'une maison à l'autre. Ils s'avertissaient d'un danger, alors que lui, seul dans sa chambre, dans cette rue, dans cette ville, ne pouvait les prévenir de sa présence. Il était un étranger. Personne ne viendrait le sortir de là. Il sentait la panique s'infiltrer en lui. Il ne pouvait qu'écouter, muet et figé, mais entièrement aux aguets. Au loin, des détonations d'armes lourdes résonnaient, ébranlant l'atmosphère. Mais qui attaquait qui ? C'était comme si le pays entrait en guerre civile. Le bruit de nombreux moteurs de véhicules d'assaut se rapprochait. Des chars envahissaient le quartier. Des armes automatiques crépitaient. Le carnage était commencé. Les cris se changeaient en hurlements de bêtes égorgées. Un rituel sanglant de purification avait commencé, passant par l'usage frénétique des armes.

Il ne pouvait aller à la fenêtre. La peur le clouait dans le lit. Des coups sourds faisaient maintenant trembler la maison. Des tirs d'armes rapides éclataient tout près. La rumeur guerrière, grondante au loin, cinglante sous ses fenêtres, ne cessait d'augmenter. Lemieux ne voulait pas être victime de cette tuerie. Sa peur se muait en panique. Il savait que la ville était maintenant fermée. Les routes, le port et l'aéroport étaient tous bloqués. Tout chemin pour fuir était coupé. « Pourquoi suis-je venu ici ? » se demandait-il. Il attendait le moment où sa chambre serait investie et où il serait fait prisonnier. Sans arme pour se défendre. De toute façon, ce serait inutile. Il n'avait que des couteaux de cuisine dans l'appartement. Il était pris dans une immense boucherie, un massacre. Tous vont y passer, moi aussi. Un touriste de plus ou de moins perdu dans cette tourmente ne signifie rien.

Il se retrouva entouré de corps nus, noirs, luisants de sueur. Il pouvait en sentir l'odeur âcre et acide. La masse grouillait, et les êtres s'emmêlaient les uns aux autres, au son d'une mélopée. C'était une prière, chantée par des milliers de voix et accompagnée de sourds battements de tambours. Lemieux était fasciné par la beauté sculpturale des corps, par la puissance des muscles saillants et par l'éclat cuivré de leur peau. Il était pétri dans cette masse visqueuse, englouti dans ce magma humain. Il s'y roulait pourtant avec volupté, heureux de recouvrer la liberté de ses mouvements. Avait-il été fait prisonnier ? Mais où était-il ?

Quand Lemieux s'éveilla ou plutôt quand il revint progressivement à la réalité dans un état de demi-sommeil, il était en nage dans son lit. Pendant quelques minutes, il fut incapable de reprendre pleinement contact avec ce qui l'entourait et confondit son rêve avec la réalité. Il n'osait même pas bouger, certain que le moindre bruit attirerait l'attention des militaires et des émeutiers. Le souvenir de son rêve lui semblait plus réel que ses perceptions conscientes. Étendu sur le dos, il posa les mains sur son ventre. Il tenta de retrouver une respiration normale, car il était au bord de l'hyperventilation. Les échos des attaques, les bruits de combats et les cris des blessés vibraient dans sa tête. Était-il encore en train de rêver qu'il s'éveillait ? Il tendit l'oreille. Le moindre bruit le perçait cruellement. Les aboiements de chiens le faisaient sursauter. Grâce aux exercices de respiration ventrale, il reprit lentement le contrôle de son corps. Peu à peu, les contours de la chambre apparurent de façon plus nette et précise. C'était comme s'il devait recréer le monde environnant et repousser lentement l'emprise des ténèbres. Il commença à comprendre qu'il avait fait une attaque de paranoïa.

Son corps était douloureux. Il tendit la main vers la bouteille d'eau à la tête de son lit. « Je bois de l'eau. Je goûte l'eau. Elle entre en moi. C'est ça, la réalité. Tu as fait un cauchemar. La ville est bruyante, mais elle n'explose pas comme dans ton rêve. Tu l'as seulement vue ainsi. Il n'y a ni soulèvement ni insurrection. » C'est en se parlant ainsi que Lemieux reprit pied. Il comprit que le feu et le sang, c'était bien de son esprit qu'ils avaient surgi, et non des rues de la ville. « Tout peut chavirer, mais ce n'est pas le cas en ce moment. Tout s'est déroulé dans ton esprit un peu fatigué. La membrane entre la réalité et l'imagination est bien mince, mais c'est fini, maintenant. » Il se sentait faible d'avoir cédé à un tel cauchemar. D'habitude, il réussissait à s'extirper d'un rêve pénible en se forçant à s'éveiller. Mieux encore, il pouvait parfois intervenir directement dans un mauvais songe et en changer le cours. Cette fois, cela avait été impossible. Il quitta son lit en tremblant et se dirigea péniblement sous la douche, secoué par l'expérience, et bouleversé par la violence qu'il portait en lui.

Chapitre 7

« No me preguntes tanto mi amor
Si sabes que yo soy para ti »
Raúl Malo, *No me preguntes tanto*

(Ne demande pas tant de mon amour
Si tu sais que je t'appartiens)

Il était aux environs de minuit, la nuit du vendredi au samedi. En dépit de l'heure tardive, Lemieux était incapable de se recoucher. Il avait trop peur de retomber dans son cauchemar. Il préféra rester assis dans la cuisine, sous la lumière du néon. Les coudes sur la table, les poings sous le menton, il faisait le bilan. Il se sentait menacé de manière confuse, autant par la violence de ses visions intérieures que par celle des événements des derniers jours. Il se répétait qu'il en avait pourtant déjà vu d'autres.

Il se retrouvait seul. Il avait pensé s'ouvrir à Leonardo pour s'en faire un véritable allié. Il s'en était gardé par prudence. Peut-être aurait-il dû le faire ? Il aurait pu lui décrire sa vie, sa société et son métier pour se lier à lui. Cela aurait-il changé le cours des choses ? Il contemplait l'image de l'espadon cambré, l'épée dressée, qui était la seule décoration ornant l'un des murs de la cuisine. C'était une pièce d'artisanat, en cuivre martelé, d'un réalisme douteux. Tout lui semblait faux, depuis son arrivée. Il pataugeait dans un marais, vaste comme la mer des Sargasses. Et il se sentait observé, comme un poisson à la lumière crue d'un aquarium.

Pour une rare fois, il laissa son instinct réagir. Et celui-ci lui commandait de sortir, d'aller s'amuser et de se divertir, afin de se libérer de la tension créée à la fois par les récents accidents et les cauchemars. Il partit à pied en direction de la boîte de nuit la plus connue de Santiago, la Casa de la Trova, qui présente les meilleurs musiciens de musique traditionnelle. Avec les années, l'endroit était devenu passablement touristique et très fréquenté. L'entrée était située sur la rue Heredia, à la hauteur de l'hôtel Casa Grande. Lemieux se rappelait avoir observé la foule massée à l'entrée de la salle, de la fenêtre de sa chambre d'hôtel.

Lemieux connaissait bien le chemin et il marchait à grandes enjambées. Mais il n'appréciait pas beaucoup se promener seul, la nuit, dans les rues étroites de Santiago. Les ombres du cauchemar rôdaient. Il changeait fréquemment de direction et surveillait ses arrières. Quand c'était possible, il préférait emprunter le milieu de la chaussée, sous la lumière des rares réverbères. Les passants se faisaient un peu plus nombreux à mesure qu'il approchait du centre-ville. Soulagé, il ralentit le pas. Il se mêla à l'attroupement devant la salle de spectacles. La foule bigarrée de passants était composée de Santiagueros et de touristes, de jeunes hommes en quête d'une bonne affaire et de femmes attendant une invitation, le tout surveillé par quelques policiers. Tout ce beau monde faisait semblant d'écouter la musique, mais c'étaient les touristes qui constituaient la véritable attraction. Les jeunes hommes se promenaient, l'air faussement nonchalant, allant d'une bagnole à l'autre pour saluer des copains. Ou ils tentaient d'aborder les étrangers afin de leur proposer du rhum et des cigares. Les filles se chamaillaient en riant haut et fort pour attirer l'attention. Elles prenaient des poses suggestives en regardant autour d'elles. Celles qui désiraient entrer se massaient à la porte et formaient une barrière humaine. Les femmes laissaient traîner leurs mains à la hauteur des pantalons et n'hésitaient pas à caresser quiconque tentait de se frayer un passage. Plus en retrait, de vieux Noirs ne perdaient pas une miette du spectacle. Les policiers fermaient le cercle.

Dès son arrivée à proximité de la Casa, Lemieux avait évidemment été repéré, mais son air revêche et peu engageant freinait toute approche. Il avait sa gueule des mauvais jours. Il n'avait vraiment pas le goût de sourire ou de répondre à personne. Il désirait simplement se plonger dans la musique. Il rêvait de se retrouver dans son cocon, comme dans son bar préféré de Montréal. « Il doit bien y avoir un tabouret au bout du bar, une place où je pourrai me faire oublier pendant quelques heures », se disait-il. Il recherchait un peu de tranquillité pour chasser son angoisse et, aussi, sa frustration et sa mélancolie. C'est pourquoi il avait évité les discothèques tapageuses des grands hôtels situés plus près de son appartement.

Dans le vestibule de la Casa, Lemieux acquitta le tarif d'entrée. Il paya à une petite table faisant office de guichet. L'homme qui prenait l'argent lui tendit sa monnaie en le scrutant d'un regard noir. Christian prit la monnaie, l'empocha et fit jouer bruyamment les fermetures de velcro de ses pantalons. Le caissier suivait chaque geste de Lemieux. Son visage émacié et son corps maigrelet suaient d'hypocrisie. L'enquêteur le gratifia d'un hochement de tête méprisant avant de s'avancer à la découverte des lieux. La Casa de la Trova comptait un bar et deux salles de spectacle. La première salle était vaste et haute. De grandes fenêtres s'ouvraient sur la rue Heredia et permettaient aux spectateurs dans la rue d'entendre les musiciens. La seconde était retirée, plus intime et dotée d'un plafond bas. Alors que les chaises de la grande salle étaient disposées en rangée face à une estrade, le mobilier de la petite était composé de lourdes tables et de chaises serrées les unes contre les autres. La scène était inexistante. Seul un petit espace était dégagé pour faire place aux musiciens. Le bar qui séparait les deux salles était situé dans une minuscule pièce, meublée de deux tables et de quelques chaises. Au bar, qui faisait à peine deux mètres, il n'y avait aucun tabouret.

Les spectacles n'étant pas commencés, le bar était assiégé, et le seul barman ne suffisait pas à la tâche. Dans une masse compacte, les gens attendaient que les consommateurs rangés devant eux reçoivent leurs boissons et partent pour laisser de la place aux autres. Lemieux ne pouvait échapper au contact des peaux luisantes et chaudes, aux odeurs mêlées de l'eau de toilette et de la sueur, à la pression qui soudait tout son corps à celui des autres. Il joua du coude pour parvenir au bar sans perdre son rang, s'aidant de sa corpulence pour s'imposer dans la mêlée. Parvenu au comptoir, il occupa le plus d'espace possible pour se donner un peu d'air. Il gardait la tête haute et regardait droit devant lui, les bras le long du corps. Il se sentait touché de partout. Il surveillait les poches de son pantalon. Les poings serrés, il se préparait à frapper quiconque tenterait de lui faucher de l'argent ou le bousculerait un peu trop. Il n'était vraiment pas d'humeur à se laisser piler sur les pieds.

Un individu choisit ce moment pour l'aborder, en venant s'accouder à sa gauche. Il avait la tête gominée d'un danseur de tango, les dents excessivement blanches et des muscles puissants sous son chandail trop ajusté. « Beau carnassier, pensa immédiatement Lemieux. Ils ont lâché le barracuda de la Casa. » L'homme toucha Lemieux au bras et engagea la conversation. Il demanda de quel pays il était et s'il était en vacances. Ça sentait l'arnaque à plein nez. Pour la première fois du voyage, Lemieux s'adressa à un Cubain en français, avec un accent québécois gros comme le bras. Il le menaça en jurant : *Toé, tu décolles ou j'te claque, mon sacrament !* Malgré le ton sans réplique, le petit requin continuait à sourire de toutes ses dents, comme s'il n'avait pas entendu. Il demanda à Lemieux si ce dernier aimait Cuba, en ponctuant sa question d'un *amigo* sonore et chantant. Son attention tournée vers l'homme, Lemieux ne remarqua pas la femme qui, dans son dos, ordonna au jeune homme de déguerpir.

Quand il tourna la tête, il ne vit d'abord qu'une épaule ronde, à la peau nue et douce, de couleur café au lait clair. Avec difficulté, il réussit à se tourner et à se placer face à la nouvelle venue. Il avait sous les yeux la plus belle incarnation de la beauté métisse. Dans ses traits, des influences africaines, espagnoles et aussi indigènes se mêlaient dans la plus gracieuse harmonie. « La fille du pirate », pensa immédiatement Lemieux. D'ailleurs, il craignait que cette beauté de type brésilien ne soit en cheville avec le barracuda qui avait si vite disparu. Le détective se méfiait.

Les yeux gris vert de la jeune femme, d'une intensité rare, créaient un saisissant contraste avec sa peau couleur café. Ses cheveux bouclés, frisés sans être crépus, étaient châtain clair avec des reflets roux. Ils formaient une couronne autour de son visage aux traits légèrement négroïdes. Ses lèvres rondes et brillantes, son nez à peine épaté, ainsi que la rondeur de son visage dégageaient une grande sensualité. Lemieux n'avait jamais contemplé une figure aussi harmonieuse. La femme était petite, mais son corps était dessiné à la perfection, avec une taille étroite, une poitrine arrogante et des hanches rondes. Elle semblait faite pour onduler et pour danser. Christian aurait aimé se reculer, garder cette beauté à distance et même fuir. Mais la foule le tenait comme dans un étau et le collait à la belle mulâtresse.

— Est-ce que je peux vous aider ? lui dit-elle en espagnol.

Lemieux ne répondit pas, mais secoua la tête en signe de négation.

— Est-ce que je peux vous aider, reprit-elle après un long silence.

L'enquêteur gardait farouchement le silence. La fille plissait les yeux, d'un air interrogateur. Elle devait se demander si son interlocuteur comprenait l'espagnol.

— Pour une dernière fois, je vous demande si je peux vous aider. *Can help you ?*

La jeune femme ponctua sa troisième question d'une manière surprenante. Elle tira la langue. Une langue rose et large qu'elle lui montra une fraction de seconde avant de lui décocher un sourire moqueur. Par son geste, elle semblait lui signifier que c'était à prendre ou à laisser, et que c'était là son dernier appel. Lemieux fut amusé par le geste. Si près d'elle, il se sentit attiré. Le charme de la jeune femme avait déjà opéré. Il approcha sa tête jusqu'à la toucher et il la salua. Le sourire de la jeune Cubaine s'élargit. Elle semblait célébrer la victoire.

— Mais tu parles espagnol ! C'est très bien ! Très bien !

— C'était qui le type de tantôt, ton copain ?

— Jamais de la vie ! C'est quelqu'un de dangereux.

— Pourquoi dangereux ?

Elle leva les yeux au ciel, un peu étonnée de devoir expliquer :

— Ce sont des filous. Ils t'approchent en ami, mais c'est pour mieux te voler. Si tu leur en laisses la chance, ils vont te droguer en mettant un calmant dans ton verre. Ils sont nombreux ici à courir après les touristes. Et c'est facile d'agir dans la foule.

— Pourquoi est-il parti quand tu le lui as ordonné?

— Nous, on les chasse comme des insectes. Ils nous nuisent. À nous, les filles. Ils font fuir les clients.

— Les filles sont meilleures que les gars, comme toujours.

— Nous, on ne vole pas les gens. En tout cas, pas moi.

— Qu'est-ce que tu leur fais?

— Je leur donne du plaisir.

Elle plaqua sa bouche sur celle de Lemieux dans un baiser qui le surprit par sa fougue. Sa langue le vrilla et ses bras l'enlacèrent fermement. Elle le maintint dans une étreinte musclée, dans un corps à corps qui exprimait à la fois sa force et son désir. Lemieux fut traversé par une onde de choc quand il sentit l'une des mains de la femme parcourir et caresser son sexe. Lui-même avait déjà les mains au creux des reins de la fille. Elle rompit le baiser et se dégagea.

— Viens, j'ai le goût de m'asseoir.

La foule du bar s'était rapidement dispersée, car les spectacles venaient de commencer. La jeune femme prit Christian par la main. En fait, elle s'empara fermement de sa main, comme si elle désirait l'empêcher de partir, l'accaparer et le soustraire à toute autre rencontre. Elle guida Lemieux vers une des deux tables du bar. Elle fit signe au serveur qui s'amenait, et elle commanda deux bières. L'enquêteur faisait connaissance avec sa première vraie écuyère. Elle savait tenir les rênes. Elle avait rapproché les chaises. Sûre de son jeu de séduction et maîtresse de la situation, elle poursuivait ses caresses. Elle parlait à son client en le tenant sous son regard et elle approchait sa bouche de son oreille. Elle pouvait ainsi lui parler sans que personne puisse entendre, et son corps faisait écran aux caresses qu'elle lui faisait. Celui-ci sentait le souffle de la jeune femme le frapper, surtout à l'attaque de chacune de ses phrases quand elle parlait d'elle.

En espagnol, le *je* se dit *yo*. Prononcer cette syllabe exige d'expulser l'air. *Dentro del pecho*. On dirait que le son vient de la poitrine et qu'il porte l'âme de la personne qui parle. Pour en rajouter, elle faisait parfois glisser sa langue dans l'oreille de Lemieux.

— Tu ne m'as toujours pas dit ton nom, demanda-t-il.

— Je suis Alicia. De Santiago.

— Et moi, Christian. Enchanté de te rencontrer, répondit-il.

— Moi aussi je suis heureuse de te croiser.

Ils échangèrent des banalités. Qui es-tu? D'où viens-tu? Toutes des questions qui semblent si anodines en apparence.

— Pourquoi viens-tu me parler?

— J'adore rencontrer les étrangers.

— En fait, tu travailles, tu fais de la prostitution.

— Non, je survis.

Le ton d'Alicia était sans réplique. Elle parlait avec autorité, projetant des bouffées d'air dans l'oreille de son interlocuteur.

— Mais quand même, c'est criminel.

— Pas à Cuba. Peut-être parce que nous, les Cubains, nous aimons trop faire l'amour.

Elle rigola un moment avant de poursuivre:

— Ce qui est criminel, à Cuba, c'est de vivre de la prostitution d'autrui. Être proxénète, c'est interdit. Mais pas de faire l'amour...

— En fait, j'ai l'impression que c'est le gouvernement qui est votre vrai proxénète.

— Tu as l'air bien au courant, toi. Pourquoi es-tu à Santiago?

Lemieux redoutait de répondre à cette question. Il ne connaissait Alicia que depuis quelques minutes, et ils entraient déjà dans le vif du sujet. La femme voulait rapidement savoir à quoi s'en tenir et elle allait droit au but. Sa franchise plaisait à l'enquêteur. Il lui répondit:

— Je ne suis pas tellement amateur de bronzage. Je suis venu pour connaître les gens. Et apprendre comment on vit à Cuba.

— Nous-mêmes, on n'y comprend plus rien. Bienvenue dans notre petit monde foutu. Je pense que tu vas avoir besoin d'aide, *mi amor*!

Lemieux trouvait Alicia particulièrement incisive et il appréciait son humour. Intuitivement, il se sentait bien auprès d'elle. Il poursuivit:

— Je suis à Santiago pour étudier l'espagnol dans une école de langues.

La porte séparant le bar de la grande salle de la Casa de la Trova était fermée, mais celle donnant sur la petite salle, restée ouverte, permettait d'entendre la musique. On y jouait un boléro au rythme très lent et à la mélodie mélancolique. Alicia se leva et invita Lemieux à danser. Il enlaça la jeune femme et se laissa emporter.

— Je te répète ma question, est-ce que je peux t'aider? dit-elle.

— Je ne sais pas.

— Est-ce que je te plais?

— Beaucoup.

Lemieux ne cessait d'observer et d'apprécier la beauté d'Alicia. Si elle jouait de toute évidence à l'allumeuse, elle dénonçait constamment son jeu de séduction par une mimique d'autodérision qui signalait sa vive intelligence. Plus encore, il y avait de la franchise dans son approche ou une certaine absence de non-dit. Elle questionna Lemieux tout en dansant:

— Je ne veux pas savoir si tu as une amie au Canada, ni

combien de fois tu as été marié, ni combien d'enfants tu as. Je veux savoir si tu aimerais être avec moi, ici, à Cuba.

— Je ne pourrais pas rêver mieux comme accompagnatrice. Mais combien tu veux ?

— Tu payes tout, beaucoup, et tu me fais des cadeaux en plus !

Alicia éclata de rire, avant d'ajouter :

— C'est à toi de décider. De mon côté, je t'accompagnerai tout le temps. Mais je serai la seule. Tu n'auras pas d'autre femme au cours de ton séjour, compris ? Je suis jalouse, tu sais.

Ce que Lemieux comprenait, c'est qu'Alicia était en train de verbaliser un véritable contrat les liant en exclusivité pour le reste du voyage. Elle s'assurait d'un revenu fixe. En retour, il profiterait des services d'une jeune escorte à temps plein. Lemieux précisa :

— On habiterait ensemble ?

— Oui, pas de problème, mais chez toi. Tu as sûrement un plus bel appartement que le mien. De mon côté, je suis libre. Je te ferai la bouffe, quoique j'aime bien aller au restaurant. Tu seras comme à la maison avec ta femme. Je te laverai même le dos sous la douche, dit-elle en riant.

Lemieux n'osait pas dire qu'il ne jouissait pas de tels privilèges à Montréal. Un souvenir lui remonta soudain à la mémoire. C'était lui qui donnait le bain à sa jeune amie de vingt-sept ans. Elle adorait prendre un bain moussant à la lueur des chandelles. Il l'épongeait lentement, minutieusement, en prenant tout le temps nécessaire pour caresser tout son corps. Il l'emportait ensuite vers le lit, encore toute chaude et toujours humide. C'était du passé.

— Je comprends ce que tu veux, Alicia, mais il y a des choses qui ne sont pas claires.

— Dis-moi. Qu'est-ce que tu veux savoir de moi ?

— C'est plutôt de mon côté. J'ai autre chose à faire à Santiago. Difficile d'en parler, ici.

— Je pense que tu as encore plus besoin de mon aide, dans ce cas. ¡ *Vamos!* Trouvons-nous une place plus tranquille pour parler.

Il était près de deux heures du matin quand ils quittèrent la salle de spectacle. Ils marchèrent d'abord jusqu'au parc Céspedes. Alicia demanda à Lemieux de la tenir par les épaules. Ils seraient moins remarqués, disait-elle, et ils pourraient se parler à l'oreille. Elle ajouta qu'elle connaissait un petit bar avec une terrasse non loin de là. Ils durent revenir sur leurs pas, repasser devant la Casa et remonter l'avenue Heredia. La rue était très tranquille à cette heure. Christian était assailli par des pensées contradictoires. Alicia lui tendait-elle un piège pour le voler, de connivence avec des voleurs dissimulés dans le noir ? Mais Lemieux n'avait aucun choix. De plus, une part secrète de lui-même, intuition mêlée de désir, lui commandait d'avancer, au-delà de la logique ou de la prudence. À mesure qu'ils s'éloignaient du centre-ville, la rue devenait de plus en plus sombre et déserte. Tendre une embuscade était facile. Si Alicia était une voleuse, ce serait le bon moment pour le soulager de ses billets.

La rue Heredia s'ouvrait sur une petite place, quelques rues avant d'atteindre le Champ de Mars. Un bar, le Marquès, occupait l'angle d'une rue. Alicia invita Lemieux à y entrer. Elle dirigea son client jusqu'au bout du comptoir de bois massif et sombre. Juchés sur deux tabourets, près des toilettes en fond de salle, ils reprirent leur conversation. À l'autre extrémité du bar, deux jeunes hommes discutaient et un troisième dessinait. Aucun d'eux ne pouvait entendre leur conversation en tête-à-tête. Pour le moment, Lemieux n'avait plus de crainte d'être attaqué et il faisait confiance à Alicia. Cette rencontre pouvait le faire progresser. Seule une prostituée pouvait connaître le monde des prostituées.

— Je veux savoir pourquoi tu es ici. Pour voir si je peux t'aider.

— Je suis un enquêteur. Je travaille...

— ¡ *Policía* !, siffla rageusement Alicia.

Elle eut une telle moue de dégoût que Lemieux se sentit presque coupable d'avoir déjà été policier.

— Non, non. Enquêteur privé. C'est une affaire personnelle, une histoire d'amour ou d'argent. Ou les deux. Je dois retrouver une Cubaine disparue qui vit à Santiago.

— Son nom ?

— Omara Valdez. Disons qu'elle fréquentait les touristes, comme toi. Tu la connais peut-être ?

— Tu sais, Santiago est vaste. Et les filles sont plutôt discrètes.

— Qu'est-ce que tu ferais pour la retrouver ?

— À Santiago, c'est facile. Il faut visiter les bars et les discothèques. Et les plages, aussi. Encore une fois, si tu payes les dépenses, je t'accompagne.

Lemieux n'était pas étonné de voir Alicia tourner la situation en sa faveur, tout comme Leonardo avait voulu le faire. À Cuba, il semble que c'est le meilleur moyen pour sortir temporairement de la pénurie : loger, nourrir, transporter ou séduire le touriste.

— Tu aimes danser, demanda-t-elle ?

— Je ne sais pas danser. Tu l'as vu tout à l'heure.

— Tu vas devoir apprendre. À Cuba, la musique et la danse sont des façons de communiquer plus importantes que la parole. On parle avec nos corps.

— Dès que je bouge, j'ai l'impression d'être repéré.

— Avec moi, tu attireras beaucoup moins l'attention. Les filles penseront que tu es mon client.

— C'est ce que je suis aussi.

— Tu es mon client et tu ne l'es pas. Ça dépend de nous. Il y a bien des façons de prendre ce chemin-là, dit-elle de façon énigmatique. Elle avait élevé la voix, ce qui avait attiré l'attention des autres.

— On verra.

— Non, non. C'est maintenant ou jamais. Tu viens chez moi. Je veux aller me changer. Ensuite, on s'en va chez toi. D'accord, Christian ?

Lemieux n'avait cependant pas encore accepté ouvertement la proposition d'Alicia. Il était encore indécis, soucieux de ne pas entraîner la jeune femme dans sa recherche. Pour toute réponse, il prit le léger sac à main de la femme et se leva. Elle reprit brusquement son bien des mains de Lemieux. Elle fonça vers la sortie, entraînant l'enquêteur à sa suite, en le tenant par la main. Dehors, elle tituba en marchant sur les pavés inégaux. Lemieux ignorait ce qu'elle avait bu avant de le rencontrer. Elle semblait un peu bourrée. Quand il le lui demanda, elle mima le geste de boire et dit sans plus de précision : « Un peu trop. » Ils marchèrent dans de petites rues sombres et étroites. Alicia se lovait dans les bras de Lemieux qui devait la soutenir. Ils ne parlaient plus, comme s'ils craignaient d'être entendus ou de déranger le sommeil des gens. Le bruit de leurs pas résonnait entre les hautes maisons de deux ou trois étages du centre-ville. Alicia s'arrêtait ici et là pour embrasser Christian.

Elle prenait le contrôle de la situation. Elle s'amusait de l'air absorbé que prenait son compagnon après chaque baiser. Elle rompait l'étreinte et l'entraînait vers l'avant, pour le tirer de ses pensées. Elle le prenait par la main ou l'invitait à la prendre par la taille. Elle constatait qu'elle était en compagnie d'un homme vulnérable. Elle le trouvait fragile et elle s'étonnait de la délicatesse avec laquelle il la touchait. Elle savait qu'elle serait respectée par lui. Elle avait assez d'expérience pour reconnaître une personne dès le premier regard. Lemieux, lui, renouait avec l'ivresse du désir. Il buvait chacun des baisers d'Alicia. Le plaisir lui faisait perdre contact avec la réalité. Dans quelle rue, dans quelle ville et dans quel pays était-il ? Il ne se sentait plus étranger ni menacé. Les images du cauchemar s'étaient dissipées. Mieux encore, il se sentait plus vivant que jamais. Il fermait les yeux et se laissait prendre à cette romance. Tout son être était en état de désir. Et à cela, il n'y avait rien à faire.

Alicia avait la beauté d'une idole païenne. Sa langue fouillait la bouche de Lemieux de façon animale. Mais dans ses yeux, il y avait une prière d'amour. Immobile, Christian la scrutait du regard pour savoir s'il pouvait lui faire confiance. Il y trouvait de la sincérité. Ce regard la forçait à abandonner son rôle de séductrice. Elle évitait de répondre par un rire coquin et elle s'empêchait même de sourire pour soutenir son regard. Elle l'invitait à le sonder et à plonger au fond de son cœur. Il semblait chercher la faute. Elle se savait au-dessus de tout soupçon. Elle avait l'intention de mieux profiter de la vie pendant quelques jours, au bras de cet étranger. Cela était certain. Mais elle savait qu'elle ouvrait une nouvelle porte de son destin et qu'elle franchissait un seuil inconnu. Tout en marchant, elle fouettait l'air de son bras libre, comme pour écarter de hautes herbes sur son passage.

La *jinitera* et l'enquêteur cheminaient au milieu de la nuit dans Santiago maintenant silencieuse. Ils formaient le couple banal du touriste et de la beauté locale, enlacés par nécessité économique ou sexuelle. Ils parvinrent devant une maison, non seulement pauvre, mais lugubre et hideuse dans l'ombre de la nuit. C'était un édifice de deux étages en briques recouvertes d'un crépi de béton avec, en trompe-l'œil, le dessin à demi effacé de blocs de pierre. Le revêtement était noirci par le temps et sali par des coulisses d'eau souillée provenant du toit de tôle. L'enduit se dégradait par plaques, laissant voir la construction de briques brunes. Les larges fenêtres du rez-de-chaussée étaient fermées par des grilles rouillées. L'une de ces fenêtres était complètement murée. Au centre de l'édifice, une porte basse et étroite, en bois nu et vermoulu, donnait accès à l'étage. Les balcons du premier étage, divisés en plusieurs sections, semblaient sous le point de s'affaisser dans la rue. Certaines parties de ceux-ci étaient protégées par des toiles ou de vieux stores de bois décolorés, d'autres étaient fermées par un assemblage de planches ou de vitres dépolies ou encore étaient occupées par des fils métalliques chargés de linge à sécher. L'imposante demeure avait sûrement connu des heures de gloire cent ou deux cents ans plus tôt. L'ensemble évoquait la demeure coloniale ou l'entrepôt squatté et transformé en logements individuels. Des années de manque d'entretien avaient fait leur œuvre.

Entrer dans une telle maison en pleine nuit demandait une dose de témérité. L'endroit était le repaire idéal pour un guet-apens. Les craintes de Lemieux ressurgirent. Il se fustigeait de sa naïveté et de sa balourdise. Son côté bonasse l'exaspérait. Cependant, il suivit Alicia, et ils passèrent la porte. Elle pria Christian de ne pas faire de bruit. Dans l'obscurité, ils montèrent à tâtons un escalier de pierre aux marches usées. Le palier à l'étage était recouvert de tuiles d'argiles disjointes qui bougeaient sous leurs pieds. Alicia ouvrit une porte et fit de la lumière. Son appartement était minuscule, composé d'une cuisine et d'une pièce qui faisait office de salon et de chambre. Des vêtements s'entassaient sur le lit, des assiettes et des chaudrons occupaient la table, le tout dans le plus grand désordre.

Un fait était certain : Alicia vivait dans le dénuement complet. La couche de saleté qui couvrait tout suffisait à le prouver. Pour cacher l'état des lieux, Alicia avait affiché sur les murs de nombreuses images tirées de magazines ou découpées dans des livres. Un dessin représentait Blanche-Neige. La tête de chacun des nains avait été découpée et disposée autour du visage de celle-ci, ce qui lui faisait comme une auréole. Une dizaine de photos extraites d'un reportage sur les tigres du Bengale occupaient un mur de la cuisine. Des plans aériens de New York d'avant 2001 ornaient le salon. Une image de saint Antoine de Padoue était épinglée au-dessus de la porte. Les murs de l'appartement d'Alicia étaient décorés de ses rêves et de ses croyances, étalés sans pudeur et en toute naïveté. Lemieux bâillait tout en regardant Alicia enfouir quelques vêtements dans une pochette de plastique. Il ne sourcilla même pas quand elle lui fit admirer une paire de ses petites culottes. La fatigue l'accablait. Il voulait revenir rapidement à son appartement. Il aurait alors le temps de mieux connaître cette fille et de voir dans quelle mesure elle pouvait l'aider. Il lui demanda de trouver un taxi pour rentrer le plus vite possible. Il était quatre heures du matin.

Ils fermèrent l'appartement et se retrouvèrent dans la rue silencieuse. Alicia semblait parfaitement savoir où elle allait. Elle entraîna Lemieux vers un large carrefour. Ils n'attendirent pas longtemps. La première voiture qui passait s'arrêta à leur hauteur. C'était une Dodge Desoto toute ronde, datant des années cinquante. Deux jeunes hommes étaient à bord. Et la musique du groupe Los Van Van ébranlait la carrosserie. Alicia et Lemieux pénétrèrent dans la voiture comme dans un antre bruyant et enfumé. La banquette arrière était profonde et confortable. Christian entoura la Cubaine de son bras et la serra contre lui. Pendant qu'elle blaguait avec le conducteur et son copain, il éprouvait la fraîcheur de la peau de la jeune femme et fermait les yeux de fatigue. La musique, le grondement et les à-coups de la vieille bagnole le tinrent cependant éveillé jusqu'à la calle Jota. Ils montèrent à son appartement en catimini pour ne pas éveiller la logeuse.

Ils se déshabillèrent mutuellement dans le noir. Leurs mains découvraient leurs corps. Ils s'allongèrent. Lemieux empêcha Alicia de le caresser. Elle tenta de réveiller son ardeur en s'occupant de son sexe. Elle cherta à le porter à sa bouche. Il freina ses avances. Il la serra contre lui et il s'endormit aussitôt, tout à son bonheur de ne pas coucher seul pour la première fois depuis des mois. Il s'éveilla plusieurs fois au cours de la nuit pour la regarder dormir. Elle paraissait si détendue sous ses traits d'enfant.

Le samedi, vers midi, Lemieux se leva le premier et fit du café. Alicia apparut bientôt, alanguie et nonchalante. La lumière du jour jouait dans les boucles auburn de ses cheveux, courait sur le hâle de sa peau et faisait briller ses yeux. Ses seins flottaient dans un t-shirt d'homme qui masquait à peine sa petite culotte. Elle s'avança vers lui pour lui faire la bise. Lemieux fut parcouru d'un grand frisson, comme s'il prenait froid. Il refit du café avec empressement. Il dégagea la table encombrée de manuels d'espagnol et de son carnet de voyage. Il regarda Alicia prendre une première gorgée de café et lui sourit gauchement.

— Tu es d'une telle beauté ! Je ne vois pas ce que tu fais avec moi.

— Je veux t'accompagner et être ton amie. C'est impossible, ça ?

— Ça n'a vraiment pas de sens. Tu peux aussi retourner chez toi si tu veux. Je te donnerai un cadeau pour la soirée d'hier.

— Non, je veux rester avec toi. On ira faire les emplettes. On sortira ensemble. Et je vais t'aider à trouver la personne que tu cherches. Cette Omara Valdez.

— Mais pourquoi ?

— Il ne se passe rien, dans ma vie. Ça ne bouge pas. Tout est fermé. Tu ne réalises pas que tu me fais vivre autre chose. Je vais voir du monde. Je vais en profiter, tout le temps que tu seras là. Et j'espère même que nous resterons en contact après.

— Et si tu me surveillais ? Si tu allais raconter ce que je fais ici ?

— Je sais ce que tu penses. Mais ce n'est pas le cas. J'ai appris à garder mes distances avec la police. Fais-moi confiance.

— Je n'ai aucune preuve. Ici, tout le monde semble espionner tout le monde.

— Si je reste avec toi, de nuit comme de jour, tu verras bien qui je suis. Tu le découvriras seulement en étant avec moi. C'est toi qui me surveilleras... De près, j'espère.

— Et si c'était dangereux pour toi ? Il pourrait arriver un ennui, je ne sais pas...

Lemieux ne fit pas la moindre allusion aux accidents déjà survenus. Ça ne te fait pas peur ? demanda-t-il.

— La paranoïa, c'est la pire des maladies à Cuba. Faut pas partir en peur. À moins que tu ne sois mêlé à une question de politique...

— Mais non. Je répète que c'est une histoire personnelle. Une affaire banale, quoi.

Mais le détective pensait tout le contraire. Plus encore, il était persuadé que ces décès avaient un lien avec sa présence.

— Alors, il n'y a rien à craindre. Allons prendre une douche et préparons-nous plutôt à sortir.

— Qu'est-ce qu'on fait aujourd'hui ?

— D'abord, nous trouver un chauffeur.

Elle avait gagné la partie pour l'instant. Lemieux eut à peine le temps de gober une pastille de Viagra. Alicia était déjà sur lui. Elle l'entraîna sous la douche et le savonna longuement en conquérante amusée. Elle le fit trembler, soupirer et haleter sous le jet d'eau, avant de l'attirer vers le lit. Quand il suggéra d'utiliser un préservatif, elle lui demanda de le lui donner. Elle déchira l'enveloppe métallique et elle souffla le condom comme un ballon. Elle l'envoya valser d'un coup de pied. Lemieux lui dit que c'était ridicule. Elle s'approcha de lui, le regarda droit dans les yeux et lui dit: «Il n'y a aucun danger. J'ai été testée tout récemment. Je veux te sentir en moi.» Christian se demandait pourquoi ses amantes rejetaient toujours le port du condom. L'une était allergique au latex. L'autre, il était question de sensations. La troisième voulait assurer la communication du yin et du yang, et considérait que l'accouplement exigeait le contact de peau à peau. La dernière, la jeune femme de vingt-sept ans, refusait le condom pour toutes ces raisons réunies.

Contre la logique la plus élémentaire et au mépris de sa propre peur du sida, Lemieux accepta d'avoir une relation sexuelle non protégée. Il était convaincu qu'Alicia disait la vérité. Ils scellaient ainsi leur pacte. Elle le chevaucha, savourant lentement leur union. Son regard tendre et souriant devint crispé et affolé à mesure que le plaisir la prenait.

Il la contemplait. Elle se donnait avec fougue, répétant des mots qui lui étaient inconnus. Il était dans un autre univers. Au sommet du plaisir, il s'enfonça dans la tristesse. Paradoxalement, au moment même où il était soudé au corps de sa partenaire, un torrent d'images de séparations déferla sur lui. Défilaient en lui des pans de souvenirs des blessures d'amour reçues ou causées, des déceptions et des espoirs. Comme si les rencontres amoureuses de sa vie formaient en lui un amas vivant, un noyau émotionnel chargé de peine. Il était incapable de résister à ce courant de nostalgie qui l'emportait vers le fond. Il en avait les larmes aux yeux.

Alicia, qui le tenait dans ses bras, lui murmura :

— Tu as vu la déesse, mon amour.

— Tiens, toi aussi, tu crois à la *santeria*. Tu me parles d'Ochún, n'est-ce pas ? Votre Vierge de la charité.

— Ah bon, tu connais ? Oui, je crois qu'elle est venue te chercher dans la forêt de tes peurs. Je le sens. C'est passé par moi.

— Ne charrions pas. Ce ne sont pas des peurs. C'est juste de la peine à cause de certains souvenirs. De vieilles affaires. J'ai eu un coup de cafard, voilà tout.

— C'étaient tes peurs qui te faisaient pleurer. Ochún t'invite à la suivre pour relier ce qui est séparé. Je la connais bien. C'est l'amie intime d'Eleggua, mon protecteur.

— Mais j'ai pas vu ta déesse Ochún ! Qu'est-ce qu'elle vient faire là-dedans ?

— Relier ton passé et ton présent. Tes désirs et tes sentiments. La nature et l'amour. Pour te libérer, quoi. C'est la force des eaux vives qui mène de la source à la mer.

— Êtes-vous tous religieux comme ça, à Cuba ?

— Dans notre âme africaine, oui.

Lemieux s'était toujours éloigné des concepts trop éso-
tériques. Mais en présence d'Alicia, ses convictions chavi-
raient. Elle possédait un réel pouvoir qui allait bien au-delà
de son charme ou de son intelligence. C'est elle qui ajouta :

— Tu penses pleurer sur ton passé. Mais tu pleures parce
que tu n'es pas dans le présent. Tu es encore tourné vers l'arrière. C'est ton incapacité de te lier à toi-même qui te cause
cette peine. Ochún t'invite à revenir au présent, à entrer dans
le courant.

— On est loin de mon enquête.

— Non, pas du tout. Si tu veux mieux me connaître pour
que je t'aide, si tu veux comprendre comment et pourquoi
la fille a disparu, tu dois confier ton destin à la déesse. Elle
seule peut te permettre de remplir ta mission. Tu dois te
laisser traverser par l'énergie d'Ochún.

Comme à son habitude, Lemieux alla se réfugier sous la
douche pour reprendre ses esprits, loin de son envoûtante
magicienne. Alicia le laissa seul, lui laissant tout le temps
qu'il désirait. Christian quitta la douche quand le mince filet
d'eau coula de couleur rouille, signe qu'il avait épuisé le
réservoir. Il vint retrouver Alicia qui s'amusait à régler le
téléviseur. Elle lui dit qu'elle adorait les *telenovellas* espagnoles ou mexicaines que diffuse l'une des chaînes nationales en soirée. Elle ajouta que certaines émissions la
faisaient pleurer, avec leurs histoires de guerre et d'esclavage,
de passion et d'amour. Prétextant qu'ils étaient tous deux
des pleurnichards, elle proposa de faire provision de papiers
mouchoirs au plus vite. La douche et les boutades de la jeune
femme chassèrent les pensées de l'ancien policier. Avant de
faire les emplettes, Alicia invita Lemieux à retourner au bar
Marquès pour y rencontrer un certain Jorge, un chauffeur
de taxi de sa connaissance.

Jorge avait l'élégance altière d'un jeune matador. De teint et de cheveux très clairs, il donnait l'impression d'être un homme affable. Mince et grand, il n'avait pas le regard belliqueux de Leonardo. Sa fierté masculine était teintée d'une certaine douceur qui trahissait sa sensibilité. Il parlait cependant l'espagnol avec un accent si nasillard que Christian parvenait difficilement à le comprendre. Il devait souvent lui demander de répéter ses phrases. Ou alors, Alicia venait à la rescousse et jouait au professeur avec grâce. La conversation dura donc peu de temps. Il fut entendu que Jorge viendrait immédiatement sur appel. Il invita l'enquêteur à voir sa voiture garée à l'abri des grands arbres ombrageant la petite place.

La splendide Buick Special 1953 à quatre portières faisait l'orgueil de Jorge et attirait les passants. La voiture était peinte en deux tons. Le toit, ainsi que les bas de caisses, étaient de couleur beige, alors que le capot et les ailes étaient marron. La voiture était ornée de nombreuses moulures chromées dont trois fausses prises d'air sur chaque aile. Jorge expliqua que la voiture était dotée d'un moteur 8 cylindres et d'une transmission Dynaflow. Le véhicule, jalousement entretenu, avait toujours été la propriété de sa famille. Lemieux écoutait les explications et les appréciait en connaisseur. Il avait vu de nombreuses Chevrolet d'époque à Santiago, tout particulièrement des Chevrolet Bel Air ou Biscayne, mais la Buick était plus élégante à cause de la rondeur de sa carrosserie.

Christian était heureux de faire la connaissance de Jorge. Moins flamboyant que Leonardo, il ne semblait pas être du genre à chercher les ennuis. Il était même plutôt réservé et timide. Quand Lemieux lui demanda s'il acceptait de le conduire partout, Jorge n'hésita pas et répondit par l'affirmative. Il prévint toutefois qu'il préférait éviter toute rencontre avec les policiers aux points de contrôle. C'est à ce moment qu'Alicia suggéra à Christian de faire une sortie à la plage, le lendemain, le dimanche. Elle ajouta qu'elle avait besoin d'un maillot. Ils partirent donc pour la *tienda* la plus près du bar, située sur l'avenue Garzon, près du Champ de Mars. Lemieux se demandait quel prix il faudrait payer à l'achat du maillot de bain. Et combien de temps durerait l'essayage. Encore une fois, Alicia surprit Christian. Elle entra en coup de vent dans le magasin et saisit rapidement un maillot une pièce de couleur bleue et orné de grandes fleurs jaunes. Elle vérifia la taille du vêtement au jugé et se dirigea vers la caisse. Le coût de l'article était de moins de sept dollars convertibles. Lemieux paya.

De retour dans la voiture, elle demanda à Jorge de les conduire à une autre *tienda* pour y acheter une robe, cette fois, en prévision des sorties au restaurant et à la discothèque. Chemin faisant, Lemieux questionna discrètement le jeune homme. Celui-ci était effectivement au courant du décès d'un chauffeur de taxi, retrouvé noyé le long de la côte. Il ne connaissait pas personnellement Leonardo, mais des bruits circulaient au sujet de sa mort. Même si l'histoire de la défection à la nage était fort plausible, la plupart des chauffeurs de taxi de la ville n'y croyaient pas. Leonardo était bien connu au centre-ville et il s'était fait des ennemis avec son bouillant caractère. On l'avait peut-être tué par vengeance. Selon les rumeurs, il avait été assommé et achevé en étant maintenu sous l'eau. On avait laissé son corps en pâture aux requins. Mais pour cela, il fallait aller un peu au large. Ça clochait, selon Jorge. Quoi qu'il en soit, les morsures avaient l'avantage de dissimuler les traces d'agression humaine, si c'était le cas. Ceux qui avaient vu le corps disaient que le visage du jeune Cubain était presque méconnaissable.

La voiture roulait sur la grande avenue Céspedes qui traverse le quartier où habite Lemieux et qui porte l'étrange nom de *sueño*, sommeil et rêve. Jorge faisait jouer des chansons d'Eliades Ochoa, chanteur populaire de Santiago et grande vedette de la musique traditionnelle. L'une d'elles parlait de la douleur d'un amour si grand qu'il en fait mal à la poitrine. Alicia connaissait chaque vers par cœur. Quand Lemieux ratait un mot, Alicia en expliquait le sens. La Buick s'arrêta pour la deuxième session de magasinage. Le même scénario d'achat rapide se reproduisit dans la *tienda*. Alicia se rua sur l'étalage de robes. Elle savait exactement ce qu'elle cherchait. Elle en saisit une longue et moulante, en tissu synthétique, dont le motif imitait la peau tachetée du léopard. La teinte fauve s'harmonisait parfaitement à la couleur café au lait de sa peau. L'achat fut effectué sans aucun essayage, dans un temps record et au prix très avantageux de seulement douze dollars convertibles. Ce fut toutefois beaucoup plus long au magasin d'alimentation, où Alicia fit d'amples provisions. Elle rassura Lemieux en lui disant que rien ne se perdrait de tout ce qu'elle achetait. Celui-ci en était convaincu. La jeune femme virevoltait d'un étalage à l'autre, bousculant les autres consommateurs. Elle prenait toujours l'avis de Christian pour savoir s'il désirait tel article ou tel aliment, s'informant de ses goûts et de ses préférences pour établir le menu de leurs repas d'amoureux.

Un début d'échange naissait entre eux, ce qui donnait à leur rencontre l'aspect d'une vie de couple. Mais la présence constante de cette jeune femme à ses côtés ébranlait encore l'enquêteur. Il en savait bien peu sur sa nouvelle *novia*. Avait-elle un autre amoureux ? Avait-elle un enfant ? Qui étaient ses parents ? Quelle était son occupation ? Depuis le début, Alicia parlait peu d'elle-même et n'avait d'attention que pour lui. En sortant du magasin d'alimentation, Lemieux proposa de ne pas visiter de discothèque en soirée. En plus d'avoir besoin de repos, il désirait être seul avec elle. Ils avaient fait assez d'emplettes pour soutenir un siège ou aider à la survie d'une famille cubaine pendant une semaine. Alicia ne s'opposa pas à la décision de l'ancien policier. Elle se dit même ravie de pouvoir lui cuisiner un souper à sa manière.

Ils retournèrent à la maison pour déposer les provisions. Ils remercièrent Jorge et lui donnèrent rendez-vous pour la balade du dimanche à la plage. Ils laissèrent passer la grande chaleur de la journée en faisant une sieste dans la chambre aux volets clos. Christian récupéra ainsi de précieuses heures de sommeil perdues au cours des derniers jours. Le ronronnement régulier du climatiseur tamisait les cris des enfants dans la rue et le bruit des véhicules. Avant de s'endormir dans les bras d'Alicia, Lemieux entendit vaguement le son d'une charrette tirée par un cheval et la voix d'un crieur qui vendait des légumes. Quand ils s'éveillèrent, alourdis par le sommeil, ils passèrent sous la douche. Puis, ils s'offrirent une bière froide, assis à la table de la cuisine. Lemieux en profita pour questionner Alicia.

— Qui sont tes parents ? Qu'est-ce qu'ils font ?

— Mon père vit dans les montagnes de la sierra Maestra. C'est un paysan qui fait un peu de maraîchage. Ma mère est cuisinière au petit restaurant de la plage où nous irons demain, à Playa Galeton.

— Ils ne vivent pas ensemble ?

— Je pense qu'il n'y a pas un couple stable dans toute l'île de Cuba.

— Et toi ?

— Quoi, moi ?

— Tu as certainement un ami. As-tu un enfant ?

— J'ai déjà vécu avec un homme. J'ai eu un enfant avec lui. C'est une petite fille qui a maintenant sept ans. Je la vois à l'occasion. Elle vit la plupart de temps avec son père. Disons que c'est lui qui en a la garde. Je ne suis pas en bons termes ni avec le père ni avec sa famille. Est-ce que je dois tout t'expliquer ?

Lemieux comprenait très bien que les activités d'Alicia l'empêchaient certainement d'avoir la garde de sa fille. Il la laissa poursuivre :

— Je vis seule actuellement. Tu as vu où et tu sais comment.

— Pourtant, une belle femme comme toi ne devrait pas avoir de difficulté à trouver un ami.

— Je préfère vivre seule. Je ne veux plus jamais vivre avec un Cubain. Ils sont trop machos. Ils te traitent mal. Ils t'utilisent. Après, ils te jettent.

— Ça semble être un consensus chez les femmes cubaines.

— C'est plus compliqué que ça. Quand tu croises la polygamie africaine avec la liberté sexuelle d'aujourd'hui, ça fait un méchant mélange. Ajoute l'alcoolisme et le désœuvrement. Ça fait de nous, les femmes, de superbes amantes et des femmes très libres. Mais c'est nous qui devons décider de tout. Les hommes, eux, ils promènent leur bite.

Alicia serrait les poings. Des souvenirs semblaient affluer. Sa bouche se crispa en une moue. Lemieux crut qu'elle allait, à son tour, pleurer.

— Ça ne veut pas dire que je n'ai pas de copains. Mais je préfère mon vibrateur. Tant que je peux trouver des piles !

Lemieux ne s'attendait pas à des réponses si directes et lapidaires. Alicia se livrait crûment, sans pudeur. Il y avait dans ses yeux une nuance de reproche devant la naïveté des questions ou des réactions de Lemieux.

Elle se leva, enleva le t-shirt qu'elle portait et passa sa nouvelle robe. Celle-ci la faisait paraître plus svelte et plus grande. La teinte fauve du tissu mettait superbement en valeur ses yeux gris vert et la nuance rousse de ses cheveux bouclés. Pour ajouter à l'effet, Alicia tira ses cheveux vers l'arrière en chignon, dégageant ainsi sa nuque et son visage.

— Viens. Continuons de parler sur la terrasse. Pendant ce temps, je nettoierai le riz.

Alicia s'empara d'une berceuse et sortit. Lemieux fit de même. Un des tabourets de cuisine servit de table basse. La jeune Cubaine s'amena avec un cul-de-poule contenant du riz. Lemieux apporta des bières froides. Le soleil déclinait. Alicia poursuivit :

— Le divorce de mes parents m'a révoltée. J'avais quatorze ans à l'époque. Je les aimais. Je croyais qu'ils s'aimaient. Soudainement, finis l'amour, le couple et la famille. Mon père est parti vivre dans la montagne. Ma mère devait travailler. Tout basculait dans ma tête.

En parlant, elle faisait tomber le riz en pluie dans le plat creux. Elle le laissait glisser entre ses doigts. Ses gestes étaient répétés et rythmés. Elle s'arrêtait parfois. Ses mains plongeaient alors dans les grains pour en retirer une petite pierre, un grain noirci ou une saleté. Lemieux était captivé par les grains qui retombaient dans la lumière du soir. Il y avait quelque chose d'immémorial dans ce geste, comme lorsque l'on voit une femme peigner soigneusement ses cheveux ou que l'on entend couler l'eau d'une fontaine sur des pierres. Alicia lui souriait de façon énigmatique, sachant la fascination que son geste exerçait, parfaitement consciente de jouer avec un sablier.

Lemieux lui demanda de lui raconter sa vie après la séparation de ses parents.

— J'ai fait ma crise d'adolescence. Je me suis donnée au premier venu sur la plage. Je devenais impossible à contrôler. Ma mère m'a mise en pension chez ma tante, dans un quartier en banlieue de Santiago. Ce fut encore pire. Mes cousins m'ont débauchée. Ils m'ont présentée à des hommes beaucoup plus vieux que moi. À quinze ans, j'ai compris que je pouvais en tirer du profit.

Alicia continuait de nettoyer le riz en le faisant glisser dans sa main droite. Elle poursuivit :

— J'ai quitté l'école à seize ans et j'ai commencé à vagabonder le soir dans le centre-ville de Santiago. Je suis tombée en amour avec un revendeur de drogue. J'étais sa petite protégée. Je percevais l'argent chez les revendeurs. Un jour, il m'a larguée. Les filles autour de moi parlaient des plages aux environs de La Havane et, surtout, de la station balnéaire de Varadero. J'avais dix-sept ans quand je suis partie y passer un premier hiver. C'était en 1992.

— Comment ça s'est passé ?

— Le tourisme était en pleine expansion et le gouvernement continuait de construire des palaces. Nous, nous entrions en pleine période spéciale. Imagine ! Partir de Santiago et arriver sur l'*avenida* Playa avec ses pizzerias et ses magasins, ses terrasses et ses discothèques. Et la foule d'Argentins, d'Espagnols ou de Canadiens en vacances. Tout le monde était là pour s'envoyer en l'air.

— Tu devais être comme une petite bombe avec ton corps de déesse.

— J'ai toujours un corps de sirène, dit-elle avec un sourire narquois.

Alicia abaissa l'une des bretelles de sa robe et montra son sein gauche fièrement pointé.

— D'accord, je comprends. Mais là-bas, tu devais être une vraie reine ?

— Les premiers temps, je n'avais même pas les bons tarifs. Ensuite, j'ai appris comment faire payer le type pour le transport, la chambre, la bouffe et les cadeaux. Évidemment, j'ai vite été repérée par la police, fichée et mise à bord d'un autobus. Et je suis revenue à Santiago. Mais c'était pour mieux repartir. L'été, à Santiago, l'hiver, là-bas. Je suis devenue l'une des nombreuses habituées de Varadero, pendant dix ans.

— Là-bas, tu n'as jamais croisé la fille que je cherche ?

— Jamais. Nous étions des milliers, toutes pareilles. À vivre dans une atmosphère de carnaval. Toi-même, tu aurais pu me confondre avec une autre. Et chaque fille avait son petit territoire, ses endroits, ses habitudes. De plus, nous étions concurrentes. On ne se fréquentait pas, sauf quelques copines ou entre collègues pour les parties carrées.

— Mais cette fille avait à peu près ton âge et venait de la même ville. Vous auriez pu vous rencontrer, vous parler…

— Je vais te dire une chose. Les dernières années, mon affaire marchait tellement bien que je n'avais plus besoin de sortir de ma chambre. Je restais couchée toute la journée et un rabatteur m'amenait les clients. De plus, je vivais la nuit et je dormais le jour.

Alicia laissait toujours le riz filer entre ses doigts. Elle parvenait toujours à découvrir une poussière ou un grain imparfait. Le vent agitait les palmes des gros bananiers derrière elle.

— Mais pourquoi as-tu cessé?

— À cause de ma fille, des pressions policières, de mon âge. Pour un tas de raisons.

Elle parlait doucement, avec une nostalgie secrète. Lemieux poursuivit:

— Comment se fait-il que tu n'aies pas fait d'argent? Il ne te reste rien aujourd'hui?

— On dépensait tout. On faisait la fête. Bouffe, alcool et... drogue.

— Tu te droguais?

— Comment passer à travers ça sans la drogue? Je serais devenue folle. Allons donc.

Alicia se leva et se dirigea vers la cuisine pour commencer la préparation du repas. Lemieux resta sur la terrasse, à la demande de la jeune femme qui voulait lui faire une surprise. Quand il désirait une bière, il n'avait qu'à la demander. Et elle venait le servir en ondulant. Les parfums de la viande mise à revenir, ceux des oignons frits et des herbes se mêlèrent à l'odeur humide de végétation qui montait du jardin en contrebas. Christian se laissait étourdir par ces sensations. Mais il ne résista pas à la tentation de jeter un coup d'œil dans la cuisine. Debout dans le cadre de porte, il contemplait cette femme, encore inconnue un jour plus tôt, qui s'affairait maintenant à lui mitonner un petit repas comme il en rêvait depuis longtemps. Le creux des reins, la minceur de la taille et la rondeur des fesses d'Alicia le subjuguaient. Quand elle pivotait sur elle-même, quand elle s'étirait pour saisir un ustensile ou quand elle se penchait pour hacher finement des légumes, elle bougeait toujours de manière dansante. Lemieux ne la quittait pas des yeux. La tête bien droite et le front haut, elle goûtait la sauce, se léchait les lèvres et lui souriait. Son sourire n'avait rien de racoleur. Elle était enjouée et toute à son bonheur de partager quelques instants de bien-être. Lemieux appréciait le fait d'être là, le simple fait d'exister par cette douce soirée.

Il entra et s'approcha de la table où étaient posés ses manuels d'espagnol. Entre les pages de son dictionnaire, il avait glissé la photo d'Omara Valdez que lui avait confiée son client. Il la tendit à Alicia qui l'examina attentivement avant de répondre :

— *¡ Que linda mulata!* Mais il y en a des milliers comme elle à Santiago !

— Mais comment vas-tu m'aider à la retrouver ? Comment peux-tu ?

— Ce soir, je ne veux même pas y penser. Ce soir, c'est notre soirée à nous deux. Laisse-toi guider. Laisse-moi faire. Nous verrons plus tard.

Lemieux retourna prendre l'air sur la terrasse. Le grand manguier, qui faisait dans les quinze mètres de hauteur, se balançait doucement sous le vent. Christian longea la petite clôture basse qui fermait la terrasse et s'avança jusqu'au bord qui donnait sur la rue. Il entendit Alicia crier de la cuisine :

— Je t'entends penser. Veux-tu bien arrêter de t'en faire !

— J'arrive.

Quand il entra dans la cuisine, Alicia avait les deux poings sur les hanches et le fixait d'un air faussement mauvais.

— Est-ce que tu es capable d'oublier ton travail pour une fois ? Fais comme si tu étais en vacances. C'est la fin de la semaine, non ?

— Ma tête travaille toute seule. Je cherche le moyen d'avancer...

— Viens plutôt mettre la table. Moi, j'ai terminé et je ne

fais plus rien. Tiens, rentre les berceuses, on va prendre l'apéro.

Lemieux sourit. Il avait eu cette discussion des centaines de fois avec d'autres compagnes, dans d'autres vies. Il était facilement accaparé par son travail. Il devenait alors pensif et passif. Il se faisait souvent rabrouer.

— Il ne reste plus que le riz à cuire. Et sais-tu ce que l'on fera après le repas ? Nous regarderons la télé. Il y a de bonnes émissions, ce soir.

Lemieux était amusé par la situation. Repas et soirée télé, dans un petit pavillon de banlieue et avec une jolie compagne… Il servit une bière à Alicia et lui demanda :

— Pourquoi tu fais tout cela ?

— Je sais que tu es un homme bon, c'est tout.

Lemieux était partagé. Cette façon qu'avait Alicia de se mettre à son service… D'une part, elle semblait tout mettre en œuvre pour lui mettre le grappin dessus et profiter de la situation. D'autre part, elle avait un accent de sincérité qui le touchait profondément. Elle continua :

— J'ai des pouvoirs, tu sais. Mon *orisha* me permet de faire bien des choses pour toi.

— Nous voilà repartis vers les pratiques magiques de la *santeria*, dit Lemieux.

— Mon *orisha*, c'est Eleggua, je te l'ai dit déjà. Mais attends de le connaître. C'est le dieu des portes, des chemins et des routes. Il ouvre les portes entre les mondes et il nous montre les chemins du destin. Dans la religion catholique, c'est saint Antoine de Padoue.

— Ouais, chez nous, c'est le saint que ma mère invoque pour retrouver les objets égarés ou pour régler les causes perdues. Avec de tels pouvoirs, tu pourrais peut-être me dire où est Omara Valdez.

— Ne ris pas. Mon *orisha* peut ouvrir ou fermer des portes, des possibilités, parce qu'il détient les clés du destin. Il peut empêcher ou permettre aux choses de se produire. Rien ne peut s'accomplir sans sa permission.

— Tu allumeras des chandelles et tu le prieras pour moi.

— Eleggua contrôle les portes intérieures et extérieures. Surveille bien les portes.

— Je n'ai jamais retrouvé personne par la divination ou la magie.

— Pourtant, nous, nous y croyons.

Alicia se leva et prit Lemieux dans ses bras. Tête contre tête, elle se mit à chanter doucement pour lui. Les paroles disaient : « Je suis comme une fleur qui ne sait comment s'ouvrir. Je sais que j'entre en toi comme tu entres en moi. Égaux. » Le mot *igualmente* résonnait dans la tête de Lemieux. Il pouvait se traduire par *également*. Mais Christian savait qu'il s'agissait d'une idée plus vaste dans l'esprit d'Alicia, celui d'une parenté essentielle. Dans la bouche de la mulâtresse, il évoquait même la liberté après l'esclavage, l'égalité. Elle berçait doucement Lemieux, répétant le refrain de façon incantatoire, appuyant toujours sur ce dernier mot. *Igualmente.* Lemieux se serrait contre elle. Il se sentait compris par elle. Il se dégagea lentement de son étreinte pour la regarder. C'est elle qui, à son tour, semblait perdue dans ses pensées, éloignée dans une rêverie éveillée. Elle se secoua. Ils passèrent rapidement à table. La jeune femme présenta les assiettes copieusement garnies de poulet et de riz aux haricots noirs. Lemieux n'avait encore jamais savouré un si bon repas dans ce pays. Ils arrosèrent le tout de nouvelles bières. Alicia était en verve.

— Avec l'argent que tu fais au Canada, tu pourrais louer une maison toute l'année à Santiago. J'y habiterais et je la tiendrais. Et tu pourrais venir quand tu veux. Je pourrais enfin sortir de mon taudis.

— Et tu pourrais m'attendre en bonne compagnie, quand je suis absent, répondit-il.

Christian ne pouvait imaginer Alicia seule, sans un homme dans son lit. Il poursuivit sur un ton moqueur :

— Si tu as le sens de la divination, tu as aussi du talent pour la planification.

Alicia fit la sourde oreille.

— J'ai même pensé au transport. Nous pourrions nous acheter une moto légère.

— Qu'est-ce que tu dis ? Comment sais-tu ?

Un instant, Lemieux crut qu'Alicia avait deviné sa passion pour la moto.

— Tu aimes faire de la moto, toi aussi ? dit Alicia. Moi, j'adore. Regarde ma jambe.

Alicia indiqua une marque située à l'intérieur de sa jambe droite, un peu plus haut que la cheville en disant :

— C'est la cicatrice que portent toutes les jeunes femmes cubaines qui font de la moto. C'est la brûlure que fait le tuyau d'échappement. Nous avons toutes la même.

— Je vous imagine filer dans les rues, sans blouson ni casque, les jambes nues et en sandales. Ça ne doit pas être beau quand ça cogne.

Pour toute réponse, Alicia haussa les épaules. Elle demanda à Lemieux d'ouvrir le téléviseur, car il était près de neuf heures. La télé diffusait encore des moments de l'histoire cubaine, montrant les mêmes scènes de combats, les mêmes extraits d'archives datant de la révolution communiste. Les images firent grimacer Alicia. Elle avait une telle peur de manquer son émission préférée qu'elle avait englouti son plat en quelques minutes. Elle disposa les deux berceuses face au poste de télé, à peine à un mètre du petit écran noir et blanc posé sur un meuble en bois. Elle expliqua à Lemieux que c'était une émission populaire très émouvante, une série brésilienne traduite en espagnol qui connaissait un succès mondial. Christian fut en mesure de vérifier les affirmations d'Alicia, car tout sembla s'arrêter dans le quartier, sauf les postes de télé. On entendait l'indicatif musical de l'émission s'échapper de toutes les maisons voisines. Lemieux pouffa de rire à la vue du titre de l'émission, *Les chaînes de l'amour*. Alicia le gratifia d'un regard indigné. Elle lui décrivit sommairement l'histoire pendant que défilaient les crédits.

— C'est l'histoire d'une blanche, jeune et belle, qui est la fille d'un riche colon. Un jour, elle est réduite en esclavage par un planteur voisin à qui elle refuse son amour. Celui-ci la capture et l'emprisonne. Dans sa cellule, elle entend un autre esclave, un homme, crier sous la torture. Elle est menacée de subir le même sort par le planteur. On ne connaît pas encore son sort. Va-t-elle être frappée, violée ou même vendue, si elle ne consent pas à sa demande ? Bien sûr, il y a toutes sortes d'histoires secondaires. Mais c'est trop compliqué à expliquer.

Alicia stoppa net, car l'épisode commençait. Lemieux la sentait, non pas attentive, mais complètement absorbée par l'histoire. Ce qui le surprenait, c'était de voir la jeune Cubaine éprouver de la compassion devant les malheurs d'une femme blanche. Elle aurait pu se réjouir de voir une fille de colon subir l'esclavage. C'était le sort que les grands-parents d'Alicia avaient peut-être connu un siècle auparavant. Au contraire, elle tremblait d'angoisse devant le malheur de l'héroïne. La différence de race et de rang de la victime semblait rendre la situation encore plus intense.

Alors que Lemieux ne voyait là qu'un sombre mélodrame, joué à la limite du bon goût, Alicia vivait intimement la situation. Elle avait peine à retenir ses larmes devant Lemieux et elle serrait les poings lors de chaque apparition du vilain planteur.

Le mélodrame fut suivi d'une émission humoristique. C'était une production télévisuelle cubaine en provenance de La Havane, exploitant un humour de situation et mettant en scène des personnages très caricaturaux. Alicia riait maintenant aux éclats, pliée sur sa chaise, comme une gamine qui fait du tapage à l'école. L'ancien policier la voyait littéralement tressauter à chaque gag. Il s'étonnait de la voir passer si brusquement de la peine à la joie. Elle le regardait parfois, l'air de dire qu'elle était heureuse de sa présence. Elle lui tenait le bras quelques instants, jusqu'à ce que la prochaine réplique provoque son fou rire. Sans comprendre un traître mot, mais enivré par l'effet de contagion, Lemieux pouffait à son tour. Quand les sketches furent terminés, Alicia ferma rapidement la télé pour éviter la reprise des éternels messages politiques. Ils décidèrent d'aller faire une petite promenade. Ils poussèrent jusqu'à la terrasse près de l'hôtel Santiago. Christian pensait déjà au retour à la maison avec Alicia.

De grandes flaques d'eau s'étaient formées dans les creux de la chaussée. Lemieux n'avait pas prêté attention à l'orage, bref, mais abondant, qui était tombé au cours des émissions de télé. C'était tout à fait normal en cette saison des pluies. Ils en firent un jeu. Christian guidait Alicia pour éviter les flaques. Tous deux commençaient déjà à être vaguement gris sous l'effet des quelques bières ingurgitées. Ils prirent place à la terrasse, parmi de nombreux autres couples qui accusaient eux aussi les coutumières différences d'âge et de couleur. Lemieux redevint songeur.

— Encore dans ta tête, dit Alicia.

— Je pense qu'il y a peut-être un couple comme ceux-ci, en train de prendre un verre, quelque part dans Santiago. Et que la femme est celle que je cherche.

— Alors, si elle est heureuse comme moi, c'est tant mieux pour elle, dit Alicia en se lovant.

Chapitre 8

« De tu vida me das todo lo bueno
Y te quiero como a nadie había querido »
ELIADES OCHOA, *Mi sueño prohibido*

(Tu me donnes le meilleur de ta vie
Et je t'aime comme jamais je n'ai aimé)

Il était aux environs de minuit. Face à face, à la table de cuisine, assis sur les petits tabourets, ils s'amusaient de la situation. En fait, ils se souriaient faiblement sous le poids de la fatigue et l'effet de la bière. Alicia le narguait encore de ses yeux pétillants. Lemieux secouait la tête d'incompréhension. C'était toujours son problème que de comprendre. Il était franchement déboussolé. Pourquoi faire confiance à cette jeune femme qui dit être capable d'ouvrir des chemins menant à Omara Valdez par le pouvoir de son saint protecteur? Est-ce que son esprit d'enquêteur commençait à vaciller au point de confondre piste d'enquête et cheminement spirituel? L'esprit critique, le simple bon sens et le moindre éclair de lucidité devraient plutôt le ramener sur le chemin du retour à la maison. Mais les promesses d'Alicia, au-delà de leur teneur religieuse, demeuraient sa seule solution. C'est elle qui rompit le silence :

— Il n'y a rien à comprendre. Viens dormir. Demain, nous irons à la plage.

— On va aller se baigner et faire un pique-nique. Bravo. Ça va faire avancer mon enquête encore... Tu ne me dis jamais comment tu vas m'aider.

— Franchement, je ne le sais pas. Mais j'ai de l'instinct.

Je vais sentir comment agir. Il y a quelque chose qui va m'avertir. Je n'ai pas seulement de l'instinct sexuel, mon cher.

Alicia avait de nouveau parlé avec une pointe de reproche. Ou, du moins, sur un ton de mise en garde. Elle reformula sa pensée :

— Tu ne sais rien de notre façon de lire les signes, car tu es trop pragmatique, trop rationnel. Nous, on tient ce pouvoir de nos racines africaines. Nous savons que le courant des rivières monte autant qu'il descend. Chaque mouvement de l'eau nous parle.

— Encore une figure de style !

— Je reprends mon explication. Nous avons un rapport avec la nature qui est totalement différent du tien. Pour toi, la nature est un spectacle situé à l'extérieur de toi. Tu peux le découper pour en faire un casse-tête. La source en haut, la rivière au milieu, la mer en bas.

— Et pour vous ?

— C'est un tout.

Cette notion dépassait l'entendement de l'enquêteur. Dans son esprit, elle voisinait celle, tout aussi confuse, de néant. Pour lui, c'était comparable à un bruit de friture sidéral. Lemieux préféra revenir à des considérations plus pratiques.

— Demain, en allant à la mer, qu'est-ce qu'on cherchera ?

— Comme toi, je chercherai des indices. Mais pas dans le sens où tu l'entends. Il faut que tu fasses confiance à la sorcière en moi.

— J'avoue que mon esprit rationnel ne te suit pas.

— Parce que tu n'admets pas que tout est lié. Ici, tu es sur des sentiers inconnus. Tout ce que tu peux faire, c'est observer.

— Je te rappelle que tu parles à un spécialiste de la surveillance. Je connais mon métier.

— Tu me parles de faire un travail. Moi, je te parle de croyance et de foi. C'est deux choses.

— Depuis que je suis arrivé ici, je suis déjà allé à l'église et j'ai même communié...

— Tu es peut-être entré à l'église... Mais as-tu prié ?

Lemieux ne raconta pas ce qui était arrivé dans la nef en compagnie de Lydia.

Soudainement, Alicia s'étira à faire jaillir ses seins hors de sa robe léopard. Elle entraîna Lemieux vers le lit.

— Viens te coller, lui dit-elle.

Une fois allongée, la jeune femme continua de se confier, sans que Christian pose la moindre question.

— Sais-tu avec combien d'hommes j'ai fait l'amour dans ma vie ?

L'enquêteur resta interdit. Elle poursuivit :

— Pas des centaines. Pas un millier. Plus d'un millier, certainement.

Alicia le fixait.

— Certains soirs, j'étais invitée à des soirées données par des touristes. Il y avait des groupes d'hommes en voyage, des Européens, qui louaient des maisons pour faire la fête. C'était plus dangereux quand c'étaient des gens de la mafia. Ils organisaient des orgies de groupe. Les Anglais appellent cela des *gang bang*. Ils filmaient la soirée.

— Pourquoi tu me dis tout cela ? Quel rapport ?

— Parce que nous, nous nous regardons avec les yeux du cœur.

Et elle se lova contre lui pour dormir.

Alicia parlait fréquemment dans son sommeil. Le problème, c'est qu'elle s'exprimait dans un patois inintelligible.

Il était impossible de saisir quoi que ce soit, sinon quelques syllabes. Mais cette nuit-là, Lemieux l'entendit clairement crier à trois reprises: «Je ne le connais même pas!» Bien sûr, Christian crut qu'elle parlait de lui. Alicia continua à balbutier des paroles indéchiffrables, dans un langage codé et secret, et connu d'elle seule. Il la serra dans ses bras. Étrange situation pour un policier aguerri aux techniques d'écoute électronique. Le lendemain matin, la jeune femme rougit quand il lui rappela les paroles qu'il avait entendues.

Alicia expédia le café du matin. Le dimanche, disait-elle, mieux valait partir tôt. Elle descendit chez la logeuse et demanda d'utiliser le téléphone. Jorge arriva, accompagné d'une plantureuse mulâtresse qui se disait étudiante en médecine. Avant de quitter la ville, ils firent un arrêt, rapide, mais obligatoire selon Alicia, pour acheter un bermuda en jeans et des sandales. Elle ne perdait vraiment aucune occasion de renouveler sa garde-robe. Ils sortirent enfin de Santiago et s'engagèrent sur la route longeant le bord de mer au pied de la sierra Maestra. À la sortie de la ville, Jorge demanda à Lemieux de se dissimuler en se couchant sur la banquette arrière, le temps de franchir un point de contrôle. Ils roulèrent ensuite vers l'est, en direction de Chivirico, le long d'un littoral creusé de petites anses et de plages tranquilles. Il y avait peu d'habitations, et les passants se faisaient rares. L'aspect désertique du paysage, le caractère tranquille des lieux et l'absence d'autres véhicules contrastaient fortement avec l'animation des rues de Santiago, quittée à peine quelques minutes plus tôt. Lemieux découvrait la campagne cubaine, hors des sentiers touristiques, et comme hors du temps.

Ils arrivèrent à Playa Francès. Les attendait un pavillon de béton où des jeunes écoutaient de la musique, à l'ombre de quelques arbres maigres, le tout sous un soleil de midi qui écrasait une mer d'huile. À peine allongés sur le sable, ils furent entourés de jeunes curieux. Alicia leur demanda d'apporter des boissons et de la nourriture. Ils revinrent bientôt avec de la bière tiède et un rouget grillé. Ils mangèrent avec leurs mains. Même si Santiago n'était qu'à quelques kilomètres, Lemieux se sentait éloigné de tout sur cette plage désolée. Il fut heureux quand Alicia proposa de se rapprocher de Santiago et de faire halte à Playa Galeton. L'endroit était plus animé, selon elle. Lemieux pourrait y faire connaissance avec sa mère.

Même garée à l'ombre, la voiture de Jorge était un four. Musique intense et chaleur tropicale, odeurs des corps sont les invariables ingrédients des balades en auto à Cuba. Vaguement gris et assommé par la chaleur, Lemieux se laissa bercer et déposa furtivement un baiser sur l'épaule d'Alicia. Ils arrivèrent à la petite plage de Galeton, beaucoup plus animée que la précédente. Ombragée par de grands arbres, elle offrait les services d'un petit restaurant. Et la bière y était servie bien froide. Ils furent invités à s'asseoir à une table avec de vieux paysans. Alicia apprit de l'un d'eux que sa mère était absente. Tous étaient curieux de savoir qui était Lemieux. Ils le saluèrent comme un ami quand ils apprirent qu'il était un Canadien.

Au bout d'une heure de nouvelles libations, Lemieux eut envie d'uriner. Alicia l'accompagna près d'un arbre à l'arrière du restaurant. Elle resta près de lui pour l'observer. Christian trouvait la situation gênante, mais cela créait une étrange complicité entre eux. Elle ne le touchait pas, mais elle le guettait et le détaillait. Elle s'amusait aussi de son trouble, qui compliquait et prolongeait la situation. Pendant que l'ancien policier peinait à évacuer un mince filet étranglé, la jeune femme lui parlait nonchalamment de la campagne environnante en montrant la direction des collines derrière la plage. Elle lui expliqua que la ferme coopérative où son père travaillait était située non loin d'ici. Quand ils revinrent à table, Jorge et sa copine étaient partis se baigner. Alicia proposa à Christian de les retrouver.

De gros buissons de plantes grasses et épineuses occupaient la plage tout près de la mer, créant des zones de fraîcheur et protégeant l'intimité de chaque groupe. Plusieurs familles terminaient le pique-nique dominical et les enfants étaient nombreux à jouer dans les vagues. Jorge et sa copine se baignaient, la jeune femme enlaçant la taille du chauffeur de ses fortes jambes. Debout, Jorge semblait lui faire l'amour dans la mer, supportant sa compagne de ses bras puissants. La jeune femme les montra du doigt en riant.

Des enfants sortirent de l'eau en courant et vinrent saluer Alicia. Le corps griffé de marques de méduses, ils se roulaient dans le sable pour chasser la sensation de brûlure. Les garçons bombaient le torse en affichant les marques rouges. Deux jeunes filles d'une dizaine d'années, aux épaules striées de griffures, s'approchèrent d'Alicia. L'une d'elles lui sauta au cou et l'appela sa tante. La nièce semblait vouer une grande affection à Alicia, car elle la couvait de grands yeux admiratifs. Comme des oiseaux, les enfants repartirent se jeter à l'eau, à quelques mètres de Jorge et de son amante, toujours accouplés parmi les méduses. Sur la plage, une espèce de citerne de pierres noires grossièrement assemblées avait été bâtie. Elle empiétait sur la mer et formait ainsi comme une piscine. Les plus hardis plongeaient du rebord de la citerne et se faisaient compétition sous le regard des filles.

Lemieux n'aurait pas touché à l'eau pour tout l'or au

monde, car il détestait les méduses. Assis à l'ombre, il assumait totalement son rôle de spectateur passif. Alicia devait penser qu'il n'était vraiment pas un aventurier. Christian s'en foutait. Il appréciait le spectacle des plongeurs, assis près de son amie qui discutait maintenant avec une femme. Il ne tenta même pas de saisir la discussion qui se déroulait dans un créole local, ponctuée de fous rires incontrôlables. Il ne suivit pas les deux femmes quand elles se réfugièrent à l'ombre du restaurant. Dans cette atmosphère familiale, il se sentait à l'abri. Il n'avait pas encore vu d'uniforme sur la plage. Par contre, dès qu'il revint vers le stationnement pour y retrouver Jorge, la présence d'un habit kaki lui sauta aux yeux. Le gardien discutait avec le chauffeur, accoudé sur le capot de la voiture. Le policier lui posait des questions. La conversation cessa dès que l'enquêteur approcha de la voiture. Dans l'auto, la copine de Jorge s'agitait dans la chaleur. Toute rouge, elle se tortillait pour tenter d'enlever son maillot mouillé. Elle ne fit aucun effort pour cacher sa grosse poitrine quand Lemieux monta à l'arrière. Alicia les rejoignit en courant. Le Cubain s'installa au volant et démarra la voiture. Il ne dit mot de sa conversation avec le policier.

Sur la route, Jorge s'engagea brusquement dans une course dangereuse avec un autre véhicule, compétition qui dura tout le long du retour à Santiago. Les deux véhicules de faible puissance tentaient vainement de se dépasser, luttant côte à côte dans les montées ou roulant pare-chocs à pare-chocs dans les lignes droites, avant de tenter à nouveau la manœuvre. Christian n'appréciait pas, et Alicia aussi était crispée. C'est avec soulagement que Lemieux vit apparaître d'autres voitures, en sens inverse, aux abords de Santiago, ce qui mit fin à la course. Il n'osait même pas imaginer ce qui arrivait en cas d'accident. Combien de temps mettaient les secours ? Y avait-il un service d'ambulance ? À quelle distance était l'hôpital ?

À la maison, Alicia et lui prirent leur douche séparément. Elle vint ensuite s'asseoir face à lui; il prenait des notes à la table de cuisine. Elle portait sa robe à motif de peau de léopard sans sous-vêtements. Son visage esquissait un sourire énigmatique. Et son regard était des plus bienveillants, empreint d'une certaine sérénité. Lemieux admirait son corps, ses jambes moulées dans la robe, ses épaules fines et rondes, ainsi que son port de tête. Il rompit le charme.

— On dirait que tu as appris quelque chose, Alicia. Dis-moi…

— Ne cherche pas Omara Valdez à la plage ou dans les hôtels en bord de mer, répondit Alicia.

— Comment peux-tu l'affirmer ?

— J'ai demandé l'avis d'une femme qui est une initiée de la *santeria*.

— Comment peut-elle savoir ?

— C'est une prêtresse protégée par Yemayà, la déesse de la mer. Selon ma sorcière, Omara Valdez n'est pas partie de Cuba par la mer. Elle serait à l'intérieur des murs de la ville.

— Comment avez-vous obtenu ces renseignements ?

— Les coquillages ont parlé.

— Ça n'a pas de sens, gronda Lemieux. De toute façon, la mère d'Omara me l'avait déjà dit.

— La prêtresse a même ajouté un message pour toi. Sans te connaître. Elle m'a dit qu'un homme la recherchait et qu'il devait poursuivre sans relâche.

— J'espère que tu l'as remerciée.

— Je lui ai fait une offrande. Tu me dois cinq dollars.

Dans cet univers de divinités protectrices, Lemieux aurait

bien aimé rencontrer le dieu des villes pour obtenir l'adresse et le numéro de téléphone d'Omara. Il ne pouvait imaginer que des pratiques de divination ou de magie constituent des balises dans son enquête. À cela, il résistait fermement.

— J'en ai assez entendu. Là, c'est à mon tour de vouloir me changer les idées. Sais-tu ce que j'aimerais, dit-il ?

— Dis toujours, mon amour, répondit Alicia, sans se départir de son sourire moqueur.

— J'aimerais aller manger dans un restaurant avec toi.

— Pas de problème. J'adore les restaurants. Qu'est-ce que tu aimerais manger ?

— Du poisson ou des fruits de mer. J'en ai assez des sandwichs de jambon et de fromage. On ne peut pas manger des produits de la mer, ici, à Santiago ?

— Il faut connaître les bons chemins, c'est tout. Mon plat préféré, à moi, c'est le riz aux crevettes. En fait, ce sont des crevettes en sauce piquante garnies de riz. Mais comme je mélange tout dans mon assiette, ça devient vite du riz aux crevettes, dit-elle en riant.

— Tu aurais pu m'en parler avant !

— Mais on se connaît depuis deux jours à peine. Je connais un bon endroit qui est tenu par des amis.

Lemieux se serait passé de cette référence aux amis ou à la famille élargie. Il sourit malgré tout et précisa :

— Amis ou pas, j'espère que la pêche a été bonne.

— Mais avant, allons prendre une bière à la terrasse près de l'hôtel.

Ce que Lemieux remarquait, c'est qu'Alicia adorait ritualiser leur quotidien. Elle avait adopté la terrasse face à l'hôtel Santiago. Christian aussi appréciait l'endroit. Marchands ambulants, chauffeurs de taxi, filles en quête de touristes et policiers se croisaient dans la cacophonie des véhicules de tous genres. Pourtant, dans cet endroit si animé, il se sentait comme chez lui. Cette terrasse était l'extension de la cuisine. Elle leur permettait de former leur bulle, d'oublier le monde entier, et d'être l'un face à l'autre, tout en étant dans le monde extérieur. Il retrouvait cette expérience de l'intimité amoureuse dont il avait été longtemps privé. Alicia le lui confirmait, sous forme de blague, en disant qu'elle se sentait comme sa petite fiancée. Il n'avait plus de doutes sur sa sincérité. Il savait bien qu'elle avait eu une vie avant lui et qu'elle aurait sa vie après son départ. Mais en ce moment même, en cet instant précis, elle était sincère. Un véritable rêve impossible.

— *¡Hola!* Christian! Tu es en train d'oublier ta mission, mon cher détective!

— Tu me fais vivre certaines surprises. Disons que ça m'amène à me poser des questions.

En fait, depuis quarante-huit heures, Lemieux pensait beaucoup plus à la jeune femme qui l'accompagnait qu'à sa recherche d'Omara Valdez.

— Alors, c'est que tu avances. Ton enquête progresse et tu ne le sais même pas.

— Que veux-tu dire?

— Tu progresses vers l'intérieur. Si tu entres dans mon monde, tu t'approches du sien.

— Oui, mais ça ne me donne pas la moindre piste. Surtout pas tes informations venant d'une prêtresse!

— Suis les chemins que je t'indique et tu vas te rendre jusqu'à elle. Où je te mènerai, il y aura des carrefours. Et l'un de ces chemins te permettra de remonter jusqu'à elle. C'est toi, l'enquêteur, enfin!

— Parfois, j'ai l'impression que tu joues avec moi.

Lemieux avait exprimé spontanément sa principale

crainte, c'est-à-dire qu'Alicia soit en train de le manipuler. Il savait déjà qu'elle tirait profit de leur rencontre. C'était normal, et cela faisait partie de l'entente. Mais profiter ouvertement de la situation et manipuler dans un but secret sont deux choses distinctes. Tout, à Cuba, semble fondé sur le mensonge. Tout est beau, vu de l'extérieur. Elle dit être la copine, l'amante, la fiancée, mais…

— Tu n'as pas encore confiance. Je suis déçue, crois-moi. Tu me fâches. Tu penses toujours que je ne suis qu'une délinquante qui cherche à te rouler. Oui, je suis délinquante. Non, mon passé n'est pas clair. Mais ce n'est pas moi qui suis rebelle, c'est la vie qui est rebelle. Merde ! Sais-tu ce que signifie l'expression « à feu et à sang » ? Sous les apparences, c'est comme cela qu'on vit ici. Moi, la première. Et Omara Valdez aussi, sûrement. Ça, tu vas devoir le comprendre, sans quoi tu n'arriveras à rien.

Alicia fit un grand geste pour désigner la terrasse. Elle poursuivit :

— En ce moment, ici et avec toi, ce n'est pas la vraie vie. Ce n'est pas réel. C'est comme dans un rêve. Sans toi, je ne serais jamais venue ici. Quand tu partiras, je retournerai vivre dans les bas quartiers de la ville. Mais est-ce totalement illusoire ? C'est trop beau pour être vrai ? Non. Je réalise mon rêve et, en échange, le tien. On n'est pas des prédateurs l'un pour l'autre. Il y en a déjà assez par ici !

Elle fit valser son verre de bière qui se fracassa sur le sol. Elle se leva et se dirigea rapidement vers les toilettes. Dès le départ d'Alicia, une autre jeune femme s'approcha de Christian pour lui parler. Elle tentait sa chance, pensant certainement que Lemieux et Alicia s'étaient brouillés. Ses seins généreux flottaient sous un débardeur très court qui laissait voir son ventre. L'enquêteur, qui répondait des banalités, ne vit pas son amie revenir. Les yeux en furie, elle chassa l'intruse, la menaçant même du poing. Elle cria à sa rivale : ne touche pas !

Lemieux resta sidéré, moins par la violence d'Alicia que par la douleur qui émanait d'elle. Sa crise de jalousie était bien naturelle. Cela faisait partie du jeu. Ce qu'elle dévoilait cependant, c'était l'écart entre la réalité et l'espoir de vivre des femmes de son âge. Le manque de liberté, non de parler, mais d'agir. L'enfermement. Qui que soit Omara Valdez, où qu'elle soit à l'heure actuelle, elle devait subir cette difficulté, cette impossibilité de vivre, hurlée aussi par le défunt Leonardo. Alicia était révoltée contre l'étroitesse de l'existence qui lui était imposée. Et Omara ? Sur les chemins de la délinquance, l'une avait disparu, l'autre indiquait à Christian le parcours pour retrouver la première. Et elle essayait elle-même de s'en sortir. Il s'en voulait maintenant d'avoir mis en doute la sincérité d'Alicia.

Il se pressa de commander deux autres bières et il lui offrit ses excuses. Ils burent rapidement, car il était temps d'aller au *paladar*. En quittant, Alicia jeta un regard courroucé en direction de l'autre femme. Des voitures attendaient dans le stationnement entre l'hôtel et la terrasse. Ils montèrent à bord d'une Chevrolet Bel Air 1955 de couleur verte. Alicia précisa la direction au chauffeur. Le restaurant était situé dans l'un des quartiers du centre-ville, sur la rue San Carlos, entre le parc Céspedes et la mer, non loin du Musée de la lutte clandestine. La façade de la maison d'un seul étage était grise et anonyme. Un jeune garçon était assis sur le trottoir. Il n'eut pas le temps d'avertir de l'arrivée des visiteurs. Alicia sortit prestement du taxi, poussa la porte et entra comme si elle était chez elle, en lançant des salutations sonores à la ronde. La maison étroite s'ouvrait sur une double pièce qui faisait office de salon et de salle à manger. Un couloir, à demi fermé par un rideau fleuri, traversait ensuite l'endroit. D'un côté, à gauche, il y avait deux chambres, les toilettes et la cuisine. À droite, le couloir donnait sur une petite cour à ciel ouvert, selon le plan traditionnel des résidences espagnoles.

Une femme d'une trentaine d'années apparut, une obèse aux cheveux teints en blond platine, le visage bouffi et encore ensommeillé malgré l'heure. Ses traits s'éclairèrent quand elle reconnut Alicia. La femme portait un débardeur rayé bleu et blanc, ainsi qu'un bermuda de couleur turquoise et mauve en tissu fluo. C'était là l'uniforme sexy des jeunes Cubaines, sauf que les chairs abondantes de la femme débordaient de partout. C'était une personne joviale, aux petits yeux qui se fermaient encore plus quand elle riait. Elle pressa fermement Lemieux contre elle pour lui faire la bise. Alicia demanda qu'on mette immédiatement de la musique : Marc Anthony, le roi de la salsa. La grosse femme fit remarquer à Alicia qu'elle avait l'air particulièrement en forme. Les deux femmes rirent d'une blague grivoise. Elle invita Alicia à danser. Celle-ci fit voler ses souliers dans un coin. Elle empoigna sa grosse copine par les mains et l'entraîna dans une salsa endiablée. Le ventre de l'hôtesse tressautait. Lemieux admirait la finesse des chevilles d'Alicia et la vivacité du mouvement qui l'emportait. Il aurait aimé la faire tourbillonner ainsi.

Il en profita aussi pour faire un meilleur examen des lieux. La salle à manger était meublée de deux tables. Une monumentale table de bois, flanquée d'un bahut, occupait le centre de la salle à manger. Elle ne laissait que peu d'espace à la seconde, rectangulaire, peinte d'un vert délavé et recouverte d'une nappe de plastique transparent. Collée au mur, près du rideau fermant le couloir, c'était la table des couples, comparativement à la grande, pour six personnes. Lemieux et Alicia en prirent possession. L'hôtesse obèse approuva leur choix. Christian savait qu'ils venaient d'établir là un nouveau rituel et qu'ils mangeraient à cette table chaque fois qu'ils reviendraient au restaurant. Ils s'installèrent à angle pour être encore plus près l'un de l'autre et pour se toucher en tout temps. L'enquêteur était assis face au mur et pouvait voir le couloir en enfilade à sa gauche. Alicia tournait le dos au couloir et avait une vue sur toute la salle à manger, ainsi que sur le salon. La chanson *Hasta que te conoci* jouait à tue-tête. La grosse femme obèse couvait le couple d'un regard amusé. Alicia souriait mielleusement. Lemieux comprenait vaguement qu'on se moquait de lui. Et que les deux femmes étaient de connivence et complices. *Yo que te conzco bien* jouait maintenant à fendre l'âme. Christian se reprochait de se laisser aller à cette sentimentalité facile. Mais l'attention de sa compagne et l'hospitalité de son amie faisaient leur effet. La chanson *Nadie como ella* suivit. L'ancien policier ne comprit jamais rien à l'enchaînement de chansons. En fait, si, mais beaucoup plus tard.

Alicia se levait fréquemment pour danser. Elle virevoltait entre les deux tables, invitant son ami à la joindre. Plutôt perdu dans ses pensées, il était absorbé dans la contemplation de l'affiche fixée au mur au-dessus de la table. En fait, c'est Alicia qui lui avait indiqué le chromo, tout en pivotant dans sa robe à motif de léopard de façon théâtrale. L'affiche représentait un couple de tigres au repos dans l'herbe, aux abords d'une chute. Sur l'image, le vert de la végétation était trop brillant, le bleu du ciel était trop saturé et les nuages étaient d'un blanc immaculé. L'affiche se détachait du mur de crépi blanc de façon criarde. Tout en dansant, Alicia tendit le bras vers les deux tigres. Elle pointa ensuite Lemieux et elle-même, signifiant ainsi qu'ils étaient les deux tigres du chromo. L'un des félins était debout et semblait faire le guet. Christian s'associa plutôt à la deuxième bête, mollement allongée dans l'herbe grasse. À chaque instant, il s'attendait à voir surgir un Tarzan de bandes dessinées dans l'image et à le voir plonger dans les eaux tumultueuses de la chute.

Quand le disque fut terminé, ce n'est pas le silence qui surprit l'enquêteur. C'étaient les bruits que faisait un cochon. L'animal était à quelques pas de lui, dans la petite cour transformée en enclos d'élevage. La bête était tout près, à quelques pas derrière le rideau fermant le couloir. Lemieux l'entendait fourrager et grogner. Selon la patronne, le porc était à l'engraissement et serait bientôt abattu. Une partie de la viande serait expédiée à La Havane. Voyant la surprise de Lemieux, l'obèse ajouta que c'était la seule façon d'assurer l'approvisionnement constant du restaurant. De nombreux endroits élevaient ainsi des animaux. Chacun faisait boucherie à un moment différent et approvisionnait les autres de viande fraîche. Tout se faisait par échange. Elle disait que le troc était très répandu dans la population. Certains élevaient même des dizaines de cochons d'Inde sur leur balcon. C'était une pratique courante à Cuba, mais interdite par le gouvernement pour des raisons de salubrité.

Épuisée, Alicia se laissa enfin tomber sur sa chaise et s'adressa à voix haute à la propriétaire pour lui demander deux nouvelles bières. Puis, c'est d'une voix douce qu'elle s'adressa à Lemieux.

— Pour moi, il y a des choses importantes. Si je ne chante pas, je ne vis pas. Si je ne danse pas, je ne vis pas. Je pourrais ajouter : si je ne ris pas ou si je ne jouis pas...

— Ça m'apparaît simpliste comme philosophie de vie.

— Tout cela vient de notre histoire. Tu oublies encore que tu es à Santiago, dans la partie la plus africaine de Cuba. L'esclavage, ça te dit quelque chose ? Quand tu es esclave, qu'est-ce qu'on t'interdit ? Chanter. Danser. Rire. Et jouir. Ce sont les quatre chemins qui nous ont permis de sortir de l'esclavage. Et cela, grâce à la *santeria*.

— Explique-moi un peu mieux, dit Lemieux.

— Il faut revenir à l'esclavage. Pour les Africains, la seule issue possible était la mort. Je ne parle pas des décès qui survenaient au cours du voyage. Dans les plantations, les suicides étaient très nombreux. Un esclave sur deux se donnait la mort plutôt que de vivre en captivité. La colonisation même devenait impossible. Alors, les colons ont redonné aux Noirs la possibilité de faire des fêtes religieuses pour éviter les pertes dues aux suicides. Le simple fait d'avoir de nouveau la liberté de chanter et de danser a été bénéfique. Tu comprends maintenant pourquoi il y a toujours de la musique à Cuba. Mais il y a plus important encore. Les esclaves ont ainsi recouvré leur liberté de parole.

— La liberté de parole ?

— Oui, dans les fêtes, les esclaves pouvaient enfin parler librement dans leur langue maternelle, le yoruba, de tout ce qui les concernait. Même aujourd'hui, dans nos cérémonies, il y a toujours beaucoup d'échanges et de discussions. Nous posons des questions à notre saint qui nous répond par l'entremise du prêtre. Cette expression est entièrement libre. Tous les sujets sont permis et chacun peut émettre des commentaires. Le dieu parle pour nous conseiller au sujet de notre situation, de nos problèmes, de nos valeurs.

— Et toi, c'est quoi, tes valeurs ?

— Je vais te dire une affaire...

Étrangement, Alicia ne dit mot. Elle ne continua pas à parler. Elle faisait comme si elle avait oublié le sujet. Mais le silence pesait. Elle ajouta :

— Je voudrais te dire quelque chose, mais... Plus tard, peut-être.

Encore une fois, elle laissa tout en suspens. Lemieux détestait ce genre de situations. Être ainsi laissé sur une phrase inachevée l'exaspérait au plus haut point. Cela le faisait soudainement douter de son intelligence et de la franchise de son interlocuteur.

— Tu ne pourrais pas finir tes phrases, dis ?

— Je ne me rappelle plus ce que je voulais dire.

Lemieux pensait que la bière commençait à faire trop d'effet. Il préféra lui aussi oublier le sujet de discussion et il commanda le repas de crevettes. Les grognements du cochon se mêlaient à la voix du chanteur, Marc Anthony, doublée par le chant plus lointain de la grosse cuisinière affairée à préparer le repas dans la cuisine au fond du couloir. Heureuse et souriante, Alicia invita encore Lemieux à danser entre les deux tables. Finalement, celui-ci s'exécuta gauchement, tentant de suivre les ondulations de la gracieuse Cubaine. Elle dansait pieds nus et guidait le pas pesant de son ami chaussé de gros souliers de course. Elle exagérait chacun de ses mouvements et souriait largement devant la maladresse de son partenaire. Dans un geste vif, elle prit la casquette que celui-ci portait et la posa sur sa propre tête. C'était une casquette à l'effigie d'une marque de bière canadienne, la Belle Gueule. La jeune femme respirait le bonheur de bouger.

Lemieux ne remarqua pas l'entrée d'un jeune homme qui s'affala dans la causeuse du salon. Il était tourné vers le couple, un sourire ironique aux lèvres. Il portait un jeans, une camisole découvrant ses épaules musclées et des lunettes fumées très sombres qui dissimulaient tout à fait son regard. Quand Alicia le vit, son sourire se crispa. Elle le salua d'un mouvement de la tête. Le jeune Cubain se leva et demanda la permission de danser avec Alicia, soufflant à Christian sa belle danseuse.

Entre les mains du jeune danseur, Alicia semblait flotter. Sa danse devint encore plus aérienne et endiablée. Les mouvements des deux corps étaient d'une souplesse et d'une fluidité remarquables. L'homme la retenait à peine, l'effleurant imperceptiblement à la taille pour la faire pivoter, l'attirant ou la repoussant d'un geste doux de la main qui contrastait avec son attitude de séducteur macho. Lemieux avait l'impression que cet homme était un membre de la famille élargie d'Alicia qui se permettait de venir l'observer. Les traits durs, les dents blanches et la large bouche aux lèvres sensuelles, ainsi que le regard masqué par les lunettes, donnaient au jeune homme le style *barracuda* que Lemieux connaissait bien. Assis à la petite table, l'enquêteur les regardait virevolter comme par magie, sans jamais rien heurter, dans l'espace pourtant très réduit entre les deux tables. Christian se méfiait du personnage, certain que sa présence n'était pas due au hasard. La facilité avec laquelle il emportait Alicia au son de la salsa, le mépris moqueur qu'il affichait et son magnétisme latino le fascinaient et lui répugnaient à la fois. Il percevait une menace sans pouvoir l'identifier. Il se sentait défié. Le sang lui battait aux tempes.

L'arrivée de la grosse patronne avec les plats mit fin à la démonstration de danse. Lemieux avait visiblement perdu le concours. Le jeune homme quitta la salle en leur souhaitant bon appétit avec un large sourire narquois. Il emprunta le couloir et se dirigea vers la cuisine en compagnie de la grosse femme. Lemieux l'aurait aplati comme une blatte. Il demanda immédiatement à Alicia qui était cet homme. Celle-ci répondit que c'était un ami de la patronne, une connaissance. Elle détourna la conversation et coupa court à toute question en s'exclamant sur la beauté des plats. Encore fumantes, les crevettes étaient présentées dans un bol creux. Elles avaient été sautées rapidement et plongées ensuite dans un épais bouillon de poisson, à la tomate, et bien relevé. Les minuscules crustacés, semblables aux crevettes de Matane ou de Belgique, étaient accompagnés d'une salade composée de légumes variés, croquants et brillants — concombres, tomates et laitue d'une grande fraîcheur —, de riz aux haricots noirs et de rondelles de bananes plantains frites. Les crevettes dégageaient un parfum iodé de fruits de mer et fondaient en bouche. Lemieux était déçu de ne pas avoir de vin blanc pour faire honneur à un tel festin.

Alicia avait retrouvé toute sa bonne humeur et s'attaquait au repas avec entrain. Lemieux n'osait plus la questionner au sujet du jeune danseur. Ils parlèrent peu, occupés à déguster leur repas. C'est Alicia, toujours aussi avide, qui cessa de manger la première.

— Tu sais, tout à l'heure, quand nous avons parlé de valeurs…

— Tu veux dire quand tu as soudainement cessé d'en parler, répondit Lemieux.

— Je veux t'expliquer quelque chose, mais je ne sais pas comment. Écoute… Ma croyance, c'est ce qu'il y a de plus important pour moi. Ça touche tout, tout, tout. Tu dois le vivre pour le comprendre.

Alicia semblait de nouveau près de perdre le fil. Ce

n'était pas à cause de l'alcool. Elle cherchait une façon d'exprimer son idée. Elle poursuivit :

— En fait, oui, j'ai une religion. C'est la religion de l'amour. Je ne sais pas si on peut appeler ça ainsi.

— On dit aussi que le catholicisme est la religion de l'amour.

— Non. Je ne te parle ni de religion catholique ni même de *santeria*. Dans les deux cas, on se retrouve avec une organisation ou une hiérarchie. Je te parle de quelque chose qui est intérieur, qui est plus qu'intérieur, qui est invisible.

— J'avoue avoir de la difficulté à saisir.

— L'amour, c'est le tambour. La pulsation même de l'énergie de l'Univers. Et le passage entre les mondes. De l'esclavage à la liberté. À l'intérieur comme à l'extérieur.

— C'est un peu trop mystérieux pour moi, répondit Lemieux.

— Essaie d'écouter le tambour, celui de ton cœur, celui de tes pas. L'Univers a commencé par un coup de tambour qui résonne, à chaque instant, dans notre poitrine.

— Tu devrais faire de la poésie.

— J'en écris aussi. Je te montrerai mon cahier, un jour. Mais comprends-tu maintenant ce que signifie la musique à Cuba ? Ou quand je t'invite à danser ?

— Je commence à établir certaines correspondances entre votre histoire et votre quotidien, entre vos croyances catholiques et africaines, entre ce qui est apparent et ce qui est caché, entre toi et moi.

— C'est ça. Continue. Il y a quelques jours, on ne se connaissait pas. Aujourd'hui, je me sens fiancée avec toi. Ton amie, ton amante, ton amoureuse, quoi ! Je ne sais pas exactement quel mot employer. Même si tout a commencé comme une affaire d'argent. Ne me demande pas pourquoi, ça devient autre chose. Je le découvre comme toi. Maintenant, je me sens liée à toi.

Lemieux était surpris par les affirmations d'Alicia. Une vraie *jinitera* se serait empressée de parler de mariage à l'étranger et de demander une invitation pour fuir Cuba. C'est le contraire qui se passait. Alicia ne parlait jamais de voyage, de défection ou d'exil. Elle ouvrait des portes ou des chemins à Christian, comme elle le disait elle-même, et l'invitait à entrer dans sa maison cubaine. Le plus étonnant encore, c'était son aveu amoureux. L'ancien policier devait remonter à ses premiers émois d'adolescent pour retrouver le souvenir d'une telle déclaration. Même si Alicia avait tout de même trente ans, même si elle n'était plus adolescente, sa parole avait l'accent de vérité des premiers engagements.

Des carrefours amoureux, pensait Lemieux, il en avait raté quelques-uns dans sa vie. Quel dieu de malheur l'avait donc guidé dans sa vie pour qu'il en arrive à rejeter des femmes qui l'aimaient vraiment ou, au contraire, à s'engager dans des relations sans issue ? Vis-à-vis d'Alicia, il ne savait pas encore avec certitude si la rencontre prenait l'une ou l'autre de ces voies. Mais si un amour véritable naissait, il s'interdisait maintenant de le rejeter. Si ce n'était qu'une aventure illusoire, il n'aurait fait qu'un pas de plus dans la découverte du mensonge; et il en prendrait son parti.

Quand ils se levèrent de table, la grosse patronne accourut pour les embrasser et leur souhaiter bonne nuit. Alicia entraîna Lemieux par les rues de Santiago, en direction de la mer. La Trocha et la maison de Lydia ne devaient pas être bien loin. La belle mulâtresse choisissait délibérément les coins les plus sombres, des boyaux de ruelles étroites, comme si elle voulait égarer son ami. Elle se déplaçait, souple comme une chatte sur son territoire. Elle s'arrêta devant une maison aux fenêtres ouvertes et éclairées. Elle appela, et une voix de femme répondit. La voix demanda à Alicia ce qu'elle faisait là. Celle-ci répondit en riant qu'elle était en voyage de noces avec son nouvel époux. Elle ajouta qu'elle se sentait comblée comme une jeune mariée. La voix la félicita sur le même ton moqueur en lui souhaitant un grand bonheur et de nombreux enfants. Lemieux ne vit jamais l'interlocutrice. Alicia précisa que c'était une amie d'enfance. D'ailleurs, ils se promenaient dans le quartier où elle avait grandi.

Quand un orage soudain les surprit, ils durent se cacher sous un porche. Ils furent rejoints par quelques passants. La rue était déserte. Aucune voiture ne passait et les rares tricycles taxis roulaient complètement détrempés. Alicia fit signe à Lemieux de patienter, en disant que ce genre d'orages était de courte durée. Il en profita pour la questionner.

— Comme ça, tu te sens en voyage de noces ?

— C'était une blague. Mais je me sens vraiment comme…

— J'espère que tu vas compléter ta phrase, cette fois.

— Je me sens comme à mon dixième anniversaire.

— Ton dixième anniversaire… de mariage ? J'espère que ce n'est pas à cause de mon âge, ajouta-t-il.

Lemieux rit de sa propre blague.

— Bêta ! Tu ne sais pas comme c'est important d'avoir dix ans pour une jeune fille, à Cuba.

Lemieux essayait d'imaginer Alicia à dix ans. Le corps qui s'esquisse, les petits seins qui bourgeonnent. Il calcula mentalement que lui-même avait déjà trente ans à ce moment-là.

— Mes parents avaient loué des vêtements de princesse, une robe blanche de jeune mariée s'ouvrant comme une corolle sur mes épaules nues et une tenue de soirée décolletée retenue par de minces bretelles. À dix ans, on te considère pour la première fois comme une adulte.

— C'est comme un rite de passage.

— C'est notre première communion. Pour célébrer l'événement, nous sommes partis faire des photos dans les plus beaux hôtels. Et après, on a fait la fête à la maison. Il y avait du gâteau et des jus de fruits pour tout le monde. Ce fut un grand moment dans ma vie. Je me suis sentie femme, ce jour-là.

Alicia se serra contre Lemieux.

Quand la pluie se calma, la jeune femme entraîna Christian à l'angle d'une rue plus large. Sous un abri de tôle rouillée, entre deux bâtiments, quatre jeunes motocyclistes étaient arrêtés. Alicia s'approcha d'eux et se mit à parlementer. Les jeunes lançaient parfois un regard méfiant à Lemieux qui se tenait à l'écart. Alicia revint vers son ami et lui demanda de donner à chacun un dollar pour payer la course. L'enquêteur avait eu le temps d'apprécier les motos et de reconnaître les moteurs de 350 cm^3. Alicia enfourcha une moto et en désigna une autre pour Lemieux. Elle souriait comme quelqu'un qui joue un bon tour. L'ancien policier prit place à l'arrière de la moto désignée, non sans avoir décoché une moue de dépit à sa belle amie. En fait, il rechignait pour la forme, comme à son habitude. S'il trouvait un peu humiliant d'être passager sur une moto, il se réjouissait véritablement de faire une randonnée. Le bruit du démarrage le combla. Il aurait aimé tenir la manette des gaz et faire résonner le moteur dans cet air humide. Sans avertissement pour son passager, le motocycliste lança son engin.

Lemieux eut soudain l'impression de vivre en accéléré. Dans cet environnement nocturne et inconnu, il n'y eut plus aucun repère, sinon la silhouette mouvante d'Alicia sur l'autre moto. Il retrouvait la griserie de sa grande passion. Il voyait, sentait et découvrait Santiago sous un œil nouveau. La présence des autres véhicules fumants dans l'atmosphère tropicale et la dangereuse proximité des maisons dans les couloirs de ces rues étroites rendaient la course excitante. Sur la chaussée encore glissante après la pluie, la course devint hallucinante. Des passants traversaient la rue sans le moindre regard et des cyclistes bifurquaient sans aucun avertissement. Le motocycliste donnait parfois un coup de frein, mais, le plus souvent, il actionnait son klaxon sans ralentir. Lemieux se laissait emporter par toutes ces sensations fugitives. Il avait la soudaine impression d'entrer dans la ville pour la première fois, d'en prendre possession et d'être en symbiose avec elle.

Il découvrait avec exaltation l'atmosphère de Santiago la nuit. Quand Alicia se retourna vers lui, elle fut surprise de son air concentré. La balade faisait affluer des souvenirs dans l'esprit de Lemieux. Il se retrouvait à Montréal, sur la rue Saint-Laurent, à la fin du mois d'août vers la même heure. Dans le quartier chinois, les commerçants fermaient leurs magasins d'alimentation, repoussant les ordures de la journée sur le trottoir. Des montagnes de cageots et de boîtes de carton remplis de débris de fruits et de légumes s'entassaient sur le bord de la rue encore grouillante. Du quartier chinois à la rue Sherbrooke, il passait devant une enfilade de petits commerces louches : boutiques érotiques, bars mal famés, ateliers de tatouage, friperies, magasins d'articles électroniques en solde ou d'accessoires de surplus de l'armée. Il parcourait ensuite la section *jet set*, parmi les restaurants haut de gamme. Il se frayait un chemin entre les limousines allongées et les voitures de luxe, dans les odeurs de fine cuisine et de grillades, sous le regard des passants friqués et fringués. La rue Saint-Laurent s'étendait ensuite, du quartier portugais au quartier juif, et jusqu'au quartier italien. Une telle randonnée, c'était comme mettre un CD de musique du monde dans son baladeur.

Lemieux fut tiré de sa rêverie par la manœuvre audacieuse de son chauffeur motocycliste qui amorçait un virage serré à une intersection achalandée. La moto s'inclina fortement, à en frôler le pavé de la rue. Sur le trottoir, un individu gesticula en direction de Christian. L'homme leva le pouce de la main droite et ferma le poing. Il semblait esquisser le geste conventionnel d'approbation, le signal du pouce en l'air. Au contraire, il se servit de son pouce comme s'il s'agissait de la lame d'un couteau. Il regarda Lemieux et il fit le signe de lui trancher la gorge. Le détective reprit brusquement contact avec la réalité. Toutes ses appréhensions lui revinrent à l'esprit. Était-il suivi ? Était-ce un piège ? Qui étaient ces motards ? Et cette personne qui lui manifestait de l'hostilité ? Il ne possédait aucune piste menant à Omara Valdez. Deux personnes avaient déjà péri en relation avec cette affaire. Et lui, Christian Lemieux, s'amusait à jouer au beau cœur et à faire de la moto dans les rues de Santiago. Toute personne cherchant à l'éliminer aurait eu la tâche facile. Il voyait déjà le titre dans le journal : *Touriste canadien victime d'un accident de moto, la nuit dernière, à Santiago de Cuba.*

Les appréhensions de Christian s'estompèrent dans les minutes suivantes, à mesure que les motos s'approchaient du quartier où il logeait. Les chauffeurs ralentirent, car ils avaient loupé la calle Jota. À petite vitesse, ils revinrent sur leurs pas. Tout en reprenant ses esprits, Lemieux eut tout le loisir d'observer les rues avoisinantes, les demeures bourgeoises doucement assoupies dans les hauteurs, si différentes des maisons animées du bas de la ville. Les jeunes hommes ne semblaient pas vouloir lui tendre un piège. Ils étaient plutôt froissés dans leur orgueil d'avoir fait erreur face à un étranger. L'ancien policier les remercia chaleureusement, heureux de revoir enfin la maison. Alicia le prit par la taille et posa sa tête sur son épaule. Ils regardèrent s'éloigner les motos qui firent un départ pétaradant.

Ensuite, tout se fit dans le silence de la chambre. Christian eut une étonnante impression au moment où il enfouissait ses mains dans la chevelure bouclée d'Alicia pour lui soutenir la tête. Dans le baiser, les yeux fermés, il vit les montagnes encerclant Santiago. Du haut des airs, il parcourait la couronne qui encerclait la ville. Il ressentait l'éblouissement de la lumière sur les flancs gris des parois rocheuses. Il continua d'aspirer et de fouiller la bouche de son amante. Chaque baiser le propulsait au-dessus de la ville, dans une espèce de voyage onirique de reconnaissance. Chacune de ses caresses faisait lever une nouvelle image. La fougueuse jeune femme inversa ensuite les rôles. Elle couvrit Lemieux de son corps, l'embrassant à pleine bouche tout en faisant glisser son sexe humide sur le sien. Christian se retrouva alors allongé dans une barque. Il sentit que l'embarcation quittait un rivage de sable et qu'elle flottait doucement sur un plan d'eau parfaitement calme. Il savait qu'Alicia guidait le petit bateau vers l'autre rive du lac, et qu'il accosterait là en territoire inconnu. Alicia glissa le sexe de Lemieux en elle, sans même le toucher avec ses mains. L'image que vit Christian fut alors fulgurante. Il faisait l'amour avec une déesse, couché sur une table de pierre dans une chapelle secrète. Des feux rougeoyants illuminaient les murs. Était-il dans une cellule d'esclave ? Dans un lieu de culte de la *santeria* ? Dans la vision de l'enquêteur, les murs se mirent à briller comme de la peau d'ébène mouillée. Dans la jouissance, Alicia laissa échapper un feulement rauque de bête blessée.

Une heure plus tard, allongé sur le lit, Lemieux prêtait l'oreille au bruit des gouttes d'eau qui s'échappaient de la pomme de douche et qui tombaient sur le carrelage de la salle de bains. Le son régulier et monotone semblait marquer le temps. Christian tenait Alicia dans ses bras. Les boucles des cheveux de son amante, humidifiées par la chaleur de la nuit et les effluves de l'amour, collaient au front de la jeune femme somnolente. L'ancien policier était maintenant habitué de l'entendre parler dans un demi-sommeil. Elle lançait alors des phrases sibyllines. Son corps s'agitait de façon désordonnée. Il espérait qu'elle parle plus clairement et qu'elle lui révèle ses secrets. Lui-même se sentait un peu coupable de l'épier. Et d'attendre, comme le spécialiste de l'écoute électronique qu'il était depuis près de trente ans. Il la guettait comme une suspecte. Alicia se lovait près de lui, tel un animal en sécurité dans son terrier. Elle émergea lentement du sommeil et lui sourit, en lui disant doucement :

— Veux-tu savoir quelque chose ? Jamais personne ne m'a fait cela. Je n'ai jamais connu ça.

— Je ne crois pas que tu parles de ma façon de te faire l'amour.

Dans les bras d'Alicia, Christian se sentait vraiment comme un débutant. Il était désemparé devant tant de beauté. Il perdait tout contrôle. Il savait pourtant qu'elle ne lui avait pas dit cela pour le déprécier.

— Personne ne m'a jamais touchée comme tu l'as fait.

— Qu'est-ce que tu veux dire ?

— Personne ne m'a endormie avec ses mains comme tu l'as fait, jamais. C'est la première fois que je m'abandonne ainsi. D'habitude, j'ai peur. De la présence de l'autre. De l'intimité après l'amour.

Alicia faisait référence au massage que Lemieux lui avait fait. Lui-même ignorait qu'il détenait un tel talent. Il venait plutôt de le découvrir. Après l'amour, la jeune femme s'était couchée sur le ventre et Christian s'était mis à la caresser le plus doucement possible. Il avait trouvé des points de tension au dos et aux jambes. Ses mains agissaient comme de véritables détecteurs. Il ne saurait dire pourquoi ni comment elle s'était endormie sous ses mains.

Lemieux prêta l'oreille aux bruits extérieurs. Les chiens de garde s'interpellaient encore en cette nuit humide. Il s'était peu à peu habitué aux fréquents concerts d'aboiements qui interrompaient son sommeil. Mais contrairement aux jours précédents, les cabots semblaient très proches de la maison et plus menaçants encore. À travers les persiennes des fenêtres, l'enquêteur pouvait distinguer deux bêtes, juchées sur le toit de la maison voisine, qui arpentaient leur territoire de façon rapide et nerveuse. Parfois, elles tombaient à l'arrêt. Elles semblaient épier Lemieux et le fixer à travers les fenêtres de la maison. Les molosses jappaient, poussaient des sons secs et brefs, la gueule pointée vers la terrasse. Lemieux frissonna. Comme si elle n'entendait rien, Alicia lui demanda :

— Et toi, comment c'était ?

— Je ne pensais jamais voir des images aussi précises en faisant l'amour.

— Qu'est-ce que tu as vu ?

— La couronne des montagnes autour de la ville. Ensuite, tu m'amenais en barque sur un lac. Nous avons fait l'amour sur une table de pierre. J'étais comme sorti de mon corps, tout en étant avec toi.

— *¡Yesá! ¡Yesá!*
— Qu'est-ce que tu dis ?
— Merci. Merci à Ochún.

Chapitre 9

« Sentir, que es un soplo la vida
Que veinte años no es nada
Que febril la mirada
Errante en la sombras
Te busca y te nombra »
CARLOS GARDEL, *Volver*

(Sentir que la vie n'est qu'un souffle
Que vingt ans ne signifient rien
Et que le regard fébrile
Errant dans la nuit
Je te cherche et je t'appelle)

Le café se déversait en gargouillant dans la petite cafetière italienne. En ce lundi matin, les pensées se bousculaient dans la tête de Lemieux, comme les filets de liquide noir crevé de bulles d'air qui se déversaient dans la carafe. Ce n'était pas à cause des récents accidents ni de leur étrange coïncidence. Ce n'était pas parce que son enquête n'avançait pas. C'était à cause d'Alicia. Au même moment, celle-ci s'élança pour retirer le café du feu et l'empêcher de bouillir. Ses cheveux bouclés, ses seins et ses fesses dansèrent devant les yeux de Lemieux. Comme d'habitude, elle ne portait qu'un mince slip et un t-shirt. Christian nota encore une fois la souplesse et la précision de ses mouvements.

Il sentait monter en lui ce désir d'intimité qui va bien au-delà de l'attirance physique, cet élan qui cherche à la fois à toucher au cœur de l'autre et à en ressentir tout le rayonnement. Ce sentiment, il le redoutait autant qu'il rêvait de l'éprouver de nouveau depuis longtemps. Le fait qu'elle était d'une autre race et d'une autre culture, qu'elle parlait une autre langue et qu'elle pratiquait une étrange religion, rien de cela ne le préoccupait. C'était une source de découverte constante. Mais Lemieux avait trop connu le pernicieux mécanisme du rapport amoureux. Les attentes se muent lentement en exigences, elles se transforment ensuite en reproches, dans le silence ou dans l'absence, et elles éclatent finalement en rejet de l'autre.

Alicia revenait vers lui, avec deux tasses de café noir fortement sucré. Devant l'air soucieux de son copain, croyant à tort qu'il était préoccupé par son enquête, elle déclara :

— Je crois que j'ai une piste à suivre pour faire avancer ta recherche. Tu sais, j'ai quand même appris certaines choses, en posant des questions à la plage. Ce soir, je t'invite à un spectacle.

— Où irons-nous ?

— À l'hôtel El Balcon del Caribe, situé près de l'aéroport. Je veux te faire rencontrer quelqu'un. En plus de présenter un spectacle, l'hôtel fait restaurant et discothèque.

— Et c'est reparti pour la salsa !

Lemieux ne pouvait s'empêcher de penser qu'Alicia trouvait toujours un nouveau moyen de faire la fête.

— Non, c'est plus sérieux que tu crois. Et, en retour, je veux te demander une seule chose.

— Dis toujours…

— Je vais faire tout ce que je peux pour t'aider. Mais je veux savoir ce que tu ressens pour moi. Ce que je fais, moi, je le fais d'abord pour toi. Pas pour l'argent.

— Moi, depuis une dizaine d'années, ma vie est en morceaux. Tout est éclaté. J'ai même suivi une psychothérapie.

Je n'ai jamais réussi à avoir une belle relation. J'ai toujours pensé que c'était à cause des différences. Avec toi, pourtant, ce ne sont pas les différences qui manquent. Mais je sens qu'il pourrait y avoir... un attachement. Est-ce que ça répond à ta question?

— Pas vraiment. Tu es encore en train de ruminer ton passé. Je veux que tu parles avec ton cœur, au présent.

— Tu veux savoir quels sont mes sentiments... Disons que je suis en train de m'ouvrir. Ça vient me chercher loin.

— Je veux que tu me promettes de revenir à Cuba. Je veux que tu vives près de moi. En fait, je veux que tu viennes vivre à Cuba, avec moi, quand tu veux et aussi longtemps que tu le veux. Moi, je veux continuer avec toi. C'est clair?

Lemieux fut touché par le nouvel aveu d'Alicia. Elle poursuivit:

— Tu pourrais revenir cette année, en décembre? Pourquoi pas? Au jour de l'An, tout le monde est en fête. Les parents viennent de toutes les régions, certains d'aussi loin que La Havane. Il y a toujours des gens à la maison, des amis et des voisins. Je veux que tu les rencontres tous.

Lemieux regardait Alicia s'animer, amusé et séduit.

— On ira acheter un petit cochon. Tu verras, il y a des cochons vivants partout, attachés à des arbres ou enfermés dans des enclos improvisés ou encore dans des caisses de camions. Tout le monde fait ensuite boucherie dans sa cour. Et il y a des étals à tous les coins de rue. Chacun veut son morceau de porc, car c'est la tradition. Pour une fois, à Cuba, il y a de l'abondance. Je veux que tu sois là.

Sans répondre, Lemieux se leva pour refaire le plein de sa minuscule tasse de café noir.

— On ira ensuite choisir les légumes. De la salade brillante, des oignons verts, de jeunes concombres, du chou craquant. Et du riz sans caillou. Et des légumes-racines très fermes. En fait, on pourra tout acheter, grâce à toi, parce que si tu n'es pas là… ce sera plus difficile. On achètera aussi de la bière, beaucoup de bière, qu'on mettra à rafraîchir dans le frigo d'un voisin.

Lemieux contemplait Alicia, complètement perdue dans son rêve de festin. Encore une fois, la faim dominait. Lemieux n'avait jamais souffert de la faim. Sa mère québécoise et son père polonais étaient une paire de gourmands carnivores. La goulasch et le ragoût de boulettes avaient fait un savoureux et copieux mariage.

— Dis oui, mon amour.

Leur conversation fut interrompue par l'arrivée de Jorge qui venait aux nouvelles et qui cherchait à occuper son temps libre. Alicia s'éclipsa et revint vêtue d'un simple maillot de bain par-dessus lequel elle avait enfilé un short de jeans. Elle désirait manger une bouchée à l'extérieur. Après avoir pris place à bord de la superbe Buick, Alicia donna des instructions à Jorge. Lemieux ne comprit rien à cause du tintamarre de la salsa de Los Van Van. Ils partirent en direction de la banlieue de Santiago et ils pénétrèrent dans un quartier qui semblait avoir une vocation agricole. Partout, selon un quadrillage bien ordonné, s'étalaient des jardins et des plantations. Certains noms de rues étaient français, ce qui rappela à Christian l'influence des planteurs français à Santiago.

Cette impression se confirma quand l'auto s'arrêta devant une vaste habitation de planteur, maison de style créole transformée en auberge. Située sur une petite rue, la résidence était enfouie sous une riche végétation. À l'arrière, il y avait un patio avec piscine et un vaste jardin planté de caféiers. Alicia fut déçue de voir le bassin d'eau transformé en marécage verdâtre. Elle s'affala sur une chaise de plage et cria pour demander des sandwiches, de la bière et de la musique. Un homme s'approcha, se dirigea vers un petit cabanon qui faisait office de bar. Il lança le dernier disque d'Eliades Ochoa. Quand l'homme revint avec les plats, les trois amis prirent place à l'ombre sous un parasol. Pour leur faire plaisir, le serveur amena l'un des haut-parleurs directement face à leur table. Lemieux se demandait pourquoi Alicia l'avait amené en cet endroit. Quand il vit la jeune Cubaine attirer le serveur à l'écart et lui parler longuement, il comprit qu'elle allait aux renseignements. Elle revint en secouant la tête d'un geste de négation.

Après le petit déjeuner, l'enquêteur demanda qu'on le conduise à l'école de l'avenue Garzon. Il espérait y trouver Donalita pour s'informer de la reprise des cours. Il fit attendre Alicia et Jorge dans la voiture. Il monta à l'étage. Donalita était effectivement dans les bureaux, le nez dans des papiers.

— Bonjour, monsieur Lemieux. Vous n'êtes pas avec votre nouvelle accompagnatrice ?

— Comment savez-vous cela ?

Donalita fulminait. Ses yeux noirs et son air buté, ainsi que sa posture droite et sévère semblaient défier Lemieux ou lui donner un avertissement.

— On en jase, on en jase. En fait, je l'ai su par votre logeuse, lors de l'incinération de Mercedes. Vous n'avez pas été invité parce que cela s'est fait dans la stricte intimité. Cependant, j'aimerais que vous assistiez à une messe de funérailles qui aura lieu mardi soir, dans la maison de Mercedes. C'est une cérémonie de la *santeria* à sa mémoire.

— J'y serai. Est-ce que je dois apporter quelque chose ?

— Offrez de l'argent, du rhum ou des cigares aux

prêtresses. Ce sera apprécié. Il faut aussi que vous preniez un bain ou une douche avant la cérémonie, c'est impératif. C'est la coutume. Je viendrai vous chercher vers sept heures du soir.

— Concernant l'école, qu'est-ce qui se passe ?

— L'école sera fermée jusqu'à nouvel ordre. Nous reprendrons peut-être lundi prochain, dans une semaine. D'ici là, vous pouvez continuer à vous familiariser avec Cuba, en compagnie de votre *chica*.

Lemieux préféra battre en retraite.

Dans l'auto, Alicia accueillit avec joie la nouvelle de la fermeture prolongée de l'école. Elle proposa aussitôt de faire une balade à la marina de Santiago où, évidemment, l'un de ses copains tenait le bar. Omara le fréquentait peut-être, disait-elle. Pour s'y rendre, ils devaient traverser toute la ville. Christian calculait mentalement le coût de l'essence et les frais de Jorge.

Sur la vaste esplanade devant le bâtiment de la marina, deux enfants jouaient avec une planche à roulettes de leur invention. Avec un plaisir évident, Alicia fit un essai sur la planche. Les gamins la poussèrent à toute vitesse sous le soleil de plomb. Christian les laissa et se dirigea vers les voiliers amarrés. À peine eut-il fait quelques pas sur le quai qu'un policier surgit du bâtiment pour lui interdire l'accès aux bateaux. L'enquêteur rebroussa chemin à regret et retrouva Jorge et Alicia au bar, dans l'atmosphère glaciale de la climatisation poussée à fond. Le serveur, en veston et cravate, versa les bières. Après que Lemieux eut payé et laissé un généreux pourboire, Alicia demanda à parler au serveur en tête-à-tête. L'effet combiné de la bière glacée et de la climatisation les força à quitter les lieux en grelottant. Ils se retrouvèrent en plein soleil. La jeune Cubaine fit un autre signe négatif en direction de Lemieux et elle demanda à Jorge de les conduire à la plage.

De la marina, ils étaient tout près de la forteresse El Morro. Ils roulèrent en sa direction sur une petite route longeant la mer. Tout près de la fortification, en contrebas, une petite anse s'ouvrait sur la baie de Santiago. Au loin, les monts arrondis de la sierra Maestra encerclaient la baie. Dans ce cadre charmant, un groupe d'écoliers s'ébattaient entourés de surveillants, sur une petite plage, dans l'eau calme de la baie. Une maison moderne de deux étages abritait un restaurant fermé pour rénovation. Entre le commerce et la plage, sous une immense tente arborant le symbole de la marque de bière Cristal, une buvette accueillait les baigneurs. Le manège recommença à cet endroit : bière, pourboire et discussion entre Alicia et un serveur. La chaleur était de nouveau accablante. Jorge se tenait à l'écart et discutait de bagnole avec le propriétaire d'une Chevrolet Bel Air 1955, de couleur bleue. Lemieux commençait à avoir la migraine par cette chaleur. Il portait un foulard rouge sur la tête qui lui donnait l'aspect d'un pirate et qui attirait ainsi les regards de tous.

Quand Alicia revint de son conciliabule, il comprit que c'était encore zéro. Mais Lemieux était satisfait de voir Alicia s'activer. Elle ne lui révéla rien de cette dernière discussion, mais elle affirma qu'on viendrait leur servir de la nourriture. Quelques minutes plus tard, il vit un homme dresser une nappe sous un arbre, près d'un mur de pierre, bien en retrait de la maison et de la plage. Il revint avec un plateau et déposa une salade de tomates et d'oignons, ainsi que deux assiettes de poulet accompagné de riz aux fèves noires. Un gamin apporta une couverture pour qu'ils puissent s'asseoir sur le sol. Le repas provenait du restaurant, mais il ne pouvait y être servi. L'homme avait opté pour la formule déjeuner sur l'herbe pour amoureux seulement. Lemieux interrogea Alicia.

— Qu'est-ce que tu as appris ce matin ?

— À la maison créole, le serveur la connaît. Elle y venait parfois avec un touriste, car ils font hôtel. Mais, il n'a pas eu de nouvelles d'elle depuis longtemps. Ailleurs, à la marina ou ici, rien.

— À la marina, c'est trop chic. C'est un endroit pour la grosse gomme, commenta Christian. Mais ici ?

— On l'aurait vue passer en coup de vent, il y a un certain temps, mais rien de précis. Avec qui ? Quand ? Personne ne sait. Mais c'est sûrement un des endroits qu'elle fréquentait.

— Comment sais-tu cela ?

— Facile. Il y a plein de touristes, juste en haut, dit-elle en désignant la forteresse. Un bon endroit pour la pêche, si tu vois ce que je veux dire.

Lemieux leva les yeux. D'où il était, il pouvait distinguer un pan des murs du château et des autobus de touristes stationnés. Un autre monde semblait vivre en hauteur avec ces cars et ces taxis climatisés emportant les groupes de touristes fortunés. Grâce à Alicia, il commençait à voir les événements de son point de vue. Seul, il n'aurait jamais pu venir ici et poser la moindre question.

Le retour de Jorge mit fin à ses réflexions. Celui-ci annonça que la sortie de ce soir se ferait en groupe. Il venait de rencontrer l'un de ses meilleurs amis, représentant de la bière Cristal à Santiago. Celui-ci désirait se joindre à eux avec sa copine. Jorge inviterait aussi une amie. À six, ils prendraient la luxueuse berline du copain, une Honda flambant neuve, plutôt que la vieille Buick. Lemieux et Alicia n'avaient pas d'objection. De plus, la présence du représentant Cristal leur permettrait d'avoir une bonne place au spectacle. Il était trois heures quand ils quittèrent la plage écrasée par le soleil. Alicia n'avait même pas sauté à l'eau.

À la maison, Lemieux se paya une sieste ronflante, malgré les coups de coude et les pincements de nez d'Alicia. Il n'entendit rien des bruits des voitures et des appels des crieurs ambulants, des bruits de cuisine et des cris d'enfant. La jeune Cubaine le regarda dormir, incapable d'en faire autant. Dans son rêve, Christian était dans un avion qui effectuait des manœuvres erratiques, piquant du nez pour ensuite se redresser. Une femme, assise derrière lui, secouait furieusement son siège et lui commandait de le redresser. Mais il basculait sans qu'il puisse rien y faire. Cette femme était étrangère et hostile. L'appareil faisait des manœuvres de plus en plus périlleuses qui secouaient la carlingue. L'avion cherchait à atterrir d'urgence. Une autre femme permit à Lemieux de changer de fauteuil. Sans la voir, il sentait qu'elle était amicale. Il se retrouva seul dans la carlingue vide. Il occupait le seul siège qui restait, tourné face aux hublots. Il constata que l'avion était au sol.

À son réveil, Lemieux demanda exceptionnellement à Alicia de lui faire du café. Quelques heures plus tard, il était encore sous l'influence de son rêve quand il monta à bord de la Honda blanche du représentant de la bière Cristal. La voiture fonça à toute allure dans la nuit noire, filant sur l'autoroute reliant Santiago à l'aéroport, à grands appels de phare et de coups de klaxon. Les rares piétons se rangeaient sur l'accotement au passage du bolide. Le représentant conduisait sans desserrer les dents, faisant crier les pneus dans les courbes serrées. Il dépassa une charrette tirée par un cheval à cent cinquante kilomètres à l'heure sur cette route mal pavée et non éclairée. Lemieux retenait son souffle, en essayant plutôt d'écouter la vieille chanson des Bee Gees, *Staying Alive*, qui jouait ironiquement sur l'autoradio dernier cri.

En entrant dans le hall de l'hôtel, le représentant salua des connaissances à gauche et à droite, et guida le groupe comme un troupeau de moutons. Lemieux pestait intérieurement contre le comportement macho du vendeur de bière. Il retrouvait son réflexe de méfiance devant les gens de pouvoir, ceux de l'industrie comme ceux de la politique. Christian prit place le plus loin possible de l'homme. Tout au long de la soirée, il ne lui adressa pas beaucoup la parole, préférant garder ses distances. De toute façon, le vendeur de bière, trop imbu de lui-même, ne semblait pas s'intéresser à l'enquêteur.

La salle de spectacle était meublée de longues tables pouvant accueillir une dizaine de personnes. La foule était composée de nombreux Cubains, et Lemieux était l'un des rares touristes dans la salle. Christian croyait assister à un spectacle de music-hall typique, avec plumes, paillettes et costumes osés, conçu pour les touristes nostalgiques du Cuba sous Batista. Il fut donc surpris de voir entrer en scène des musiciens traditionnels, dont un imposant groupe de percussionnistes, et une troupe de danseurs de ballet folklorique.

Alicia le mit sur la piste dès le premier tableau.

— C'est un spectacle qui présente les différents dieux de la *santeria*. Tu vas voir apparaître chacun de nos saints, selon leur importance. L'ordre est très important.

Lemieux comprit alors l'une des raisons de cette sortie. Alicia voulait lui donner une autre tranche de son éducation religieuse en *santeria*.

— Le premier tableau, c'est Elegguá. C'est mon *orisha*.

Le personnage qui fit son entrée était un enfant de moins de dix ans ou, du moins, un danseur de petite taille. Lemieux relia la scène aux jeux d'Alicia avec les enfants, ce matin même, à la marina. Elegguá entra en scène en sautillant, entouré de danseurs vêtus comme lui de rouge et de noir, certains portant des jouets. Le dieu enfant tressautait plutôt qu'il ne dansait, brandissant une branche ou un bâton de marche. Il s'en servait pour faucher des herbes imaginaires devant lui.

— C'est lui qui ouvre et ferme les chemins de la vie, lui souffla Alicia. C'est pourquoi il est le premier du spectacle.

Lemieux était encore sous le choc du paradoxe. Dans la *santeria*, le dieu qui a les clefs du destin, qui personnifie l'existence et la mort, est un petit gamin joueur de tours.

La danse d'Elegguá le portait d'un bord à l'autre de la scène. Il disparaissait à l'arrière des rideaux pour réapparaître par une trappe, comme un diablotin. L'enfant termina sa danse à l'avant-scène en se moquant du public par des quolibets et en menaçant les spectateurs de sa branche d'arbre, le tout accompagné d'un déchaînement de percussions.

— Tu vas maintenant voir trois autres dieux qui forment, après Elegguá, le groupe des premiers guerriers de la *santeria*.

À travers la danse, le chant et les percussions, Lemieux voyait s'ouvrir devant lui un grand livre d'images religieuses. Le tableau suivant présentait Oggún, le dieu du travail, de l'industrie et de la métallurgie, se livrant à une danse effrénée avec une machette, brusque et violente, presque bestiale. Le numéro suivant mettait en scène Ochosi, armé d'un arc et de flèches, portant une besace en peau de tigre, dans une chorégraphie qui représentait une scène de chasse où les danseurs étaient les proies. Le quatrième tableau contrastait avec les précédents pas sa douceur. On y voyait Obatalà, dieu de la paix et de l'harmonie, tourbillonner en une suite de mouvements doux et fluides.

— Le prochain groupe est celui des femmes et de Changó. La première, c'est Yemayà, la mère de la vie et déesse des océans, murmura Alicia.

Les percussions se firent encore très langoureuses pour l'entrée de Yemayà. Dans un décor et un éclairage bleutés, et vêtue de la même couleur, la déesse commença à danser, les pans de sa large robe ondoyant comme des vagues. Puis, elle mima les gestes de la pêche par des plongeons de la tête et des mains, puisant poissons et coquillages au fond de la mer. Les percussions s'animèrent progressivement, car la déesse Yemayà imitait maintenant l'eau qui roule et qui se gonfle. Le tableau se termina par le fracas de la tempête, dans un crescendo de percussions, où tous les danseurs étaient en scène, tournant sur eux-mêmes et faisant onduler leurs costumes comme des vagues tourmentées.

Lemieux reconnut immédiatement le personnage du tableau suivant quand il vit apparaître une danseuse noire d'une grande beauté, presque nue sous des voiles transparents : Ochún, la déesse de l'amour et de la féminité. Elle apparut, seule, et fit miroiter longuement ses charmes sur un rythme de rumba. Puis, un groupe d'hommes se forma autour d'elle. Un à un, ils tentaient de la séduire par des pas acrobatiques. Ochún les fuyait, se faisait rattraper, semblait succomber au charme d'un danseur pour se retrouver dans les bras d'un autre. Cette danse amoureuse fut soudain interrompue par l'entrée fracassante de l'amant de la déesse, incarnation de la virilité même.

— C'est Changó! dit Alicia.

Dans un déluge d'effets lumineux, le dieu du feu et de la foudre apparut armé d'une hache à double tranchant. Il dansait avec des mouvements violents du pelvis, éliminant les autres hommes avec son arme. Des danseuses entrèrent ensuite en scène dans une débauche de mouvements de hanches. Leurs costumes réduits et leur gestuelle érotique évoquaient l'accouplement sauvage sous le feu des éclairs, comme si toutes voulaient se donner au dieu.

Le tableau suivant s'enchaîna aussi sans transition, comme s'il s'agissait d'une seule et même histoire. Une troisième déesse apparut, Oya Ansa, une guerrière portant une robe à neuf couleurs. Elle faisait tournoyer une longue queue de cheval et s'en servait pour écarter toutes ses rivales. Toutes les danseuses éliminées, elle resta seule avec Changó. Ils se livrèrent à une danse qui ressemblait à une violente bataille, lui brandissant sa hache, et elle, agitant sa chevelure, sur un rythme de rumba qui allait en s'accélérant jusqu'à devenir endiablé.

Lemieux était étonné de la violence de tous les tableaux. Même celui de la déesse mère des océans s'était terminé de façon frénétique. Et celui de l'enfant dieu s'était conclu par un affrontement. Depuis le début du spectacle, la succession des rythmes et des mélopées le plongeait en pleine Afrique. Les danses de groupe avaient un caractère tribal. Les danses en solo ou en couple tenaient de la lutte animale. Le jeu des congas et des éclairages, et les mouvements des danseurs se déchaînaient brutalement à la fin de chaque scène.

Le dernier tableau fut des plus surprenants. Alicia ne dit pas un mot, mais lui ordonna d'un geste de ne pas quitter la scène des yeux. Un vieillard vêtu de lambeaux avançait en titubant, aidé d'un long bâton. Lemieux jeta un coup d'œil rapide vers Alicia qui fixait obstinément la scène. Ce ne fut pas une danse, mais plutôt une apparition. Le personnage, d'une grande laideur, vint s'asseoir en boitillant au centre de la scène. Il ne cessait de chasser des mouches qui semblaient l'incommoder. Il se grattait furieusement, comme s'il avait été piqué par les insectes et chantait une mélopée très nasale. Deux danseurs se couchèrent comme des chiens à ses pieds, s'agrippant à ses jambes. Tous les danseurs l'entourèrent et s'allongèrent devant lui. Ils se tordaient sur la scène au rythme des tambours au son très grave. Ils imploraient cet étrange dieu dans un tableau apocalyptique de corps agités et de bras tendus.

Christian en resta sidéré. Rien, dans ce spectacle, et surtout dans le dernier tableau, ne correspondait au cliché du spectacle folklorique, aux images bon enfant. Les nombreuses scènes de violence et la finale empreinte de douleur et de souffrance étaient proprement stupéfiantes. Les gens, debout en train d'applaudir la troupe, semblaient avoir apprécié le spectacle au plus haut point. Debout près d'Alicia, Lemieux tentait d'organiser ses impressions. Des guerriers et des séductrices, voilà bien comment il percevait les Cubains et les Cubaines. La présence des armes, des haches et des faux ne le surprenait pas. Tout comme la figure d'une déesse mère liée à l'océan ou même, à la limite, l'existence d'un dieu enfant qui préside au destin. Tout cela correspondait à sa connaissance de la pensée magique. Mais comment interpréter l'image de ce vieillard? Il se tourna vers Alicia, alors que les lumières revenaient dans la salle.

— Veux-tu bien m'expliquer qui était le dernier personnage?

— Babalu Ayé, ou *san* Lazaro.

— Saint Lazare? Mais qu'est-ce qu'il représente?

— C'est le dieu des maladies.

— Est-ce que c'est un dieu guérisseur ?

— Oui et non. Il représente et la guérison, et la maladie.

— Je ne comprends pas.

— Tous les personnages que tu as vus ce soir sont bons et mauvais. Même Ochún qui peut être très menteuse. *San* Lazaro peut guérir ou corrompre. La déesse de l'océan peut nous nourrir ou nous engloutir. Le dieu enfant représente autant la naissance que la mort. Changó est à la fois un homme et une femme. Mais ça, c'est plus difficile à expliquer…

Lemieux commençait à comprendre que chaque *orisha* de la *santeria* incarne simultanément une valeur et son contraire. Il poursuivit :

— Et si je rencontre un Babalu Ayé, un *san* Lazaro ?

— Ce sera une personne qui peut guérir. Ou ce sera quelqu'un qui vit avec une lèpre intérieure.

— La lèpre ?

Lemieux avait une vague idée de cette maladie qui ronge les chairs. L'image le fit frissonner.

— L'histoire de *san* Lazaro est assez compliquée. Il a été expulsé du pays Yoruba et frappé par la lèpre à cause de sa mauvaise conduite. Puis, il a été réadmis, à la condition de toujours faire le bien et d'agir comme guérisseur.

— Il peut donc représenter le bien ou le mal, n'est-ce pas ?

— Oui. Bon ou mauvais. Tu le reconnaîtras aux chiens couchés à ses pieds. Tu as vu les chiens qui léchaient les plaies du saint.

Le spectacle fit place à la discothèque. Le public envahit la scène pour y danser au milieu des décors. Alicia entraîna Lemieux vers la piste, mais elle déchanta rapidement devant la gaucherie habituelle de son cavalier. Il n'avait absolument pas le sens du rythme. Quand ils furent revenus à la table, après une seule chanson, Christian s'aperçut qu'il était entouré des jeunes danseurs de la troupe. De superbes femmes, à peine démaquillées et visiblement fatiguées, savouraient une bière en fumant une cigarette. Certaines se recoiffaient nonchalamment. L'ancien policier observait les jeunes beautés du coin de l'œil. Alicia lui donna une légère tape derrière la tête.

Elle le pria d'attendre un instant. Elle le quitta pour aller retrouver le groupe de danseurs. Elle revint en compagnie d'un jeune homme, mince et même gracile, à la démarche efféminée, qui portait encore d'évidentes traces de maquillage. Il avait gardé du rouge sur ses lèvres. Ses yeux étaient soulignés de noir et la peau de son visage était étrangement blanchâtre, malgré ses traits de mulâtre. Lemieux eut un geste de recul devant la main fragile qui lui était tendue. Le visage du jeune danseur s'anima d'un sourire narquois, car il avait perçu la réaction de Christian. Il ne cessait de se dandiner d'une façon provocante, en agitant la main d'une façon toute féminine. Il prit Alicia par le cou et il l'embrassa goulûment. Lemieux leva les yeux au ciel d'un air de dépit. Quel numéro, pensa-t-il. Il prit Alicia à l'écart pendant que l'homosexuel retournait en riant vers le groupe de danseurs qui observaient la scène.

— Mais qu'est-ce que c'est que ce *pédé*?

— C'est lui, notre piste. Il connaît Omara. C'est même un de ses amis, selon ce que je sais. J'aimerais que tu le rencontres.

— Ouais… drôle d'oiseau.

— C'est le temps de mettre tes préjugés de côté. Tu sais, les homosexuels sont souvent les seuls vrais amis des prostituées. D'une part, les filles se détestent entre elles. D'autre part, les hommes, nos clients, nous méprisent. Entre les deux, il y a les homosexuels. Ce sont les seuls qui ne nous regardent pas comme des proies, les seules personnes à qui faire confiance. Ils sont sensibles et cultivés. Ils sont souvent nos meilleurs confidents. Tu dois lui parler.

— Je vais suivre ton chemin, dit Lemieux.

Alicia fit un geste pour rappeler le danseur. Celui-ci s'avança de son pas de danseur étoile, sous le regard un peu méfiant du détective. Le jeune danseur, du nom de Michaël, fit face à l'enquêteur. Les deux se regardèrent en chiens de faïence pendant un moment. Quand Alicia commença à parler d'Omara à Michaël, dès la première mention de son nom, le visage du jeune homme s'embruma. Lemieux vit même perler des larmes aux yeux de l'homme, ce qui troubla le détective. Michaël s'adressa à lui :

— Viens danser avec moi.

— Là, je pense que tu exagères…

— C'est le seul moyen pour parler sans être entendu, lui souffla-t-il.

Christian regarda Alicia d'un air suppliant, l'air de dire, « sors-moi de cette impasse ». Alicia lui commanda plutôt d'aller sur la piste d'un geste suave de la main. Lemieux se leva, résigné, et suivit le jeune homme. Il enlaça Lemieux et tenta de le faire balancer au son de la musique.

— Je connais un endroit où vous pourrez peut-être en apprendre plus sur Omara, lui dit Michaël à l'oreille. Mais ce n'est pas un endroit très recommandable.

— Est-ce que je peux y aller seul ?

— Non, évidemment, c'est trop risqué.

— Est-ce que tu peux m'accompagner ?

— Oui, mais, il vous faudra jouer le jeu.

— C'est-à-dire ?

— Il faudra faire comme si nous étions des amants. Comme si vous étiez un touriste homosexuel. Et que vous jouiez bien votre rôle.

Lemieux faillit tout lâcher à cet instant même. Au même moment, Michaël lui planta un baiser sur la joue.

— Danser avec toi. Faire l'*homo*. Veux-tu que je porte un tutu avec ça ?

— Il s'agit de jouer la comédie. C'est tout. Autrement, vous ne pourrez pas entrer. Vous devez faire comme si nous sortions ensemble. Me payer à boire et me flirter.

Tout en parlant, Michaël se frottait lascivement à Lemieux. Celui-ci crut voir Alicia qui riait à la table.

— Mais toi, que sais-tu d'Omara ?

— Je crois qu'elle a de gros problèmes.

— Mais tu l'as vue ? Je peux la voir ?

— Tu en sauras plus si tu viens avec moi après-demain, mercredi soir, au bar El Ranchon. Alicia t'indiquera c'est où. C'est assez pour ce soir. On nous a assez vus ensemble.

Lemieux s'interrogeait encore sur ce *on* mystérieux, quand il revint vers Alicia. Jorge et le représentant le regardaient d'un drôle d'air. La danse des deux hommes avait produit un certain effet. Michaël le quitta, en lui rappelant haut et fort qu'ils avaient bientôt rendez-vous, ce qui tira un sourire crispé à l'ancien policier. Alicia commanda de la bière, sachant bien que Christian avait besoin de se remettre de ses émotions.

Le retour s'effectua à la même vitesse affolante qu'à l'aller. Le représentant invita ensuite le groupe à prendre une bouchée. Ils s'attablèrent à une table de pique-nique en plein air, loin d'un petit kiosque qui servait de la bière et des sandwichs. Lemieux prêta l'oreille à la conversation. Il avait de la difficulté à saisir ces échanges croisés entre quatre ou cinq personnes, à cause du débit très rapide. Il entendit parler de contrôles incessants. À Cuba, la discussion tourne invariablement autour de ce qui est interdit, des formalités, des règlements et des privations qui rendent la vie quotidienne toujours plus difficile. Alicia, comme les autres, avait son anecdote à raconter. Le rationnement alimentaire, les files dans les magasins, les tracasseries pour obtenir le moindre papier, l'impossibilité de faire du commerce, tout y passa. Lemieux était tout de même surpris que les gens puissent en parler aussi librement. Les jeunes adolescents qui s'amusaient sur le seul appareil de jeu vidéo, près du kiosque, n'eurent pas la même chance. Quand ils bousculèrent un peu la machine, des policiers apparurent, envahirent la place et les pourchassèrent sur le terrain. Deux jeunes furent plaqués au sol et embarqués avec une rudesse excessive. À la table, tous regardaient la scène sans intervenir. Le représentant affirma à l'endroit de Lemieux que c'était ainsi que les choses se passent à Cuba. C'était la première fois qu'il s'adressait à l'étranger.

De retour dans leur chambre, Alicia l'invita au rituel amoureux. Avec une sensualité dénuée de toute provocation, elle s'offrit à lui. Il l'avait lentement dévêtue et s'émerveillait de sa beauté. Ils s'allongèrent avec le regard complice de vrais amants. Tous deux avaient décidé de s'isoler du monde entier et de se livrer l'un à l'autre. Ils mêlèrent leurs étreintes et leurs baisers, leurs odeurs et leurs saveurs. Ils explorèrent leurs corps pour se communiquer cette chaleur qui va au-delà du désir et fait naître des images.

Avec sa bouche, Lemieux recouvrit doucement l'oreille d'Alicia et puis l'autre, pour la pénétrer de cet étrange son de vent et d'océan comparable à celui qu'on entend dans un coquillage. Il lécha son cou, en pressant avec ses lèvres pour détendre les muscles de sa partenaire. Il sentit la tête de sa compagne partir à la dérive. Il glissa vers ses seins, en suivant le creux de l'épaule à la naissance de la poitrine. Lentement, il savoura le parfum de la peau de ses seins, effleurant les pointes avec ses lèvres, mouillant les aréoles. Il continua cette lente descente en parcourant son ventre frais, musclé et palpitant. Il descendit tout le long de son corps, le couvrant de baiser. Il caressa longuement l'intérieur de ses cuisses pendant que ses doigts, sans la pénétrer, palpaient les grandes lèvres de son sexe. Il mouilla de salive les poils de son pubis, les lissant doucement avec les lèvres, léchant avec soin son mont de Vénus.

Glissant sa bouche sur le sexe d'Alicia, il écarta ses grandes lèvres avec la langue, ne touchant que le rebord extérieur et découvrant peu à peu l'intérieur rosé, luisant dans la pénombre. Il glissa ensuite ses mains sous le bassin de son amante pour la soulever, les coudes appuyés sur le matelas. Alicia s'offrait en gémissant. Les mains au creux des fesses, Lemieux palpa doucement son anus et le massa délicatement. Il commença alors à la lécher, du périnée au clitoris, sans rudesse, infiniment captivé par son odeur. Elle était de plus en plus brûlante et commençait à presser son sexe contre la bouche de son amant, bougeant la tête, ivre de fatigue et de plaisir.

Lemieux la fouillait maintenant de la langue. Il plongeait en elle pour ensuite l'enduire du miel rendu, donné, pris. En pressant légèrement du plat de la langue, il massa son clitoris, sans le décapuchonner. Alicia naviguait sur son plaisir, la tête dodelinant. Christian allait de son vagin à son clitoris, la humant, l'appelant intérieurement sa déesse noire. Elle répondait en se cabrant encore plus, se faisant toute légère sur ces mains qui lui soutenaient les fesses. Le rose

nacré de l'intérieur de son vagin faisait le plus beau contraste avec le noir luisant de ses grandes lèvres et de ses poils
mouillés. Il la sentit se contracter sous les caresses. Il souffla
sur son sexe comme s'il voulait le sécher. Elle frissonna
longuement.

Lemieux toucha son clitoris encore caché. Sa langue
appuyait sur le délicat bourrelet, ses lèvres le tenaient doucement et sa bouche l'aspirait. Il le dévoila lentement et le
recouvrit avec sa langue. Elle lui tendit une main qu'il serra
fermement. Le corps d'Alicia se contracta. Lemieux entendit le son rauque, le râle profond, la voix africaine de son
amante. Il la pénétra ensuite avec la plus grande douceur,
comme un nageur atteint la rive, plein d'une odeur marine
et salée. Il jouit longuement en elle, la tête enfouie dans son
cou, mêlant le parfum du sexe d'Alicia à celui de ses cheveux
bouclés en sueur. Puis, ils se blottirent l'un contre l'autre.
Elle lui dit: *loco*. Oui, Lemieux était maintenant fou
d'amour pour elle.

L'orage qui suivit laissa les amants transis d'humidité. Ils
écoutèrent, sans dire un mot, la pluie qui tombait avec force.
L'orage dura longtemps, accompagné de fréquentes et
brusques détonations. La tempête semblait unir les amants,
emportant les résistances de Lemieux et soulevant la tendresse d'Alicia. L'esprit de Christian naviguait au-delà de la
récente scène du passage à tabac des jeunes et des images
violentes de la *santeria*. En caressant son amante, il s'était
de nouveau retrouvé en barque, flottant sur le miroir d'un
lac entouré de montagnes. Il savait qu'il était en présence
d'Ochún, aussi appelée la Vierge de la charité. La charité.
Le mot résonnait étrangement. Charité de la douceur, des
émotions et du sentiment amoureux, dans un monde de pri-
vation, d'oppression et de voracité. Charité de la ville de

Santiago, qui abritait son amour, comme dans un écrin, mais qui recelait aussi de lourdes menaces. Charité d'Alicia qui semblait à la fois durable et circonstancielle. Car à Cuba, tout est présent simultanément.

Chapitre 10

« Lo que digo es lo que pienso
Lo que pienso es lo que siento
Canto para Elewa y para Changó
Canto de verdad »
ORISHAS, *Canto para Elewa y Changó*

(Ce que je dis, c'est ce que je pense
Ce que je pense, c'est ce que je ressens
Je chante pour Elegguá et pour Changó
Je chante pour de vrai)

Lemieux essayait d'entendre les conversations aux tables voisines. En ce mardi matin, Alicia et Christian avaient repris leurs quartiers à la terrasse du restaurant *Las Palmas*, face à l'hôtel Santiago. Ils s'étaient endormis au petit matin et avaient peu échangé sur les événements de la veille. Le temps gris leur avait permis de dormir plus longtemps, au grand plaisir de Lemieux. Ils avaient passé la matinée à lézarder au lit, à boire café sur café, tous volets fermés. Assis à une table retirée, ils pouvaient continuer de converser en paix sur la terrasse pratiquement déserte.

— Qu'est-ce que tu penses de Michaël ?, demanda Lemieux.

— C'est un être tourmenté. Il peut être imprévisible. Il doit jouer sur plusieurs tableaux pour survivre. Selon mes renseignements…

— Je me demande comment tu peux établir des contacts sans te faire repérer. On ne t'a pas interpellée une seule fois.

— J'ai déjà rendu des services. Je dois avoir accumulé un

certain crédit. Je préfère ne pas donner d'explications. Je te l'ai dit, je m'arrange avec la police.

— En tout cas, je te remercie de faire ces démarches.

— Dis merci, plutôt, à Elegguá.

— D'accord. Merci au grand dieu des routes et du destin, dit l'enquêteur d'une voix moqueuse.

Les yeux gris vert d'Alicia flambèrent d'une lueur métallique.

— Quand tu ris d'Elegguá, tu te moques de ce qu'il y a de plus important pour moi : ma façon d'être, de vivre, de communier avec la nature. Chaque saint est d'abord le dieu d'un élément. Plus encore, il régit ta façon d'être en contact avec le monde naturel. Elegguá, tu le sais, est le protecteur des sentiers et des portes.

— Ce ne sont pas des éléments naturels.

— Mais si ! C'est le sentier qui te conduit à la nature. C'est la porte qui te fait passer d'un univers à un autre. En prenant un sentier comme en franchissant une porte, tu entres dans le monde.

— Je comprends, je comprends, dit-il pour ne pas envenimer la discussion. Les sentiers et les portes ont toujours été des symboles des passages ou du cours de la vie.

— C'est bien plus que ça. Chaque instant est un sentier et une porte qui ouvre sur des signes. Il y a un enfant qui se lève, qui marche et qui découvre quelque chose en nous. Rappelle-toi le spectacle d'hier.

— Sérieusement, ce que j'ai vu hier m'en a appris beaucoup sur Cuba.

— C'était seulement une représentation. Tu ne sais pas comment ça se passe à l'intérieur quand tu es initié.

— Alors, raconte-moi comment elle s'est passée, ton initiation.

— Ton *orisha*, ton saint, prend possession de toi. Les chants et les tambours appellent le dieu. Tu danses jusqu'à entrer en transe, et le dieu descend en toi. Dans mon cas, Elegguá s'est mis à parler à travers moi, avec sa voix d'enfant. Ici, on dit que j'ai été *montée*. Mais ne va pas penser à une orgie.

Alicia avait perçu ce que Lemieux comprenait par l'expression *être monté*. Elle poursuivit, les yeux toujours aussi brillants :

— Tu changes. Tu te transformes complètement. Tu fais l'expérience d'une autre personnalité ou de nouveaux aspects de ta personnalité. Quand tu reviens à la réalité, tu possèdes les valeurs de ton saint. Que ce soit du bon ou du mauvais côté.

— Est-ce qu'un étranger comme moi pourrait être initié ?

— Tout dépend si tu acceptes de faire l'expérience de ta propre mort.

— Ma mort ! Non, merci !

— Oui, d'une certaine façon, tu meurs quand le dieu entre en toi. Il te saisit. Quand tu reviens à toi, tu as une connaissance intérieure des choses. Celle de ta propre mort. Tu es devenu un autre. C'est assez troublant. Tu es complètement épuisé. Si tu vas à la messe, ce soir, tu comprendras un peu plus.

Christian se souvint qu'il avait rendez-vous en soirée avec Donalita pour la cérémonie funèbre en l'honneur de Mercedes. Il aurait préféré faire autre chose.

— J'aimerais mieux retourner au *paladar* avec toi.

— Franchis la porte de la maison. Ne te tiens pas à l'extérieur. C'est un autre chemin qui s'ouvre.

— Arrête avec tes énigmes.

Alicia esquissa le geste de faucher les verres sur la table.

Cette fois, Lemieux fut plus rapide qu'Alicia et il les retira avant qu'elle ne les frappe.

La Cubaine avisa ensuite un groupe de jeunes sur le trottoir. Elle demanda à Lemieux s'il désirait acheter des disques pour les ramener en souvenir. Sans attendre sa réponse, elle fit un geste vers les vendeurs. L'un d'eux se détacha du groupe. Il dut cependant obtenir l'autorisation du policier de service à l'entrée avant de pouvoir les rejoindre. Alicia fit acheter le dernier disque de Carlos Manuel à Lemieux. Puis, elle lui demanda de la suivre. Elle se dirigea alors vers un vélo triporteur. Ils prirent place sur le siège pour deux, à l'arrière du conducteur. Alicia négocia le prix de la course. Et ils partirent à travers les rues de la ville. En fait, ils la traversèrent de part en part, partant des hauteurs pour se diriger vers le port, en évitant le centre-ville. Lemieux songeait à la faculté d'Alicia d'ouvrir de nouveaux chemins. Dès qu'elle franchissait une porte ou qu'elle entrait dans un lieu, quelque chose se passait. Elle régnait sur son monde par sa façon d'imposer sa présence et de prendre possession de l'endroit.

Après une longue descente, ils parvinrent dans le port, près de la gare ferroviaire. Le triporteur devait maintenant se frayer un chemin parmi les autres vélos, sans compter les charrettes, les autos et les camions. Alicia guidait le conducteur. Ils s'engagèrent dans une rue qui longeait une immense usine. La jeune femme fit remarquer à Lemieux que c'était une brasserie. Elle fit stopper le vélo devant des maisons basses qui faisaient face à l'usine. Elle demanda à Christian de la suivre et entra sans frapper dans l'une des maisons. Elle salua les gens à la ronde et se dirigea vers la cuisine. Elle ouvrit le frigo et saisit deux gros litres de bière dans des bouteilles de plastique. « De la bière de contrebande », s'exclama-t-elle en riant. Lemieux devinait que ces maisons abritaient des ouvriers de la brasserie voisine et qu'Alicia se servait dans leur réserve personnelle. Ils revinrent à bord du vélo.

Elle proposa alors de rendre une visite à la mère d'Omara, qui vivait non loin de là. Quoique Lemieux ait depuis longtemps décidé de tenir Lydia à l'écart de ses recherches, il accepta. Cette visite lui ferait sûrement plaisir. Le vélo parcourut la longue avenue Jesús Menendes qui longe le port. Après quelques intersections, l'enquêteur reconnut la Trocha. La jeune femme donna un dollar au cycliste pour une course qui avait duré plus d'une demi-heure. Sous les regards de tous les voisins, Lemieux, portant les deux bouteilles, traversa le boyau qui menait chez Lydia. Celle-ci regardait la télévision en compagnie de la vieille grand-mère. Après un verre, Lydia leur proposa de faire une promenade. Pour pouvoir parler en paix, pensa l'ancien policier. Ils descendirent la Trocha vers la mer, à deux pâtés de maisons.

Entre la rue Lostejada et la mer, la Trocha s'élargissait et formait un terrain vague. Au centre, les vastes dalles de béton recouvrant l'égout n'étaient même pas recouvertes d'asphalte. À gauche, la place était longée par une rangée de maisons basses. À droite, un mur de blocs de béton fermait la place.

Parvenue à quelques mètres du bord de l'eau, Lydia se tourna vers Lemieux et s'informa du progrès de son enquête.

— Je vous remercie de continuer de chercher. Vous auriez pu repartir après ce qui est arrivé à Leonardo. Ça ne sent pas bon.

— En effet, quelle odeur, répondit Lemieux, faisant comme s'il ne saisissait pas l'allusion.

— Oui, l'égout se déverse directement dans la baie. Mais ce n'est pas la seule chose qui a été jetée à la mer, ici.

— Que voulez-vous dire ?

— Ici même, il y a une dizaine d'années, il s'est passé un véritable exode. Fidel Castro avait alors décidé de narguer les États-Unis et d'ouvrir les frontières de Cuba. Son intention n'était pas de permettre un départ massif de la population, mais de provoquer les Américains. Cette place fut le seul point de départ vers la liberté, dans la région de l'Oriente. De tous les quartiers, des villages voisins, les gens affluèrent ici. Ils se battaient pour le moindre bout de planche. Ils plongeaient dans les eaux sales pour s'accrocher à des barques ou à tout ce qui pouvait flotter. Certains se sont noyés. D'autres...

Lemieux frissonna en imaginant les gens qui se débattaient dans les excréments et les détritus.

— Mais personne ne connaît très bien cette histoire, dit-il.

— Cela ne dura pas longtemps. Après trois jours, Guantánamo fut débordée. Le gouvernement des États-Unis supplia Cuba de cesser ce jeu.

— Je n'ai jamais entendu parler de cela.

— Mais nous, nous n'avons pas oublié. Ce sont surtout des hommes qui s'exilèrent, la plupart de Santiago. Une vraie hémorragie. Avant de partir, ils devaient remettre leur carnet d'identité aux autorités. Ils perdaient ainsi leur nationalité. Et tous leurs droits. Imaginez les déchirements. D'un côté, les militaires. De l'autre, les familles. Nous avons vu des scènes épouvantables. C'est un lieu maudit.

— Et ça, qu'est-ce que c'est ? demanda Lemieux en pointant le haut mur de béton.

— Ah ça, c'est un bar. El Ranchon.

Christian n'avait pas pensé un instant que le bar où il devait rencontrer Michaël était situé dans le quartier, à seulement quelques pas de la maison de Lydia et d'Omara. C'était pourtant logique. Il s'avança vers le mur pour mieux observer les lieux. L'endroit occupait une petite pointe avancée dans la baie. Le mur de quatre mètres protégeait entièrement le terrain sur trois côtés, le quatrième s'ouvrant sur la mer. Une immense porte de fer coulissante de six mètres de largeur, arrimée à un cadre de poutrelles de fer, en fermait l'accès. La porte étant ouverte, Lemieux jeta un coup d'œil sur les lieux. Il y avait une guérite à l'entrée, une petite casemate de béton découpée d'une fenêtre. Le centre du terrain était occupé par une vaste terrasse dallée de pierre. Elle était couverte d'un toit de chaume supporté par des piliers de fer. Un muret bas en brique rouge, d'à peine un mètre de hauteur, la délimitait. Elle était meublée d'une dizaine de lourdes tables de bois. À l'arrière du terrain, un cabanon servait de comptoir de bar, d'entrepôt à bière et de bureau. Entre le cabanon et la mer s'élevait une petite maison. L'endroit était planté de quelques palmiers nains, agités par la brise marine. L'idée de rencontrer Michaël dans cette forteresse ne plaisait guère à Lemieux.

Comme il était temps de repartir, Christian demanda à Lydia de leur trouver une voiture. Celle-ci entra dans une maison voisine de la sienne, à l'angle de la Trocha et de Lostejada, et en ressortit accompagnée d'un jeune homme à l'allure sympathique, mince et athlétique. Luis invita l'enquêteur à venir voir sa voiture, une vieille Peugeot hors d'âge, mais toujours en état de marche. Il ouvrit le cadenas qui fermait la porte du garage. Dans le réduit encombré d'outils, de boyaux d'arrosages et de bidons d'essence, Luis lui montra fièrement sa collection de pièces de rechange, un amoncellement de pièces de voitures et de pneus usagés. Lemieux ne fut pas surpris de voir aussi un enclos occupé par un petit cochon rose et noir. Le Cubain sortit enfin la voiture du garage dans un nuage de fumée. Alicia et Christian montèrent à bord de cette épave en riant. Le moteur peina bruyamment dans la longue montée vers le quartier où habitait Lemieux. Luis ne cessait de vanter la mécanique de cette voiture qui avait appartenu à son père, dans un savoureux mélange d'anglais et d'espagnol. Il demanda la moitié du tarif normalement exigé pour la course, tout en jetant des regards appuyés à Alicia.

Après une courte sieste, la douche fut la bienvenue. La jeune femme se chargea de l'opération. Elle savonna Lemieux des pieds à la tête, car elle le préparait à la messe du soir. Elle fouilla ensuite dans ses valises pour en retirer les plus beaux vêtements. Elle trouva un jean et un t-shirt noirs, un ceinturon et des souliers de cuir de la même couleur. Elle les disposa sur le lit et les lissa soigneusement pour faire disparaître les plis. Elle parfuma abondamment Lemieux. Puis, elle le laissa seul, le temps de courir acheter une bouteille d'aguardiente. Quand elle revint, Donalita était dans la cuisine. Tout de blanc vêtue, elle portait un pantalon moulant et un chemisier transparent qui laissait voir un soutien-gorge léger. Son cou était paré d'un long collier blanc et d'une chaîne plus courte, ornée de pierres bleues. Alicia lui jeta un air de défi sans équivoque. Lemieux n'eut pas le temps de s'amuser de la rivalité des deux femmes, car Donalita donna le signal du départ.

Ils marchaient, Lemieux portant la bouteille de rhum.

— Pourquoi vous m'invitez à cette cérémonie, Donalita ?

— Vous êtes la dernière personne à avoir vu Mercedes avant sa mort. Je crois aussi qu'elle vous appréciait beaucoup.

— On dirait que vous, vous ne m'appréciez pas, Donalita.

— C'est surtout votre entourage que je n'aime pas beaucoup, monsieur Lemieux. Ensemble, nous aurions pu…

— ¡ *No otra chica* ! C'est la loi, ici. Ce qui ne m'empêche pas de remarquer que vous êtes superbe, vêtue de blanc.

— Pendant un an, je dois porter du blanc dans toute cérémonie de la *santeria* parce que j'ai été initiée récemment.

— Chez nous, c'est un symbole de pureté.

— Ici, c'est différent. Cela signifie plutôt que je peux recevoir une nouvelle personnalité, celle de mon *orisha*. Tenez, nous sommes arrivés. Passez.

Donalita invita Lemieux à entrer dans une coquette maison au crépi de couleur turquoise, dont la porte était grande ouverte. Christian dut enjamber une bougie posée au sol sur le seuil de la porte. Donalita lui indiqua une autre chandelle qui brûlait, cachée celle-là entre la porte rabattue et le mur, à l'intérieur de la maison. Au centre de la cuisine, la table était décorée d'un immense bouquet de fleurs. Une photo de Mercedes, découpée pour ne montrer que sa figure, et un carton avec son nom étaient fixés au bouquet. Des cigares et des cendriers, une bouteille de rhum et des verres, des chandelles fixées à des soucoupes, une assiette remplie de pétales de fleurs et une bouteille d'eau parfumée encombraient la table. Une forte odeur de lavande flottait dans la pièce. Lemieux était seul avec Donalita et la sœur de Mercedes. Debout et silencieux, ils regardaient la photo de la défunte. Christian vit ensuite d'autres personnes entrer progressivement, soit une vingtaine de dames âgées et trois hommes. Puis, les célébrantes firent leur apparition, quatre femmes âgées et imposantes. Lemieux voulut laisser sa place et se dirigea vers l'entrée pour sortir de la pièce exiguë. Il se sentait de trop.

Donalita le retint vivement.

— Vous ne pouvez plus sortir de la maison maintenant, ce serait faire insulte à la défunte. Interdit de franchir les bougies avant la fin de la cérémonie. Venez, vous devez d'abord vous présenter à la défunte.

— Me présenter ?

— Oui, chaque personne doit s'avancer, dire son nom et affirmer la raison de sa présence ici.

Les quatre célébrantes avaient pris place à la table, et chacune fumait déjà un cigare. Elles se firent servir du rhum et appelèrent tout le monde à l'ordre. La plus vieille et la plus grosse semblait détenir l'autorité sur l'assemblée. C'était la *santera*. Un à un, les participants s'avancèrent vers le bouquet. Le rituel exigeait que chaque personne s'enduise les mains d'eau parfumée, les secoue pour asperger le bouquet, en se nommant. Les membres de la famille furent les premiers à se présenter, avec des larmes dans la voix. Avec le défilé des parents, la tristesse et la peine devenaient communicatives. Certaines femmes pleuraient silencieusement. Lemieux vit Donalita qui s'avançait. Elle déclara :

— Je m'appelle Donalita. Et je suis ici pour témoigner de mon respect pour celle qui est morte, mon amie Mercedes.

Quand vint le tour de Lemieux, il dit :

— Christian Lemieux. Je viens dire adieu à Mercedes Calderon.

Les quatre célébrantes sursautèrent en même temps. La plus vieille frappa fortement la table de la main. Christian comprit trop tard qu'on ne devait pas mentionner le nom de famille de la personne décédée. Celle qui dirigeait la cérémonie déclara :

— Ce n'est pas important s'il a prononcé le nom de

famille. C'est un étranger. Est-ce qu'il comprend l'espagnol, au moins ?

Donalita répondit pour Lemieux. La *santera* invita alors ce dernier à prendre place à ses côtés, tout près de la table, à s'accroupir et à tout observer en silence. Elle portait sur lui un regard d'une étrange fixité, à la fois serein et absent. Comme si elle regardait au-delà de lui. Avec ses traits lisses et immobiles, son gros visage avait l'air d'un masque africain. La *santera* ouvrit un vieux livre qui ressemblait à un missel. Avant de commencer la lecture, elle demanda qu'on vérifie si les deux bougies à l'intérieur et à l'extérieur de la porte brûlaient toujours. À chaque phrase, les gens répondaient en chœur, en disant alternativement le mot *luz* ou *esperanza*, ponctuant ainsi le texte qui parlait du passage de la vie à la mort. À un moment donné, une femme de l'assistance brandit un bouquet de plantes aromatiques mouillées et frappa violemment chacun des quatre murs de la pièce, faisant voler des brindilles et des gouttelettes parmi l'assistance.

La *santera* enleva les nombreux colliers qu'elle portait au cou. Elle les posa sur la table et les lissa longuement avec ses deux mains. Les quatre célébrantes entonnèrent ensuite un chant à Ochún, intitulé *Marinero*. Émouvantes, les paroles établissaient une comparaison entre la tempête en mer et la vie, entre le naufrage et la mort. L'un des hommes reprit le refrain avec une vigueur exceptionnelle et le chanta de tout cœur. Lemieux en fut tout remué. Il remarqua que les quatre femmes près de lui étaient souvent prises de soubresauts et que, parfois, leurs yeux se révulsaient. Elles frappaient alors vivement le sol du pied. Un grand silence se fit après la chanson. Tous les yeux se tournèrent vers la célébrante qui lissait ses colliers. L'attente fut déchirée par

l'imposante *santera* qui cria soudain : « Je suis Mercedes ! »
Ses mouvements se firent désordonnés, ses bras battant l'air.
Elle tressauta, comme traversée par un courant électrique.
Puis, elle s'affala sur sa chaise en implorant l'assistance.

— Je vais mourir. Vous n'allez pas me laisser crever
comme ça par terre. Aidez-moi, mes parents, mes amis.

— Aidez-la, crièrent les trois autres célébrantes. Vous
voyez bien qu'elle va mourir. Approchez-vous. Soutenez-la.

— Je ne vois plus rien. J'étouffe. Je sens que je vais partir.

Lemieux vit tous les participants s'approcher de la femme
en transe. Certains lui caressaient le front. D'autres lui
tenaient la main. La sœur de Mercedes sanglotait. Tous se
prêtaient à cette mise en scène funèbre. Une femme donna
de l'eau à la *santera* qui recracha la gorgée. Un homme
frappa sur la table en signe d'impuissance.

— Je ne veux pas mourir. J'ai froid. Mes membres se
glacent. Embrassez-moi. Ma sœur. Mon fils, où est mon
fils ?

La sœur de Mercedes pleurait à chaudes larmes. Lemieux
avait tendu la main et tenait un bras de la *santera* qui râlait
et étouffait. Il avait la gorge nouée par l'émotion. La femme
se raidit soudain, garda cette position de longues secondes.
Son corps arqué et désarticulé sur la chaise imitait la posture dans laquelle Christian avait trouvé Mercedes. On
n'entendait que des pleurs assourdis. Puis, la prêtresse se
secoua, comme si elle s'éveillait d'un cauchemar. Elle
réclama du rhum. Tous cherchaient à reprendre leurs
esprits. Les trois autres célébrantes se levèrent, saisirent le
bouquet de fleurs et le portèrent à travers la pièce. Elles
entonnèrent un chant sur le thème de l'élévation. « Elle s'en
va vers le haut des cieux », chantaient les gens à l'unisson.
La *santera* retomba soudain en transe. « Je suis Mercedes »,

cria-t-elle à nouveau. Et elle se mit à psalmodier des phrases qu'elle semblait inventer.

— Mes parents et mes amis, vous avec qui je me retrouvais pour faire la fête, vous savez que j'aimais rire, m'amuser et danser.

— *Elle s'en va vers le haut des cieux*, répondit l'assemblée.

— Je ne sens plus rien aujourd'hui. Sans mon corps, je ne peux plus rien toucher ni goûter ni embrasser.

— *Elle s'en va vers le haut des cieux.*

— Vous savez combien j'aimais donner et recevoir des caresses. Mes baisers, c'était du vin. Dans ma salive, maintenant, il y a du sang.

— *Elle s'en va vers le haut des cieux.*

— Vous connaissez le nom de mes amants. Vous voyez encore la flamme du désir dans leurs yeux. Moi, je ne vois plus rien. Tout s'embrouille.

— *Elle s'en va vers le haut des cieux.*

— Mes pieds ne touchent même plus le sol. Retenez-moi. Mais retenez-moi.

J'avais encore tant de choses à faire, ici-bas.

— *Elle s'en va vers le haut des cieux.*

— Tous ces enfants que j'aimais, à qui j'enseignais, je ne peux même plus leur parler. J'avais tant de choses à leur dire.

— *Elle s'en va vers le haut des cieux.*

— Toi, mon fils, j'espère qu'on te dira que je ne baissais jamais la tête, que j'affrontais mon destin, que je me défendais. Tu lui diras, toi, ma sœur.

— *Elle s'en va vers le haut des cieux.*

— Toi, ma sœur, cesse tes combines avec le pouvoir. Tu loues ta maison, mais tu vends ton âme. Je te le dis.

— *Elle s'en va vers le haut des cieux.*

— Je ne peux plus manifester mon désaccord, ma colère et ma révolte. Je suis sans force.

— *Elle s'en va vers le haut des cieux.*

— J'emporte ma rage avec moi. Je ne serai jamais bien-heureuse.

— *Elle s'en va vers le haut des cieux.*

— Je ne peux même pas pointer du doigt ceux qui m'ont agressée, mais vous savez tous ce qui s'est passé. Et vous savez qui ils sont.

— *Elle s'en va vers le haut des cieux.*

— Et l'étranger qui est avec nous, il court un grand danger en essayant d'affronter ces bêtes. Je ne peux rien pour lui.

— *Elle s'en va vers le haut des cieux.*

Lemieux fut d'abord abasourdi d'entendre parler de lui. C'était comme si Mercedes revenait à la vie pour l'inter-peller de façon cinglante, comme elle savait si bien le faire. Christian souffrait de tout son être, d'une douleur qui sour-dait du plexus pour l'irradier entièrement. Dans le silence qui suivit, il prit conscience de la menace qui pesait sur lui, en se remémorant les paroles de la prêtresse. On lui offrit un verre de rhum qu'il cala d'un coup sec. Les quatre célébrantes quittèrent la table et l'entourèrent, en levant vers le ciel leurs soucoupes où brûlait une chandelle. Toujours accroupi et incapable de bouger, l'enquêteur ne vit plus que ces quatre langues de feu au-dessus de sa tête. Il ne pouvait chasser l'angoisse qui montait en lui et il se raccrochait désespérément à ces lumières. La *santera* posa sur lui un regard d'outre-tombe qui n'avait rien pour le rassurer.

Même quand le goûter fut servi, même quand il vit les gens engloutir les sandwichs au jambon et les biscuits aux amandes, il fut incapable de chasser la peur sourde qui s'était insinuée en lui. Il déplia lentement ses membres engourdis. Il refusa les bouchées qu'on lui offrait. L'atmosphère avait pourtant entièrement changé dans la pièce. Les célébrantes fumaient comme des cheminées et s'envoyaient de longues rasades d'aguardiente. Elles étaient maintenant passablement ivres et donnaient des conseils à tous et à toutes sur les relations amoureuses et la sexualité. Les femmes gloussaient à chaque déclaration et personne ne prêtait plus attention à la présence de l'étranger. Les jambes endolories, la tête encore bourdonnante, Lemieux était adossé près de la table. Il préféra partir seul, quittant Donalita sans un regard.

C'était la première fois, depuis quelques jours, que l'ancien policier se retrouvait seul dans la ville. Par les rues paisibles du quartier, dans la délicieuse humidité tropicale de cette fin de soirée, il respirait l'air chargé d'un parfum de girofle. Il marchait lentement. Le calme environnant contrastait avec le bouillonnement qu'il sentait vivre au fond de la baie, sur le bord de la mer, près de l'égout de la Trocha. Rien ne l'obligeait à aller se tremper dans ces eaux-là. Il lui suffisait de rester dans les eaux douces de son aventure avec Alicia. Mais il savait qu'un cloaque l'attendait en bas. C'est là qu'était le danger. Lemieux était prévenu.

Lui revint en tête sa première impression de Santiago, du haut de l'hôtel Casa Grande : celle d'être dans une arène. Allait-il encore une fois se dérober et laisser filer sa chance ? N'était-ce pas le temps de plonger, au lieu de se laisser ballotter par les événements ? Prendre l'initiative, c'est ce qui lui avait fait défaut depuis ces dix dernières années. Il s'était laissé glisser vers la médiocrité, de projets valables en boulots minables, de relations amoureuses possibles aux rencontres les plus improbables. Alicia avait tout compris, en lui disant qu'il vivait encore dans le passé. Elle savait le placer au carrefour. La jeune Cubaine l'avait mené au croisement de la passion et du sentiment, des idées et des croyances qui animent son peuple. À lui de s'engager maintenant.

Lemieux retardait son retour à la maison pour s'apaiser. Ses pas le menèrent à la terrasse près de l'hôtel. Assis en retrait, il commanda une bière et tenta de faire le bilan de son enquête. Après les tambours de la peur, c'était plutôt un triste boléro qui s'élevait en lui. Tous les moyens pour effectuer une véritable investigation lui faisaient défaut. Ce n'était vraiment pas une recherche policière qu'il menait, mais l'exploration d'un monde d'ambiguïtés. Son mandat était de démêler le vrai du faux, dans un incessant jeu de cache-cache.

Troublante, la cérémonie de la *santeria* l'avait été à plusieurs égards pour Lemieux. Elle lui donnait l'occasion de toucher à la vérité de la parole de cette croyance, pourtant occultée, à la fois par la religion catholique et le gouvernement communiste, classée au rang de superstition ou de folklore. Elle lui permettait aussi d'apprécier la franchise d'Alicia quand elle parlait de sa conception de la vie, de sa personnalité ou de ses sentiments à son égard, à la lumière de son expérience religieuse.

De plus, la cérémonie lui faisait maintenant percevoir, avec plus de précision, le climat de non-dit dans lequel est enfermé le peuple cubain. À la suite des dernières cinquante années, le discours officiel a surtout réussi à imposer une chape de silence et de dissimulation qui recouvre toute la vie quotidienne de ces gens. Ici, tout le monde utilise le mensonge et les faux-fuyants. Mercedes faisait de la délation, tout comme sa logeuse et Donalita. Leonardo, qui apparaissait pourtant comme un opposant et qui désirait quitter l'île, avouait à demi-mot jouer le jeu de la police à l'occasion. Même Alicia parsemait ses confidences de trouées, d'omission et de zones d'ombre. Personne n'était vraiment crédible.

Dans un premier temps, Lemieux avait pensé que les gens agissaient ainsi pour profiter de lui, l'étranger. Mais le mal est visiblement plus profond. Les Cubains ont développé une culture du secret en réponse à une inquisition constante. Ce n'est pas seulement de la débrouillardise devant les difficultés de la vie. Ce n'est pas de la duplicité féminine ou de la magouille macho. C'est une réponse à une situation extrême qui jette les gens dans une fureur et un désenchantement muets : mentir pour survivre. Les chantres de la révolution, du miracle de la santé et de l'éducation cubaines, ne disent pas un mot sur cette désolation. Ils prétendent au contraire que l'arrestation des dissidents est le prix à payer pour jouir des bénéfices de la révolution.

Lemieux décida d'aller au-delà du non-dit. Il continuerait à chercher Omara Valdez pour percer les apparences. Il ne sortirait pas de l'arène, même s'il fallait, pour cela, pénétrer encore plus dans cet univers ténébreux. Il connaissait le terrain un peu mieux. Il pourrait peut-être rencontrer le sujet de son enquête. Mais Omara était-elle seulement disparue ? Ou vivait-elle une romance avec un étranger sur une plage isolée ? Aucun indice ne permettait de le savoir.

Il trouva Alicia endormie. Il l'éveilla avec de tendres baisers mouillés. Elle ouvrit des yeux ravis, mais déchanta un peu en voyant le regard sombre de Lemieux. Elle comprit immédiatement qu'il s'était passé quelque chose. Plutôt que de laisser parler Christian, elle décida de lui ouvrir les portes du plaisir. C'est ce que Elegguá, son *orisha*, lui avait enseigné. Elle se serra d'abord contre son amant pour le consoler en le berçant. Par de subtiles contorsions, elle l'invita à parcourir son sexe et la raie de ses fesses, tout en le serrant contre elle. Elle voulait qu'il la fouille, qu'il la découvre et qu'il s'insinue dans les moindres replis de son corps. Elle commença à lui murmurer son besoin d'être prise et d'être à lui. Elle lui confia ses propres envies secrètes. Elle lui parla des deux alliances palpitantes de son sexe et de son anus.

Elle passa au deuxième temps de son rituel amoureux : la danse. Elle se coucha sur son amant et le massa de tout son corps, touchant son membre érigé par des affleurements et des pressions du ventre et des seins. Alicia ne lui laissa pas de répit, revenant l'embrasser pour mêler leurs salives, lui livrant ses seins à la bouche ou lui donnant son sexe comme un fruit. Lemieux sursauta quand il sentit la bouche d'Alicia l'enserrer fermement. Elle se livrait à une danse agile qui culmina quand elle s'empala sur lui. Elle ne cessait de lui demander de bouger en elle. Parfois, Christian réussissait à arrêter les mouvements de la jeune femme. La tenant par la taille, il contemplait un instant sa stupéfiante beauté. Puis, il reprenait le corps à corps tropical et humide.

Alicia passa au troisième acte. Elle se mit à quatre pattes sur le lit, les bras tendus, et elle lui dit de façon provocante : ¡ *En el culo* ! Elle appelait le guerrier Changó en Lemieux et l'invitait au combat. L'acte sexuel prit l'allure d'une lutte physique de deux sexes butant l'un contre l'autre. Alicia répondait coup sur coup aux assauts de Lemieux qui la prenait en levrette. Elle tourna la tête vers lui, avec des yeux où se mêlaient la violence et la tendresse, le désir brut et la complicité. Elle posa ensuite sa tête sur le matelas pour mieux lui offrir sa croupe rebondie. De petites perles de sueur brillaient au creux de ses reins. Il glissa lentement entre les fesses de son amante et s'y enfonça. Ils se donnèrent l'un à l'autre, se hissant vers un sommet où le délire et la conscience se confondaient. Il entendit Alicia crier des imprécations à ses dieux, comme si elle était en colère contre eux. Il l'entendit gémir, comme si elle était blessée. Il l'écouta murmurer son prénom lorsqu'il la massa tendrement après l'amour.

En mêlant sons de gorge, jurons en espagnol, chants roucoulés et paroles en yoruba, Alicia lui parlait une langue animale dont il comprenait le sens.

Chapitre 11

« Porqué tu me quieres tanto
Si yo soy malo cantidad
Si yo soy malo, yo soy malo »
CARLOS MANUEL, *Malo Cantidad*

(Pourquoi m'aimes-tu autant
Si je ne suis qu'une quantité négligeable
Si je suis mauvais, je suis mauvais)

Une activité inhabituelle régnait dans le quartier en ce mercredi matin. Lemieux entendait des gens s'interpeller, s'affairer avec des outils à l'extérieur des maisons voisines. Il sortit sur la terrasse, sa tasse de café à la main. Il vit les voisins qui barricadaient leurs fenêtres. Il comprit que du mauvais temps s'annonçait, même si le ciel était d'un bleu limpide. Il n'était pas au courant des prévisions de la météo et ignorait s'il s'agissait d'un cyclone ou d'une simple tempête tropicale. Il était seul, car Alicia l'avait quitté tôt pour aller à son appartement. Il avait trouvé une note griffonnée en vitesse : « Journée de lessive à la maison. Viens me retrouver en soirée, à la terrasse devant l'hôtel, après le rendez-vous avec Michaël. Je t'emprunte ton lecteur CD pour la journée. Je t'aime. »

Christian avait donc tout le temps de mettre un peu d'ordre dans ses propres affaires, de rédiger son journal de voyage et de se préparer à la rencontre avec Michaël, prévue en soirée. Ce qu'il fit nonchalamment, car il ne parvenait pas à s'activer. Il songeait plutôt à la fin de cette année, au temps des fêtes et à son prochain voyage à Cuba, en compagnie d'Alicia. Évidemment, ses moyens financiers ne lui permettaient pas d'acheter une maison sur cette île. Mais revenir ici, reprendre l'appartement et louer une moto, tout cela était faisable.

Les coups de marteau des voisins ponctuaient ses réflexions. Il descendit chez la logeuse pour appeler Jorge et prévoir le transport du soir. Elle lui demanda son aide pour protéger les fenêtres de son appartement. L'enquêteur se retrouva en compagnie de deux voisins, dont un homme noir à la carrure d'athlète, à demi nu, le crâne rasé, qui se disait boxeur. Son copain était un grassouillet rigolo qui apprécia la bière offerte par Lemieux.

— Le ciel va se boucher au cours des prochains jours, dit le petit gros. Mais on ne sait pas combien de temps. Ni si la tempête va nous frapper directement. Lemieux opina distraitement. Son appartement serait bientôt une boîte noire aux fenêtres complètement obstruées. L'idée ne lui souriait pas.

— Ces tempêtes tropicales laissent tout sens dessus dessous. Vous ne connaissez pas cela au Canada.

— On a du mauvais temps aussi, répondit Lemieux.

— Ah oui! Il y a des tempêtes de glace. De la glace qui tombe du ciel, c'est quand même incroyable. J'ai vu cela, un jour, à la télé. Mais s'il fait si froid chez vous, comment pouvez-vous aimer la bière froide?

— Et vous, comment ça se fait que vous buvez de l'aguardiente quand il fait si chaud?

Les deux rirent de bon cœur. De son côté, le boxeur travaillait sans parler. Il était doué d'une force impressionnante. Les panneaux de contreplaqué furent vite mis en place. Le rondouillard relança Christian:

— Vous avez une *chica* avec vous. La fille est très jolie.

— Tout se sait, répondit Lemieux.

— Entre voisins, on peut parler. Faites gaffe. Ces filles n'en ont que pour votre argent. Elles sont *golpe*.

— C'est-à-dire ?

— Elles avalent tout, ricana le voisin. Comme des pélicans. *Gloup !*

— J'en prends note, répondit sèchement Lemieux.

— Désolé. Je ne voulais pas vous offenser.

— Pas de problème.

Une fois seul, Lemieux s'enferma dans la maison obscure. La chaleur devint rapidement suffocante. L'humidité et l'absence de circulation d'air le chassèrent. Il s'en alla à la terrasse près de l'hôtel, en espérant ne pas être dérangé. Il se fit apostropher, dès qu'il fut assis, par une Noire aux yeux humides et aux lèvres charnues. Elle vint s'asseoir à sa table sans permission. Il n'osa pas la renvoyer. Elle désirait une boisson à l'orange. Quand Lemieux accepta, elle commanda aussi un repas. Elle lui demanda de l'argent pour des médicaments. Sans aucune pudeur, elle lui exhiba l'énorme cicatrice qui striait verticalement son ventre. Christian l'écouta débiter son histoire, mais il refusa de lui donner de l'argent. Elle se fit suppliante et demanda pourquoi ils ne pourraient pas être amis. Il essaya de trouver un accommodement raisonnable. Il répondit qu'il était heureux de lui offrir le repas, mais qu'il ne ferait pas plus, et qu'il désirait être laissé seul.

L'enquêteur se souvint d'une émission de télévision, diffusée en pleine heure de pointe, samedi soir dernier. Un psychologue incitait les spectateurs à développer le respect de soi, la responsabilité et l'autonomie, dans le cadre d'un cours de développement personnel. Mais le véritable objectif de l'émission était visiblement de contrer la sollicitation des touristes et la mendicité dans les rues. Les exemples donnés par le psychologue ne trompaient personne. Le gouvernement en était rendu à donner des directives à la population pour qu'elle adopte un comportement digne face aux étrangers. C'est pourtant le gouvernement qui, le premier, s'était accroché aux basques des Russes, puis aux valises des touristes étrangers, afin de survivre. C'était là un des résultats de la révolution: tout le monde compte sur l'étranger, le gouvernement le premier, quoiqu'en disent les grandes affiches révolutionnaires *¡ Vamos bien!*

La fille lui demanda brusquement s'il riait d'elle. Leur conversation était truffée d'équivoques et de grossiers mensonges. Lemieux décida de garder le silence pour faire décrocher la fille. Elle quitta enfin la table. Il eut l'impression que la serveuse veillait sur lui et décourageait toute nouvelle approche. Il la remercia d'un hochement de tête. Mais l'impression d'être toujours surveillé ne fit que croître. Même quand il revint à la maison, par les petites rues désertes, il sentait qu'on le regardait à la dérobée.

Il trouva refuge dans son appartement barricadé. Il laissa la porte d'entrée ouverte, regardant le vent secouer les branches du grand manguier. Il avait l'impression d'être à l'intérieur d'une caméra de surveillance braquée sur un décor vide. Le ciel était toujours d'un bleu pur, et il n'y avait aucun signe d'orage. À la télé, il écouta une émission éducative, un cours d'anglais, et des bandes dessinées enfantines. La présence d'Alicia lui manquait. Jorge apparut soudainement dans l'embrasure, bien avant l'heure du rendez-vous au El Ranchon. Lemieux appréciait beaucoup la personnalité de Jorge. Il se confondait en remerciements quand Lemieux payait les courses. Il n'avait pas cet air intéressé ou cupide qu'affichaient généralement les autres chauffeurs.

Extrêmement réservé, il semblait apprécier son rôle de guide effacé et bienveillant.

— Et toi, Jorge, quel est ton *orisha*?

— Devinez.

— Tu n'es pas menaçant comme Changó. Tu n'es pas dur comme Oggún. Je dirais que tu es Obatalá, le dieu de la paix et de l'harmonie. C'est un dieu pur.

— C'est exact. Comment pouvez-vous savoir? Je vois que vous commencez à connaître Cuba.

C'était dit sans flatterie, avec un étonnement évident.

— C'est sans doute parce que j'ai un bon professeur.

— Oui, Alicia est très croyante.

— Qu'est-ce que tu penses d'elle?

Jorge se réfugia dans sa réserve habituelle.

— C'est une bonne personne.

— Tu la connais depuis longtemps?

— Pas du tout. Je la connais depuis peu. C'est une des premières fois qu'on...

— ...que vous faites affaire ensemble, compléta Lemieux.

— Disons cela.

Lemieux savait qu'il n'en tirerait pas plus. Il offrit une bière à Jorge. Quinze minutes plus tard, il donna le signal de départ vers El Ranchon. Durant le trajet, Lemieux essaya de se distraire en écoutant la salsa crachée par les haut-parleurs de la voiture. Il savait qu'il approchait d'un danger, sans pouvoir l'identifier. Chaque passant qui regardait la voiture semblait le menacer. Paranoïa? Dans l'atmosphère de la fin du jour, tous semblaient se mouvoir dans une lumière irréelle, irisée par les lueurs du couchant qui se glissaient sous la couverture des premiers nuages. Il invita Jorge à garer la voiture sur le large boulevard Jésus Menendez qui borde le port. Malgré l'avis de son chauffeur, qui lui déconseillait de marcher seul dans cette partie de la ville, Christian lui demanda de l'attendre à cet endroit. Ils étaient aux abords d'une petite place. Au centre, il y avait une fontaine asséchée, avec sa vasque turquoise écaillée. Elle était flanquée d'un cabanon de béton. Sur l'un des murs du petit bâtiment, une fresque montrait une boule de maracas dont la sphère représentait un globe terrestre à visage humain, avec de gros yeux plaisants et un sourire éclatant, sur un fond d'étoiles et de planètes. Même la vue de cette image joyeuse et puérile ne chassa pas l'appréhension qui gagnait Lemieux.

La nuit était tombée quand il s'engagea dans la rue qui longeait la mer, la calle General La Era, pour se diriger vers le bar El Ranchon. Les maisons à sa droite, situées entre la rue et le rivage, formaient un entassement de cahutes. C'était un assemblage désordonné de cabanes de bois ou de béton, aux murs sales et aux toits rouillés. De nombreuses embarcations, en aussi mauvais état que les habitations, étaient amarrées à des pieux. Si près de la mer, la moindre tempête devait provoquer l'inondation de ces taudis. Au bout de la rue, le bar fortifié paraissait encore plus imposant dans ce décor sombre.

Dès qu'il arriva sur la place devant le bar, Lemieux vit Michaël, adossé au mur de béton, qui l'attendait à l'entrée. Le jeune homosexuel portait des jeans très serrés qui le faisaient paraître encore plus malingre. Sa chemise ouverte montrait sa poitrine imberbe. Ses cheveux aplatis brillaient sous une abondante couche de gel. Avec appréhension, l'enquêteur regarda le jeune à l'allure androgyne s'approcher.

— Bonsoir, monsieur Lemieux.

— Salut, répondit sèchement le détective.

— Vous êtes prêt à jouer la comédie avec moi ?

— Tu sais, je suis aussi moche comédien que je suis mauvais danseur.

— Laissez-vous diriger. J'adore la mise en scène. Je vous ai réservé un beau rôle pour cette soirée. Celui de l'amoureux.

— Ne dis pas de bêtises.

— Si vous ne jouez pas le jeu, c'est votre problème. Seul dans ce bar, vous n'apprendrez rien. Les gens vont vous ignorer. Certains n'aiment pas les curieux. Votre seul moyen d'être accepté, c'est de m'accompagner. Allez, prenez-moi le bras. Et rappelez-vous. Vous essayez de me séduire. Je suis votre petite pute.

Michaël se colla à Lemieux et remua ses fesses. C'est lui qui prit le bras du détective. Devant la maladresse de ce dernier, il lui souffla à l'oreille :

— Comprenez-moi bien, je fais tout cela pour Omara. C'est même dangereux pour moi. Alors, mettez-y un peu de conviction. Je ne vous demande pas de me sucer, quand même.

— J'ai besoin d'une bière et vite à part ça.

— Mon amour, je ne demande que ça. Un peu d'alcool va sûrement nous détendre. Je te plais, dis-moi ?

Michaël posa sa tête sur l'épaule de Lemieux tout en s'avançant vers les tables sous le toit de chaume. Les nombreux clients, des hommes en général, tournèrent la tête vers eux, leur décochèrent un mauvais sourire, mais revinrent aussitôt à leurs conversations.

— Très bien, lui chuchota l'homosexuel. Continue à jouer ton rôle de gros *pédé* qui veut m'enculer.

— Tu veux me pousser à bout. T'es rien qu'une salope. Un *marecon*.

— Que de mots doux pour une première rencontre,

s'exclama Michaël en lui donnant un baiser sur la joue. Mais sais-tu ce que ça signifie, être homosexuel à Cuba?

— Chasser les touristes. Baiser n'importe où et n'importe comment. Pour courir le danger d'attraper le sida.

Tout en parlant, Christian prenait soin de se rapprocher de Michaël, à la fois pour jouer le jeu et pour éviter qu'on entende leur conversation.

— Ici, les homosexuels n'ont aucun droit. Nous sommes complètement exclus de la société, pas seulement marginalisés. Pour les autorités, c'est contre-révolutionnaire d'être homosexuel. C'est anti-macho. C'est la tare totale. Sais-tu ce que sont les *sidatoriums*?

— Aucune idée.

— Si tu es dépisté comme porteur du VIH, on te met en institution. Tu es placé sous surveillance pendant au moins six mois dans un établissement d'État. Si jamais le sida se déclare, alors là, tu es carrément mis en isolement avec d'autres sidéens. En pratique, tu disparais de la carte.

— Je veux bien comprendre la situation des homosexuels à Cuba, mais j'aimerais plutôt parler de la disparition d'Omara.

Michaël eut un long moment de silence.

— C'était ma seule et vraie amie, ma confidente et presque une amoureuse. C'était la personne à qui je pouvais tout dire. Nous étions comme frère et sœur. Mais viens voir la baie et la ville avec moi, ajouta Michaël après un long silence.

Lemieux sentait que le jeune Cubain avait besoin de se ressaisir. Celui-ci l'entraîna vers la mer. Près du cabanon des toilettes, le mur d'enceinte n'avait pas été complété. Il leur arrivait à la taille. Plus loin, il était même rongé par les vagues, car le sol était jonché de blocs de béton. De là, ils avaient une vue sur la baie et les lumières de la ville de Santiago. Christian distinguait, au loin, les quais du port et les réservoirs de pétrole, les cargos à l'ancre dans la baie et la ville dominée par les clochers de la basilique. Il avait une vue diamétralement opposée à celle qu'il avait eue du toit de l'hôtel Casa Grande, au début de son voyage. Dans la petite anse, à ses pieds, de nombreuses barques de pêcheurs mouillaient, dont l'une portait le nom de *Santa Barbara*, soit le nom catholique de Changó. Du bar partait un quai de planches branlantes menant à un hangar de tôles. Une superbe vedette à la silhouette profilée y était abritée, partiellement dissimulée dans le fouillis des barques de pêche.

Michaël invita Lemieux à se serrer contre lui avant de continuer.

— Omara est une véritable Ochún.

— Oui, elle en a même fait son métier.

— Arrêtez de rigoler. Elle aime danser et fêter, elle sème la joie partout où elle passe. Mais surtout, c'est une femme sympathique, énergique et même, charismatique. C'est une meneuse, peut-être un peu trop…

L'enquêteur invita l'homosexuel à se rasseoir à la terrasse et il alla chercher de la bière au comptoir. L'homme qui lui répondit refusa son argent américain. Michaël vint à la rescousse pour payer en pesos. À peine assis, Christian poursuivit.

— Mais qu'est-ce qui est arrivé ?

— Depuis un certain temps, Omara n'était pas seulement surveillée, mais elle était ciblée. Ils voulaient la coincer. Sans attendre la question, Michaël précisa. Ils, ce sont les policiers. Tu sais, toutes les filles sont fichées. Et la plupart collaborent avec la police. Mais elle était rebelle. Ils voulaient la briser.

— C'est pourquoi ils l'ont emprisonnée.

— Oui, pas dans une prison, mais dans un camp de réhabilitation. Les filles y sont rééduquées.

— On m'en a déjà parlé.

— Il y a là des travailleurs, des psychologues et des policiers qui rencontrent les filles. Mais on ne sait pas ce qui s'y passe. Il y a de la merde là-dedans. L'ONU a bien essayé d'en savoir plus, en y envoyant des rapporteurs, sans trop de succès. Les rencontres avec les détenues sont subitement annulées pour toutes sortes de motifs. Comme la visite des rapporteurs est prévue et encadrée, tu peux imaginer les résultats.

— Ils doivent changer le menu et faire un grand ménage avant de les recevoir.

— Ils remplacent le personnel masculin par des femmes. Les filles reçoivent l'ordre de se taire. Tu vois ?

— Mais toi, Michaël, qu'est-ce que tu en penses ?

— Je pense que les filles sont évaluées. Certaines sont recrutées et placées dans des postes du gouvernement. Disons qu'elles sont mises à contribution... C'est un vrai lavage de cerveau...

Cette fois, le jeune homosexuel entoura carrément Lemieux et l'embrassa sur la bouche, à pleine bouche. Lemieux sentit la main droite du jeune homme glisser vers son entrejambe.

— Je veux que vous la trouviez. C'est la seule personne avec qui je pouvais parler. Mon amie, ma seule amie.

Lemieux décida de jouer le jeu. Tout en parlant, il serra l'homosexuel contre lui en le prenant par l'épaule, y mettant le plus de conviction possible. Le spectacle devait régaler les voyeurs.

— Il faut que tu m'en dises plus, lui souffla-t-il. J'ai besoin d'une piste plus précise. Parle-moi franchement, Michaël.

Ce dernier renifla très fort avant de continuer.

— À Cuba, tout est pyramidal. En politique, il y a la famille Castro en haut. Mais en bas… En bas, les groupes de citoyens sont contrôlés par d'autres comités, eux-mêmes surveillés par des équipes toujours plus restreintes et ainsi de suite jusqu'en haut. Tu me suis ?

— Je ne sais pas trop où tu veux en venir. Tu ne m'apprends rien.

— Ici, la pyramide s'inverse. Ce qui est en haut est en bas. Il y a quelqu'un qui règne sur tout le monde ici. C'est un vrai dictateur local. C'est quelqu'un qui a tous les pouvoirs. Il est lié à des groupes de plus en plus puissants au-dessus de lui.

— Mais qui est cette personne ?

— Tu voudrais peut-être que je fasse des présentations officielles. T'es con, Lemieux. D'ailleurs, c'est sans doute la seule fois que nous nous voyons. Tu vas devoir poursuivre ton enquête seul. Je t'ai dit tout ce que je savais. Ça devient trop dangereux pour moi. Regarde-moi bien partir, lui dit-il en lui faisant un clin d'œil.

— Tu ne vas pas me laisser tomber ?

— J'en ai assez dit.

— Mais on vient à peine d'arriver !

— Oh ! Que si ! ¡ *Adios, mi amor !*

Sur ce, Michaël se leva et, comme s'il était offusqué, il gifla Lemieux à toute volée. Christian se retint de bondir sur le frêle jeune homme. Ce dernier se mit à parler à haute voix :

— Tu n'es qu'un écœurant, un salaud et une grosse vache. Tu n'as aucune considération. Tu veux juste te divertir et te payer une nouvelle expérience. En plus, tu payes mal, espèce de dépravé. Je chie sur toi comme sur tous les autres ici. Tu n'es rien d'autre qu'un macho pourri comme eux.

Les autres clients avaient évidemment levé la tête pour suivre l'altercation. Lemieux ne feignait pas son incompréhension devant le revirement de situation.

— Mais Michaël.

— Ne prononce plus jamais mon nom, saleté de touriste sexuel! Tu devrais finir dans l'égout, à côté.

Lemieux n'avait jamais subi une telle crise d'hystérie. Le Cubain en remettait, comme s'il était au bord de la crise de nerfs. Il quitta les lieux en se déhanchant maladroitement, invectivant les gens à la ronde. Il s'arrêta un instant devant une table occupée par quatre hommes et leur fit un geste obscène avant de tanguer vers la sortie, sous les quolibets. Christian était mal à l'aise et sur ses gardes. Pour se donner contenance, il prit quelques gorgées de bière. Puis, il se leva lentement et se dirigea à son tour vers la sortie. Les gens le suivirent d'un œil amusé. Il nota le salut narquois que lui adressa un homme aux cheveux poivre et sel, à l'allure d'un séducteur latino, assis avec trois collègues. C'est ce quatuor que Michaël avait nargué.

Tout en quittant les lieux, Lemieux remerciait intérieurement Michaël de lui avoir donné ce renseignement de façon si théâtrale. C'était un geste presque suicidaire de la part de l'homosexuel, une provocation qu'il pouvait payer cher. Lemieux découvrait le message caché sous la fausse colère du jeune homme. Il s'étonnait de cette capacité de mentir qui, chez les Cubains, est un moyen d'affirmation, de revendication et, même, de survie.

Lemieux remonta la rue General La Era en chaloupant. Il retrouva Jorge en conversation avec un inconnu sur le bord du trottoir du grand boulevard. Christian et son chauffeur partirent en direction de l'hôtel Santiago. Le vent arrachait et emportait les feuilles des grands arbres dans les rues maintenant désertes. Ils trouvèrent la terrasse fermée à cause de la tempête. Les tables et les chaises avaient été empilées et attachées par des chaînes, et le comptoir du bar était barricadé de feuilles de contreplaqué. Après un court arrêt à la maison, où Lemieux constata l'absence d'Alicia, ils se dirigèrent vers l'appartement de celle-ci. Ils montèrent l'escalier dans le noir total. Ils frappèrent sans obtenir de réponse. Le détective tenta d'ouvrir la porte. Elle n'était pas verrouillée. Quand il fit de la lumière, il constata qu'un cyclone était déjà passé dans l'appartement. La penderie avait été éventrée et son contenu répandu à travers les deux pièces. Les disques et le lecteur CD de Lemieux avaient été piétinés, la vaisselle brisée, les affiches arrachées. S'il y avait des signes de bagarre évidents dans l'appartement saccagé, il n'y avait aucune trace de sang.

Les hypothèses les plus contradictoires et les plus dramatiques se bousculaient dans la tête de l'enquêteur. Avec émotion, il ramassa les deux morceaux du boîtier du disque *Sublime Ilusión* d'Eliades Ochoa pour les remettre en place. Il connaissait maintenant chaque chanson de ce disque par cœur, car c'était la musique préférée d'Alicia. Mû par une soudaine intuition, il détacha le livret du couvercle du boîtier et le feuilleta. À la page des paroles de la chanson *Pedacito de papel*, il vit une courte note de la main de la jeune Cubaine, écrite en style télégraphique : « Doit partir. Par ordre. Inutile de me chercher. Danger. Merci pour la ceinture. » Une disparition de plus, pensa Lemieux. Mais le message signifiait qu'Alicia était peut-être encore vivante. Quant à la ceinture dont elle parlait, cela voulait dire qu'elle avait trouvé l'argent de Lemieux. Celui-ci poursuivit son examen de l'appartement. Il nota l'absence de la robe à

motif de léopard et d'autres vêtements de la jeune femme,
ce qui le rassura un peu plus. Il fit l'inventaire de la corbeille
et n'y trouva que des papiers. Une feuille, soigneusement
pliée parmi les papiers froissés, attira son attention. C'était
un court poème d'Alicia, non pas un brouillon, mais un
texte mis au propre, d'une main soignée, et écrit sur une
étroite bande de papier-parchemin décoré d'étoiles.

L'idée de la barque
nous transfusant dans
un monde plus
intérieur pulsant
à des rythmes fluides
tout en bercements
sensuels.
Image de notre
passage en mode
sacré (rituel) sur
des continents secrets
qui nous appellent tous
deux où l'amour est
l'embarcation la vague
les passagers
la pluie d'étoiles
fines et le
vent qui souffle
sur les flots aussi
nous rapprochant
l'un de l'autre et de
ce monde.
Merci, Christian.
Je t'aime, Alicia.

C'est Jorge qui tira Lemieux hors de l'appartement. Le chauffeur commençait à s'inquiéter de la réaction des voisins ou du retour des assaillants. Ce n'est qu'une fois dans l'auto qu'il exprima ses émotions. Jorge cracha par la portière et jura un bon coup, pour la première fois devant le détective. Ce dernier était envahi par une peine et une colère qu'il était incapable d'exprimer. Il restait stupéfié, assis sur le siège passager, les mains entre les jambes, le regard fixe. Un tourbillon de sentiments le dévastait, où la compassion, la rage et la peur se confondaient. Il avait l'impression de sortir d'un rêve amoureux pour entrer en plein cauchemar. Il cherchait vainement à retenir les images du rêve, à les redessiner et à les réanimer. Cependant, tout fondait au noir dans son esprit. Ce qu'il comprenait, c'est qu'Alicia avait transgressé la loi du milieu. Elle avait dépassé la frontière, en posant des questions, en lui présentant Michaël et, surtout, en s'occupant de lui.

Pendant quelques minutes, Lemieux songea à partir à la recherche d'Alicia. Fouiller minutieusement l'appartement. Interroger les voisins. Aller faire une déclaration au commissariat. Faire le guet aux abords de la terrasse près de l'hôtel Santiago. Patrouiller les rues de la ville avec Jorge. Même si cela prenait des jours et des jours. Mais intuitivement, il savait que la réponse à ses questions n'avait qu'une seule source.

— C'est fini, parvint-il à articuler à l'endroit de Jorge. Viens me reconduire une dernière fois.

— Je vous ramène à la maison ?

— Non. Au bar El Ranchon. Et là, je veux qu'on se sépare.

Chapitre 12

« Santa Barbara
Bendita tu Changó
Guia por el buen camino
A tus hijos como yo »
ORISHAS, *Canto para Elewa y Changó*

(Santa Barbara
Sois béni Changó
Guide-nous sur le bon chemin
Tes enfants comme moi)

Les deux hommes prirent place à l'avant du véhicule. Lemieux répéta à Jorge qu'ils devaient couper tout contact et ne plus se revoir. Il lui donna de l'argent, une centaine de dollars américains, que Jorge accepta sans un mot cette fois. Toujours silencieux, il fit une dernière accolade à Christian. Celui-ci descendit du véhicule et regarda le Cubain quitter les lieux.

Lemieux marchait de façon rageuse. Il ne pouvait plus compter que sur lui-même, son sens de l'observation, son écoute. Il avait décidé de forcer le jeu. Il s'approcha de la terrasse du El Ranchon, encore plus animée qu'en début de soirée. Malgré les bourrasques de vent, toutes les tables étaient occupées de groupes de jeunes gens, et la bière coulait à flots. Dès son entrée, un garde corpulent sortit de la guérite et lui interdit le passage. Mais le garde s'écarta sur un ordre lancé haut et fort.

— Laisse-le entrer, c'est mon invité.

L'ordre venait d'un homme mince et de grande taille, à

l'allure altière et au regard sombre. Ses longs cheveux noirs étaient retenus en une queue de cheval qui retombait sur ses épaules, mais les côtés et l'arrière de son crâne étaient rasés de près, à mi-tête, et séparés de la masse de longs cheveux par une raie. Il était vêtu de soie noire, la chemise aux larges manches flottant sur le pantalon.

— Venez, je savais que vous reviendriez. Mais si vous cherchez votre petit ami, je crois qu'il a été très déçu par vous.

— Non, non. Je viens plutôt profiter du superbe panorama. Pour me détendre et me rafraîchir. J'ai eu mon lot d'émotions, aujourd'hui.

— Je me présente, Carlos dos Santos. Je vous offre une bière ?

Carlos renvoya les trois collègues qui l'accompagnaient et présenta une chaise à Lemieux.

— Écoutez-moi bien. Vous êtes, ici, sur mon terrain. Vous êtes le bienvenu tant que vous respectez les règles.

Lemieux remarqua que le gardien à la guérite refermait partiellement la lourde plaque d'acier de l'entrée, ne laissant qu'un étroit passage. L'enquêteur fit un effort pour se montrer détendu et accepta la bière.

— J'aimerais bien qu'on me les explique, ces règles.

— Ça viendra. Allez, trinquons à notre rencontre.

Lemieux s'exécuta de mauvaise grâce. Au même moment, Carlos chassa une femme qui désirait les accompagner.

— Ah ! Les femmes cubaines. Toujours chaudes. Toujours prêtes à s'offrir. Vous n'êtes pas aux hommes, n'est-ce pas ?

Lemieux ne répondit pas. Carlos poursuivit :

— J'en sais beaucoup sur votre présence ici, monsieur Lemieux.

— Comment connaissez-vous mon nom ?

— Rien de plus facile, voyons, inspecteur Lemieux.

— Allez-vous enfin m'expliquer ? Vous êtes le propriétaire de ce bar ?

— Disons que c'est ma résidence secondaire, mon chalet sur le bord de la mer. J'ai mon bateau. Vous avez vu ma vedette ? Je pourrais facilement me rendre en Floride avec cette embarcation. Mais j'aime mieux Cuba. ¡ *Cuba, si!*

Devant un individu si orgueilleux, Lemieux opta pour la flatterie.

— Vous avez l'air d'un commerçant très prospère.

— Je ne suis pas commerçant. Je suis le chef de police de ce quartier. Et j'ai des intérêts dans d'autres activités, dont cet établissement.

Lemieux scrutait l'homme qui avait plutôt l'allure d'un gigolo ou d'un tenancier de bar que d'un policier. Le détective se chargea de commander deux autres bières en espérant poursuivre l'entretien.

— Comme vous en savez beaucoup, parlons franchement… C'est mon enquête qui vous dérange ?

— Disons qu'elle est inopportune.

— Mais pourquoi ? Mes propres recherches peuvent aider celles de la police et aider à retracer une jeune fille disparue.

— Je vous trouve pathétique. Vous êtes tout à fait ignorant. Alors, je peux bien vous le dire… Vous gênez certaines de mes activités personnelles.

— Comment puis-je vous gêner si je suis si inoffensif ?

— Par votre curiosité.

Carlos dos Santos, en parfait contrôle de la situation, semblait jouer avec Lemieux comme avec un animal de compagnie.

— J'aimerais savoir si Omara Valdez est vivante.

— Ce n'est pas de vos affaires.

— Savez-vous ce qui est arrivé à Alicia, la jeune femme qui vivait avec moi ?

— Même réponse. Mais elle va bien. Ne vous inquiétez pas.

Lemieux se leva, voyant qu'il ne pourrait rien tirer de ce Carlos.

— Alors, il ne me reste plus qu'à partir.

— Sage décision. Toutes les portes vous sont fermées. Votre chemin s'arrête ici. Je vais même vous reconduire moi-même hors du quartier. Et je vous conseille de ne pas y remettre les pieds. Nous pourrions être tentés de vous interroger concernant certains événements récents. Un petit interrogatoire à la cubaine… ça vous dirait ?

L'entretien était terminé. Carlos invita Lemieux à quitter immédiatement les lieux. Tout en marchant, le détective aiguisait sa concentration, à l'écoute des moindres réactions du Cubain. Il l'observait, alors qu'ils marchaient côte à côte, puisant dans toutes ses ressources d'enquêteur pour essayer de deviner son adversaire.

— Où est le poste de police ?, demanda Lemieux.

— À l'angle des rues, à la prochaine intersection, juste devant nous. Là où nous nous quitterons.

Christian constata alors que trois rues, la Trocha, la rue General La Era et la rue Lostejada formaient un triangle dont les pointes étaient occupées par la maison de Lydia, le bar El Ranchon et le poste de police. À vingt-cinq mètres de l'intersection, l'ancien policier fut alerté par son sixième sens. Il perçut un flottement presque imperceptible dans la démarche de son accompagnateur. Il nota que Carlos avait furtivement regardé une maison à sa droite. Son pas s'était fait hésitant et l'une de ses semelles avait raclé le pavé. Cette perception, même fugitive, Lemieux la devait à sa longue expérience de la surveillance. Le tout s'était déroulé en une fraction de seconde, au moment où les deux hommes passaient devant une masure de béton d'un seul étage, aux volets clos et à la porte cadenassée de l'extérieur. Cette petite maison flanquait le poste de police, un imposant bâtiment administratif aux larges portes et aux hautes fenêtres grillagées, situé à l'intersection. À l'angle de Lostejada et de La Era, Carlos leva la main, fit stopper la première voiture qui passait et ouvrit la portière pour faire monter Lemieux. *Adios*, lança-t-il.

Quand Lemieux se jeta sur son lit, il sombra en pleine narcose, comme sous l'effet d'un puissant médicament. En rêve, il retrouva Alicia. Tous deux vivaient sur une plage déserte, dans une hutte de paille. Ils avaient tout abandonné pour vivre ensemble de façon primitive. Puis, elle lui montra leur nouveau-né, un bébé noir avec les traits d'un blanc, et elle disparut. L'enfant était beau comme un petit dieu nègre. Il portait sur son père un regard plein d'amour et de compréhension. Lemieux se sentait enfin aimé. Plus encore, il réalisait qu'il était en harmonie avec lui-même, protégé et pacifié par la grâce de cet enfant. Cet enfant était amour. C'était le premier enfant du monde. Il illuminait la vie de Christian, comme si celui-ci se trouvait en présence d'une divinité à la source de toute existence.

En d'autres circonstances, l'ancien limier aurait eu un sourire moqueur devant ces images si manifestement naïves, religieuses et paradisiaques. « Comment peut-on rêver à des scènes si touchantes après une journée de cauchemar ? », se demanda-t-il. Il comprenait cependant le sens de son rêve. Alicia lui léguait en héritage, son *orisha*. Mais c'est l'émotion dont il était maintenant porteur, née de leur rencontre, qu'elle lui laissait vraiment. Malgré l'impression aiguë de solitude, Lemieux découvrait le sentiment d'appartenance, l'attachement, le lien amoureux qu'il avait noué avec elle. Si elle était encore vivante, comme le disait Carlos, il retrouverait Alicia un jour.

Il passa la journée du jeudi dans le noir, sous les coups de la tempête tropicale, à faire son deuil du départ de la jeune mulâtresse. Dans l'appartement, transformé en véritable chambre noire, il se projetait les premières images de leur rencontre : les salutations à la Casa de la Trova, dans un climat d'arnaque. Les souvenirs de la transformation de leur relation défilaient. Il avait trouvé une personne avec une âme. Il se reprochait de n'avoir pas ouvert son cœur, de ne pas avoir trouvé les mots… Pour lui dire qu'il croyait à l'image des portes et à celle des chemins du destin, qu'il était sensible quand elle parlait d'eau ou de feu, qu'il était à l'écoute quand elle lui faisait découvrir son monde. Pour lui dire combien elle était belle quand les grains de riz filaient entre ses doigts.

À l'extérieur, l'orage balayait la ville sans relâche. Au milieu de l'après-midi, de forts coups de tonnerre provoquèrent une panne d'électricité. Sous la pluie battante, la logeuse vint lui porter des chandelles. En voyant sa mine déconfite, elle lui demanda s'il avait peur du mauvais temps et s'il se sentait bien. Elle lui promit de lui apporter une lampe à piles offrant un éclairage plus puissant. Il demanda à la propriétaire la permission de téléphoner. Il fit un appel à la compagnie aérienne. Et il régla les frais de son séjour. Il partirait ce vendredi.

Dans la cuisine éclairée par les bougies, Christian mit au point son plan pour la soirée. La tempête enfermait les gens dans leur maison et les plongeait dans la pénombre derrière des volets clos. Cela lui permettait de revenir dans le quartier sans être remarqué, de visiter la petite maison qui l'intriguait et peut-être d'en apprendre plus sur Carlos. Il disposa un ensemble de vêtements noirs sur son lit, dont un coupe-vent imperméable avec capuchon, un jeans et un foulard pour dissimuler sa tête. Il sortit sa lampe de poche miniature et son passe-partout des valises. Il contempla longuement ses effets. « Rudimentaire, comme équipement », songea-t-il.

Il sortit vers cinq heures et courut jusqu'à l'hôtel Santiago, l'un des seuls endroits où dénicher un taxi par ce temps. Il avisa un jeune homme dans une Lada qui accepta de le conduire dans le port. Ils roulèrent dans la ville déserte et obscure. Lemieux demanda d'être déposé sur le grand boulevard, à deux pâtés de maisons de la rue General La Era. Il regarda la voiture s'éloigner avant de se mettre en marche sous la pluie. Comme une ombre, il gagna la petite place à la fontaine. De là, il courut pour atteindre la petite maison située à côté du poste de police. L'entrée était en retrait de quelques mètres, ce qui protégeait Lemieux des regards. La porte en bois était entravée par une lourde barre de fer fermée par un cadenas. Il ne résista pas.

— Allez-vous-en, dit une voix sifflante. Vous n'êtes pas chez vous.

Le mince faisceau de la lampe de poche de Lemieux balaya l'unique pièce de la case de béton. Le rayon frappa d'abord un tas de vêtements froissés et un empilage d'assiettes contenant des restes pourrissants. Le faisceau éclaira ensuite un seau d'excréments près d'un matelas taché. En relevant la lampe en direction de la voix, Lemieux reconnut immédiatement la jeune femme, assise au bout d'un lit. Omara Valdez était enchaînée. Un collier de métal hérissé de pointes était lié à une chaîne fixée à un anneau dans le béton.

— Ne criez pas. Je suis un ami. Je suis envoyé par quelqu'un qui vous connaît.

Quand Lemieux nomma le nom du Canadien, Omara sursauta comme sous l'effet d'un choc électrique. Elle se mit à trembler.

— Ne restez pas ici, c'est très dangereux.

Christian se rapprocha de la jeune femme, ce qui lui permit de la détailler. C'était une mulâtresse à la peau brun foncé, sans être noire. Ses traits étaient d'une grande finesse, plutôt de type espagnol que négroïde. Ses yeux, son nez et ses lèvres étaient finement dessinés. Son cou élancé, ses épaules délicates et ses longues jambes ajoutaient à sa beauté. Presque nue, ses petits seins pointaient sous un court bustier noir, et le short de jeans effiloché ne cachait rien du reste de son anatomie.

— C'est bien toi, Omara Valdez?

— Partez. Je vous en prie.

Lemieux laissa passer un moment de silence. Il devait trouver rapidement le moyen d'amener la jeune femme à parler. L'orage frappait fort. Le bruit de la pluie sur le toit, la rumeur du vent et les coups de tonnerre emplissaient la pièce.

— Calme-toi. Personne ne peut entendre. Nous pouvons parler.

— Vous ne pouvez rien faire pour moi. Je ne suis qu'une pute en prison.

— Mais ce n'est pas une prison, c'est de l'esclavage.

C'est alors qu'il remarqua une autre porte, au fond de l'unique pièce. Selon son orientation, cette ouverture ne pouvait donner que sur le poste de police. Omara saisit le regard de Lemieux. Elle secoua violemment la chaîne.

Impuissante, elle se coucha sur le matelas crasseux en gémissant.

En ouvrant la porte, Lemieux découvrit un escalier. Il s'engagea dans la descente qui menait au sous-sol du poste de police. Le sentiment de danger et de transgression le faisait suer à grosses gouttes. La porte, au bas de l'escalier, n'était pas verrouillée. Il fut assailli par l'odeur musquée et rancie qui flottait dans l'air humide de la cave. Du mince faisceau de sa lampe, il balaya la pièce. Ce qu'il vit était bien familier à un spécialiste de l'écoute et de la surveillance électroniques. Une Betacam numérique CCD de JVC, très sensible à la lumière, était montée sur un vieux trépied Hercules Quick Set. Elle était reliée à un magnétoscope Sony. Deux moniteurs, un petit Sharp et un grand Sony, étaient rangés sur une étagère métallique. Sauf la caméra, les appareils avaient vingt ans de retard sur la technologie actuelle. L'éclairage était assuré par deux accessoires de fabrication maison, soit un petit diffuseur et de faibles néons, ce qui expliquait l'utilisation de la caméra CCD. Le sol était recouvert d'un tapis usé sur lequel des fils couraient. Le mobilier dépareillé comprenait des chaises et un sofa dans un état pitoyable. Un petit frigo de bar complétait l'ameublement de ce studio d'enregistrement improvisé.

Quand Lemieux revint, Omara lui fit signe d'approcher.

— Je vais vous parler. Mais après, allez-vous-en et ne revenez pas. Auriez-vous une cigarette ?

— Désolé, je ne fume plus depuis longtemps.

Lemieux fit grincer le vieux matelas en s'assoyant aux côtés d'Omara. Elle parla à voix basse :

— Il y a un an, la police a monté un coup contre moi. J'étais trop rebelle à leur goût. J'évitais de les payer ou, plutôt, de faire payer les touristes que je rencontrais. J'avais un ami espagnol, un homme marié assez âgé. Les policiers l'ont menacé de tout révéler à sa femme. Et ils l'ont convaincu de me refiler des faux billets avant son départ.

— C'est ainsi qu'ils t'ont coincée et enfermée dans un camp.

— Vous savez ? Mais vous ignorez ce qui se passe dans ces camps. Les plus dociles sont vite brisées. Elles sont réinsérées dans leur famille, *réhabilitées*, comme ils disent. Mais les plus combatives reçoivent souvent un traitement spécial. Elles deviennent des agents d'infiltration. Certaines retournent même à la prostitution, mais en service commandé. Elles remplissent des missions de renseignements. Elles accompagnent les invités du régime, des commerçants ou des gens de la politique.

— Pourquoi pas toi ? Pourquoi es-tu ici ?

— Je suis tombée entre les mains de Carlos dos Santos.

— Je sais qui sait.

— Il a commencé par me dire qu'il m'avait choisie parce que j'étais la meilleure. C'est un vrai manipulateur.

Omara cessa de parler et tendit l'oreille, toute son attention aux aguets. Elle reprit :

— Il ne cessait de me répéter que mon attitude et mon comportement au camp étaient exemplaires. Il me parlait de mon avenir. Il me faisait littéralement la cour. Mais il jouait avec moi en me faisant espérer une autre vie. Il m'a même promis la liberté. Il disait qu'il me ferait quitter l'île en bateau, si j'acceptais...

— Continue.

— Il m'a d'abord fait libérer et j'ai pu revenir chez moi. Il m'a donné un petit travail de bureau à l'agence alimentaire qui contrôle le rationnement. Puis, il m'a proposé de voir le local, en bas...

Cette fois, Omara resta figée par la peur.

— J'entends quelque chose. Il y a des gens à côté. Tu dois partir. Ne reviens plus. Jamais.

Lemieux s'exécuta à contrecœur, mais il avait lui aussi perçu des bruits dans le bâtiment voisin. Il caressa le visage et les cheveux d'Omara. Une sueur d'angoisse mouillait son front. Souple comme un chat, malgré sa corpulence, Christian sortit de la maison sans faire le moindre bruit. Il replaça soigneusement la barre et verrouilla le cadenas, ne pouvant réprimer un soupir de dépit. Les premiers pas sous la pluie furent les plus risqués, car il devait passer devant le poste de police d'où filtrait maintenant de la lumière. À demi courbé, il courut vers la fontaine au centre de la place et, de là, il gagna la première rue qui menait vers la haute ville. Il franchit la distance avec une étrange sensation dans le bas du dos, la peur le vrillant au creux des reins. Les rues étant désertes, il lui était impossible de trouver une voiture. De toute façon, son allure aurait découragé tout chauffeur de s'arrêter. Il était donc obligé de revenir à pied jusqu'à sa maison.

Tout en pestant contre la pluie battante, le vent et la pente qui le menaient au bord de l'essoufflement, l'ancien policier ne cessait de penser à cette spirale qui entraîne les filles de la pauvreté à la délinquance, de la prostitution à la pornographie. Le studio d'enregistrement servait évidemment à des tournages. Mais quelque chose clochait. Il était difficile d'imaginer qu'on enchaîne une jeune prostituée pour l'obliger à tourner des films pornos. Omara avait sûrement connu son lot de tournantes ou de soirées de groupe, filmées ou non, à Varadero ou à Santiago. Il était inutile de l'enchaîner. Il suffisait de la convaincre, de la payer et, surtout, de la droguer.

Lemieux ne remarqua jamais la Lada qui s'approcha tous phares éteints. Il ne vit ni les deux hommes s'approcher ni les coups s'abattre. Le premier l'atteignit à la tempe; le second, au plexus. Il s'affala, incapable de répliquer à la volée de coups de pieds qui lui tomba ensuite dessus. Les assaillants agissaient de façon méthodique, en véritables professionnels. Ils ne voulaient pas le tuer, mais ils lui servaient une raclée mémorable, s'acharnant sur tout son corps. Des éclairs de douleur lui traversaient les membres. L'attaque fut violente, mais brève et calculée. Le message était passé. Après le départ de ses attaquants, Christian réussit à s'asseoir pour reprendre ses esprits. Il resta longtemps dans cette position de mendiant sur le trottoir, sous la pluie.

Chapitre 13

« Hay locos, hay locas
Hay perros, hay perras »
CARLOS MANUEL, *Hay locos*

(Il y a des fous, il y a des folles
Il y a des chiens, il y a des chiennes)

Lemieux eut tout le temps de méditer la leçon, car son corps douloureux l'empêcha de dormir. Le plus étonnant, c'est qu'on n'avait pas cherché à le tuer. Carlos ou ses gens l'avaient surpris à rôder, mais ils devaient ignorer qu'il avait vu Omara. Ou encore, Carlos ne voulait sûrement pas avoir sur les bras la mort d'un touriste étranger. Ses hommes l'avaient passé au hachoir à viande, davantage pour l'avertir que pour l'éliminer. Une forte dose d'antidouleur et d'humilité le guérirait de cette mésaventure.

En ce lendemain matin, l'orage s'était calmé. Le gros de la tempête avait évité Santiago. De lourds nuages couvraient encore la ville, chassés par un vent constant qui libérait l'atmosphère de la pollution automobile. L'animation avait repris dans les rues. Lemieux quitta l'appartement vers midi, après avoir fait ses bagages. Il évita la terrasse où il s'attablait auparavant avec Alicia. Il acheta plutôt une bière et des frites à un kiosque de poulet frit. Assis en retrait, il ne fut pas importuné. Seul un gamin lui tendit la main pour avoir une pièce. Lemieux le regarda s'éloigner en gambadant, tout heureux d'avoir obtenu le carton de frites. Puis, pour la première fois depuis des années, il s'arrêta à un kiosque et il acheta des cigarettes, un paquet de Populares sans filtre, ainsi qu'un briquet.

Il rongeait son frein, en tâtant son visage tuméfié. Il n'avait plus rien à faire ici. Sa décision de partir était prise, depuis l'enlèvement d'Alicia. Il avait confirmé sa place. Il ne restait qu'une journée à son séjour à Cuba, car son départ était prévu dans la nuit du vendredi au samedi, sur un vol de nuit. Il était toujours possible d'aller libérer Omara, en brisant la chaîne avec un outil adéquat. Mais si le bruit alertait les policiers? Et si cela réussissait, que faire ensuite? Serait-elle retracée? Pouvait-elle se faire oublier? Il était impossible pour Lemieux de la cacher ou de quitter Cuba avec elle. Que faire, alors? Il pouvait encore alerter une organisation humanitaire. L'ancien policier eut un rire cynique. Tous ses plans se heurtaient à un mur. Mais il avait l'intention de saluer Carlos avant son départ.

L'enquêteur passa la journée à supputer ses chances d'en savoir plus sur Omara et même sur Alicia, ainsi qu'à estimer les risques d'un retour au El Ranchon. Il ne pouvait que compter sur sa relative immunité d'étranger. Il devait éviter de se dissimuler et, au contraire, s'afficher. En après-midi, il opta pour la visite du cimetière Santa Ifigenia, situé près du port, ce qui le rapprochait de son but. À la fin de la journée, il assista à la relève de la garde devant le mausolée de José Marti. Les détonations des salves lui arrachèrent des frissons. Il marcha longtemps, sur l'avenue Jesús Menendes, parmi une foule bigarrée où chacun le dévisageait.

Il attendit la tombée du jour, assis sur un banc avec une jeune femme accompagnée de sa petite fille. La mère et l'enfant ne bougeaient pas. Il y avait de la dignité dans leur posture. Lemieux n'essaya pas d'engager la conversation. Il pensait à Alicia qui avait un enfant. Le temps passa sans qu'aucun des trois bouge. L'enfant, à peine appuyée sur sa mère, était d'un calme étonnant. La petite posait des questions auxquelles sa maman répondait d'une voix chantonnante. Lydia avait-elle fait la même chose avec sa fille, Omara, il y a des années ? La fillette observa à haute voix qu'il y avait un drôle de monsieur sur le banc. La mère répondit à sa fille de ne pas pointer les gens avec le doigt. Quand elles partirent, la jeune fille regarda longuement l'étranger en s'éloignant, la tête tournée vers l'arrière.

— Je vous avais dit de ne plus revenir ici, cria Carlos en se dirigeant vers Lemieux.

La porte du El Ranchon ne laissait qu'une mince ouverture, comme une meurtrière, pour seule entrée. Tout comme la fois précédente, Christian s'était fait refuser l'entrée par un imposant gardien. Il vit Carlos s'approcher en titubant, visiblement éméché.

— Je viens vous annoncer mon départ, cria l'enquêteur. Je quitte Santiago dès demain. Terminé. Je croyais que ça vous ferait plaisir.

— En effet, c'est une bonne nouvelle ! Ça change tout ! Entrez donc, je donne une petite fête privée. D'ailleurs, vous serez en pays de connaissance.

La sono déchaînée crachait du hip-hop, et de jeunes danseuses se déhanchaient sauvagement, entourées d'une faune de travestis et de bellâtres machos. En retrait de ce carnaval, un groupe d'hommes buvaient de la bière en reluquant les filles. Pendant un instant, Lemieux hésita, voulant fuir cet univers décadent. Mais c'est Carlos qui prévint son geste en l'entraînant vers les tables et en le conduisant vers le groupe. Lemieux réussit à masquer sa surprise quand il reconnut Omara, assise entre deux taupins. Elle portait les mêmes vêtements que la veille. À son cou, un ruban de tissu noir orné d'une pierre bleue masquait la marque du collier de fer.

— Je vous présente la personne que vous cherchiez depuis longtemps. Voici Omara Valdez, monsieur Lemieux.

Lemieux resta interdit, sans même tendre la main. Il inclina la tête.

— Comme cela, poursuivit Carlos, vous pourrez dire que vous l'avez trouvée. Et vous pourrez témoigner qu'elle se porte bien. Peut-être vous connaissez-vous déjà ?

Carlos surveillait attentivement les réactions d'Omara et de Lemieux.

— Ne restez pas là, planté ainsi. Vous prendrez bien une bière, dit Carlos.

Lemieux, qui n'avait pas desserré les dents, sortit alors le paquet de cigarettes de sa poche et en offrit une à Omara. Il reçut un timide sourire en guise de remerciements. Dans un geste, il en prit une et tendit le briquet. Était-ce par réaction au stress ou pour envoyer un signe de complicité à la jeune Cubaine ? Il ne savait trop pourquoi il agissait ainsi. La première bouffée révolta ses bronches et ses poumons. La sensation d'étourdissement fut intense. Il s'en voulut de tenter le diable, son propre démon intérieur, car il réveillait en lui une vieille dépendance et de pénibles souvenirs. Mais le bref éclair de reconnaissance dans les yeux d'Omara l'assurait qu'il avait bien fait.

Carlos mit un bras autour du cou de Lemieux. Il parlait d'une voix empâtée.

— On m'a dit que vous vous intéressiez à la *santeria*, monsieur Lemieux. Voulez-vous savoir qui est mon *orisha* ?

Lemieux gardait toujours un silence poli pour éviter de provoquer Carlos.

— Vous devez sûrement penser que c'est Changó, le dieu

du feu et de l'éclair. Tous les Cubains veulent l'avoir comme protecteur. Mais dans mon cas, vous vous trompez. Le mien, c'est *san* Lazaro, saint Lazare.

Lemieux se garda bien de tout commentaire.

— *San* Lazaro, le guérisseur, quel beau personnage, s'exclama Carlos.

— C'est un lépreux, répliqua Lemieux.

— Bien joué, monsieur Lemieux. Mais Babalu Ayé connaît les moindres replis de l'âme humaine et, surtout, sa laideur. Il connaît nos faiblesses, nos penchants, nos maladies. C'est pourquoi il apparaît comme un lépreux. Il connaît le mal.

Lemieux ne savait plus si c'étaient les propos de Carlos, la fumée de la cigarette ou la peur qui lui faisaient ainsi battre le cœur.

— *San* Lazaro est un *orisha* majeur, monsieur Lemieux. Comme lui, j'adore jouer un rôle important. Les gens que vous voyez autour de moi, je les fais grandir, évoluer, monter très haut. Et, clac! C'est moi qui les dresse. Ils m'écoutent comme les chiens de *san* Lazaro.

Lemieux fut incapable de se taire.

— Vous devriez plutôt vous occuper du chenil du poste de police.

— Ne vous en faites pas, je les soigne aussi très bien, ricana Carlos.

Lemieux en avait assez entendu.

— Avec votre permission, Carlos, pourrais-je inviter Omara à danser?

— Mais si! Qu'on fasse jouer *Bésame, mucho*, ordonna Carlos. *Como si fuera esta noche la ultima vez.*

— Ouais, comme si cette nuit était la dernière, grommela Lemieux.

Dès les premiers accords, Omara se colla à lui. Elle était faible et tremblante, et Christian devait la supporter. Leurs deux corps étaient en sueur, malgré la fraîcheur du soir.

— Comment se fait-il que tu sois sortie ?

— Il lui arrive parfois de m'amener ici. Discrètement. Il ferme alors le bar.

— Personne ne te reconnaît dans la rue ?

— Les gens lui sont acquis. Personne ne parle. Tout le monde le suit. Mieux encore, ils montent la garde.

Dans un éclair, Lemieux revit les toits des maisons de la calle Jota, patrouillés chaque nuit par des molosses.

— Cours. Va chez ta mère. Elle habite juste à côté.

— Tu as vu les gardiens ? Je serais vite reprise.

— Mais pourquoi es-tu attachée ?

— Il me traite comme son animal de compagnie.

Dans un souvenir foudroyant, Lemieux revit l'image de *san* Lazaro entouré de chiens qui lèchent les plaies du saint.

— Pourquoi te laisses-tu faire comme ça ?

— Carlos me drogue.

— Ça ne se peut pas, c'est un cauchemar !

— Tu ne peux rien pour moi. Il a fait de moi sa chienne.

Dans un flash, tout se mit en place dans l'esprit de Lemieux. Des images dévastatrices se bousculaient dans sa tête. Les chiens sur les toits. Ceux de *san* Lazaro. Ceux du poste de police. La cellule, le collier, la chaîne et les gamelles par terre. Et, surtout, le studio d'enregistrement.

« Pas avec des bêtes », se questionna Lemieux.

Le cerveau en feu et le cœur palpitant, Lemieux revint avec Omara à la table de Carlos. Il espérait en vain que se calme sa pression artérielle, mais le sang lui battait aux tempes. Les images continuaient d'affluer. Carlos entraînant Omara dans le sous-sol du poste de police et faisant entrer ses chiens. Omara, droguée et soumise. Carlos en train de filmer l'assaut sur la jeune femme. Carlos, véritable lèpre vivante avec sa meute de soudoyés et de drogués, avec sa production et son commerce de films d'horreurs.

C'est ce dernier qui alla au comptoir du bar et qui revint avec une nouvelle tournée de bière. Il titubait encore plus, à l'image de son saint claudiquant. Il déposa les bouteilles avec bruit. Lemieux sursauta et alluma une nouvelle cigarette pour calmer son anxiété. Omara gardait les yeux obstinément fixés au sol. Tous restaient immobiles, insensibles à la musique qui avait repris de façon trépidante. C'est Lemieux qui rompit le silence.

— Carlos, pourriez-vous au moins me dire ce qui est arrivé à mon amie, Alicia ?

— Votre chère petite amie ? Nous l'avons simplement retirée de la circulation. Disons qu'elle est partie en voyage de formation. Un petit peu de reprogrammation révolutionnaire ne lui fera pas de tort. Vous savez, elle nous a déjà rendu de grands services, dont celui de vous tenir occupé. C'est une jeune femme qui a beaucoup de talent, comme vous avez pu le constater.

Lemieux eut le tournis. Apprendre qu'Alicia était une collaboratrice de la police ne constituait pas une surprise. Mais se le faire confirmer par le dangereux Carlos le troublait. Il savait pourtant qu'Alicia avait bien joué son jeu. Elle l'avait guidé sans trop se compromettre.

— Où est-elle ?

— En ce moment, elle est à La Havane. Mais les gens des affaires étrangères s'intéressent à elle. Elle deviendra peut-être agente de bord ou agente de voyages à l'étranger. Mais vous posez encore trop de questions, reprit Carlos. Savez-vous pourquoi vous êtes encore en vie malgré votre curiosité, monsieur Lemieux ?

— Je suis sans doute protégé par mon *orisha* personnel.

— Très spirituel. Mais savez-vous pourquoi je ne me débarrasse pas de vous ?

— Ce serait évidemment facile de provoquer un accident d'auto ou de me jeter à l'eau.

Carlos ne releva pas l'allusion, mais poursuivit.

— Pour ne pas faire une tache sur l'image du pays avec votre sale bouille.

— Je me sens vraiment béni des dieux... ou béni par le gouvernement cubain et son dollar convertible. Ce ne serait sûrement pas la même chose si j'étais un dissident ou un opposant.

— Vous êtes rien qu'une mouche, pour moi. Je pourrais vous écraser d'un geste de la main.

Carlos se leva et donna le signal du départ.

— Nous partons. Nous avons mieux à faire.

Lemieux fit mine de se lever. Carlos devint mielleux.

— Non, non, je vous en prie. C'est nous qui partons. Vous, profitez de votre dernière soirée de vacances. La nuit cubaine est à vous.

Carlos fit un geste vers Omara. Ils quittèrent les lieux, entourés de quatre gardes du corps. La jeune femme n'eut même pas un regard pour Christian. Celui-ci ne resta pas longtemps à la table, sous l'abri de la terrasse. Il se leva et se dirigea vers le bord de l'eau, pour tenter de calmer sa nervosité devant le spectacle de la baie de Santiago. Un long mugissement de corne de bateau résonna. Lemieux regardait les bateaux de pêche ballotter dans les eaux fangeuses. Ce qui aurait pu être un paysage admirable lui apparaissait comme un cloaque. Avec la main, il essuya la sueur qui perlait sur son crâne. Tout est foutu, tout est bousillé et je ne peux rien faire, se dit-il. L'étreignait encore plus fermement que jamais cette impression d'être manipulé depuis le début. Son séjour n'avait été qu'une suite de passages obligés devant des postes de contrôle, à la merci des chauffeurs, des prostituées, des voisins, tous jouant un double jeu, lui souriant pour mieux l'approcher, l'approchant pour mieux le cerner, le servant pour mieux l'espionner.

Lemieux sentait sa respiration s'accélérer malgré sa volonté. Le lieu même l'oppressait. Son cerveau s'emballait. La lourdeur des eaux brunes semblait l'aspirer. En pensée, il vit des bandes de pirates d'antan aborder la rive sur des barques de fortune et attaquer les fortifications de la tranchée. Il revit ces mêmes barques, chargées cette fois d'exilés cubains, épuisés et dépossédés, qui partaient à la recherche de leur liberté, à la dérive dans ces mêmes eaux sales. Un pirate, il en avait rencontré un, ce soir, et cet événement n'avait rien du romantisme du passé. Il imaginait Carlos sur son bateau en haute mer, en train de trafiquer de la drogue, des cassettes pornographiques et même de la chair humaine. Et lui, Lemieux, n'était qu'un exilé, incapable de comprendre la violence de ce monde, avec la peur au ventre et les poumons en feu.

Il devait revenir vers le poste de police pour trouver une voiture sur le boulevard plus fréquenté qui longe le port. En croisant la petite maison, la cellule d'Omara, il vit que la barre de fer n'était pas en place sur la porte. Il nota aussi que l'intérieur du poste de police était vivement éclairé. Il passa sans s'arrêter. Au moment de traverser vers la petite fontaine, il entendit une voix d'homme crier. Le son provenait de la cour, à l'arrière du poste de police. Instinctivement, l'enquêteur se mit à courir, remontant la rue

Lostejada. Il longea le côté du bâtiment de police et parvint
à la haute porte de fer, d'une hauteur de trois mètres, qui
fermait la cour. Au même instant, un projecteur s'alluma
avec un claquement sec. En contre-jour, par le mince inters-
tice entre les deux battants de la porte de fer, Lemieux vit
une forme humaine courir vers la grille. Omara vint se buter
à la porte. Leurs visages se touchaient presque. Les yeux
dilatés, le souffle court, elle ne pouvait que gémir. Dans cette
lumière forte qui l'aveuglait, le détective distingua la silhouette de Carlos et de ses gardes, debout sur un petit
balcon de fer au fond de la cour du poste de police. Le projecteur s'éteignit.

Dans un sifflement strident, Carlos appela ses chiens.
Trois puissantes bêtes, des rottweilers mêlés de berger alle-
mand, firent irruption et s'élancèrent vers Omara. Carlos
cria à la Cubaine qu'elle avait trop parlé et qu'il devait sévir.
Comme un empereur dirigeant les jeux du cirque, il livrait
Omara en pâture aux chiens. Et il savait très bien qu'il avait
un spectateur.

Lemieux recula de quelques pas, contemplant la haute
porte infranchissable. Il regarda à gauche et à droite, comme
s'il cherchait du secours. La rue était étrangement déserte.
Mû par une impulsion soudaine, il se mit à courir avec une
force décuplée par la peur. Il s'élança le long de l'avenue
Lostejada jusqu'au prochain coin de rue, à l'angle de la
Trocha. Son corps endolori par la raclée de la veille le vril-
lait de douleur. Il atteignit la maison de Luis, le propriétaire
de la vieille Peugeot. Sans aucune hésitation, il fracassa le
vieux cadenas de la porte du garage, à l'aide d'une grosse
pierre, sans se soucier du bruit qu'il faisait. Le cochon dans
son enclos lança des cris à réveiller le voisinage. Mais
Lemieux avait déjà agrippé ce qu'il cherchait. Il sortit du

garage avec un bidon d'essence dans chaque main. Il descendit la Trocha vers la mer, passa devant le El Ranchon et tourna à droite sur General La Era. « Ma bande de chiens sales », jura-t-il. Les membres douloureux, l'estomac noué, il courut de façon désarticulée en direction du poste de police. Il s'engouffra à toute vitesse dans la petite maison et descendit au sous-sol. Il y épandit l'essence d'un bidon dans le studio avec de grands gestes. Il remonta à reculons, vidant le deuxième bidon. Il finit de le déverser sur le matelas d'Omara. Il alluma un papier gras avec son briquet et le jeta devant lui.

Pendant ce temps, Carlos faisait durer son plaisir. Les trois chiens entouraient Omara qui s'était repliée en position fœtale au bas de la porte de fer. L'un d'eux la reniflait et tentait de la monter sans succès. Comme elle était vêtue, le chien ne pouvait la pénétrer. La deuxième bête la mordillait au cou pour la soumettre. Un peu en retrait, la troisième léchait son pénis qui était sorti de son fourreau. Les grondements des bêtes se faisaient de plus en plus menaçants. Carlos les haranguait, sans les lancer encore à l'attaque. Soudain, l'alerte fut sonnée. Carlos et sa garde se précipitèrent à l'intérieur du poste.

Surpris par le départ du maître, les chiens restèrent un instant interdits. Au même moment, Lemieux hurla : « Omara ! » Celle-ci se dirigea où venait l'appel, à l'angle de la grille et du bâtiment de police. Les molosses s'avancèrent vers elle en grondant. Christian était déjà monté sur le capot d'une voiture. Il atteignit le toit de l'auto et sauta. Il réussit à s'agripper à la clôture et à grimper. Il cria à Omara de monter. Mais le passage était bloqué par des barils de pétrole vides qui occupaient l'angle de la cour. Elle en fit rouler deux, pour dégager l'accès à la clôture, ce qui ralentit les chiens. Elle grimpa sur l'un des barils et saisit la main de Lemieux, maintenant assis à cheval sur la clôture. Il réussit à la hisser hors de la portée des bêtes passées en mode d'attaque. Elle parvint au haut de la porte, malgré le saut des brutes qui cherchaient à l'atteindre. Elle se laissa glisser et retomba lourdement dans la rue. Une vilaine morsure lui ouvrait un mollet.

Le saut de l'ancien policier fut moins heureux. Il se foula la cheville droite sur les pavés inégaux.

— Venez, dit-il en grimaçant.

Christian la prit par la taille, heureux de la sentir bien vivante contre lui. Ils partirent ainsi enlacés, lui claudiquant, elle l'aidant à marcher malgré sa propre blessure, sous les aboiements rageurs des bêtes frustrées. Les sirènes des pompiers résonnaient déjà au loin.

Il était une heure du matin quand ils entrèrent dans la maison de Lydia. L'arrivée d'Omara plongea la famille dans la confusion totale. Tout le monde criait. La grand-mère, l'oncle et sa femme, le frère et la sœur et Lydia entouraient Omara, certains pleurant et d'autres la pressant de questions. Lemieux tenta de rétablir l'ordre. Il hurla plus fort que tout le monde pour avoir leur attention.

— Vous n'avez que quelques minutes pour lui faire quitter la ville. Trouvez une voiture. Vite, ça presse. Le quartier va être bouclé.

Pendant que la famille s'activait, Omara demanda à Lemieux de la suivre. Dans l'étroit conduit servant de passage entre les maisons, près du cagibi des toilettes communes.

— Que la Vierge de la charité te protège toujours, lui dit-elle.

Elle l'embrassa et disparut, escortée par deux hommes de la famille.

Le temps pressait aussi pour Christian, car son avion partait à cinq heures du matin. Ses bagages étaient déjà bouclés et l'attendaient calle Jota. Il espérait seulement que l'incendie occupe la police assez longtemps pour qu'Omara et lui ne soient pas inquiétés pendant les prochaines heures. Le feu faisait rage, à en juger par la lueur au-dessus des maisons et l'agitation du quartier. Dans l'attroupement des curieux, le frère d'Omara trouva un jeune avec une petite moto pour ramener Lemieux à son appartement. Les amortisseurs de l'engin grincèrent quand le détective prit place sur la selle. La moto trop légère pétaradait et peinait en remontant la Trocha. À chaque changement de vitesse, Christian avait l'impression que l'engin allait reculer. Et qu'il serait replongé dans le cauchemar.

Dans son appartement, les panneaux obstruant les fenêtres avaient été retirés. Il prit ses valises, maintenant légères, et franchit difficilement les quelques rues le séparant de l'hôtel Santiago. Il trouva un taxi officiel, une voiture japonaise dernier modèle, et demanda qu'on le conduise à l'aéroport. Le chauffeur emprunta un trajet inhabituel. Plutôt que de traverser le centre-ville, le taxi s'engagea sur un chemin désert qui semblait à l'opposé de la route de l'aéroport. Pourquoi ne passait-il pas par Santiago ? Lemieux redouta le pire. Carlos était-il déjà à ses trousses ? Lemieux savait que les taxis sont en communication avec la police. Il réussit à contenir ses émotions, sa peur, sa paranoïa. Il fit semblant de dormir, tout en surveillant le chauffeur du coin de l'œil. Il ne fut rassuré que lorsque celui-ci s'engagea sur une bretelle de l'autoroute, menant à l'aéroport. Ce dernier avait tout simplement choisi un trajet d'évitement pour ne pas traverser le centre-ville.

À l'aéroport, après de longues minutes au comptoir

d'enregistrement, Lemieux fit ensuite la file pour acquitter les taxes d'aéroport et franchir les contrôles douaniers. Ces attentes répétées le vidèrent de ce qui lui restait d'énergie. La douanière qui procédait aux dernières vérifications de ses papiers agissait avec lenteur. La femme noire, sévère dans son uniforme militaire, tourna chaque page du nouveau passeport de Lemieux, sans rien trouver d'autre que des pages vierges de tout tampon. Elle examina scrupuleusement sa photo et son billet d'avion. Avant de lui remettre ses papiers, elle le regarda. Elle fixa sur lui des yeux noirs, inquisiteurs. Elle le tint ainsi sous son regard intense et le transperça d'une réprobation muette. Lemieux eut l'impression qu'elle lisait en lui et qu'elle connaissait les moindres détails de son voyage. Il tremblait de tous ses membres, certain d'être intercepté.

Il franchit pourtant les derniers contrôles sans encombre et il alla se réfugier au bar au fond de la salle d'attente. Les deux barmen oisifs l'accueillirent avec de larges sourires. Même à cette heure de la nuit, la chaîne stéréo crachait à fort volume les derniers refrains à la mode. Les deux hommes se déhanchaient de façon obscène en lançant des regards complices à leur seul spectateur. La chanson frappa particulièrement Lemieux. Accompagné de percussions africaines, un chœur de jeunes filles répétait inlassablement : *¡Que calor, que calor tengo!*

Le spectacle improvisé des barmen tournait au guignol. Lemieux se prit la tête entre les mains. Le miroir du bar lui renvoyait l'image d'un touriste sexuel passablement amoché par des nuits de fiesta. Christian applaudit en dérision et commanda une autre bière. Il laissa l'ivresse et le sommeil le gagner. Son imagination commençait à lui jouer des tours. Il vit s'animer une affiche de bière, la Lagarto, fixée au mur du bar. Elle représentait un lézard coiffé d'un sombrero, dressé sur ses deux pattes arrière et jouant des maracas. L'animal était debout sur un monticule rocheux d'une teinte cuivrée, et veiné de rouge sang. Sa bouche était ouverte. Ce lézard-là chantait, dansait et jouait de la musique. À demi éveillé, Lemieux rêva qu'il était sur un bateau discothèque, amarré à un quai. L'embarcation tanguait sous les pas des danseurs qui s'agitaient de façon frénétique. Autour de lui, les couples enlacés mimaient les gestes de l'accouplement. Des femmes à moitié nues chantaient, frappaient dans leurs mains et se trémoussaient, comme autant de déesses en délire. Omara s'approchait et lui montrait une langue épaisse et large, une langue rose, comme l'avait fait autrefois Alicia. Soudain, toutes les lumières s'allumaient sur le bateau. Des policiers faisaient leur entrée et s'emparaient d'Omara. Aussitôt les policiers repartis, la fête reprenait de plus belle. On annonça l'embarquement.

Épilogue

« Mi vida lucerito sin vela
No me haga sufrir mas »
MANU CHAO, *Mi vida*

(Ma vie petite lueur sans voile
Ne me fait pas souffrir davantage.)

Par ce beau et froid dimanche de la fin du mois d'octobre, Lemieux avait enfourché sa moto avec l'intention d'oublier. Vêtu de cuir, ganté et casqué, il avait longé le fleuve à la hauteur de l'arrondissement de Lachine et roulait sur la rue Saint-Joseph. Il bifurqua en direction du parc René-Lévesque, une presqu'île qui s'avance dans le Saint-Laurent. Il contourna un port de plaisance et chemina à petite vitesse. Après avoir stationné sa moto, il marcha jusqu'à l'extrémité du parc. À sa gauche, le fleuve roulait des eaux plombées. À sa droite, sur la rive nord, l'alignement des vieilles demeures du quartier composait un paisible paysage dominé par une imposante église et un vieux couvent.

Depuis un mois, la devise morale de la petite déesse noire, la Vierge de la charité du cuivre, la sainte patronne des Cubains, résonnait encore dans son esprit : intégration, réconciliation, libération. Tout au long de sa balade, malgré le vrombissement régulier du moteur de la Royal Hendfield, sa mémoire sonore avait pris le dessus. Comme si son casque de motard était devenu un casque d'écoute, il réentendait tout son voyage, sans pouvoir arrêter le défilement de cette bande sonore.

De la mélopée du crieur de légumes aux psalmodies des

récitantes de la *santeria*… Des cris des enfants dans la rue aux appels des mères dans les cuisines… Du grincement des freins d'un vélo triporteur au fracas des roues de fer des charrettes sur les pavés… Du *hola* sonore d'une belle inconnue au trompeur *amigo* lancé par un vendeur… Du tapage distordu du hip-hop s'échappant des voitures au doux sifflotement d'un vieux boléro par un inconnu invisible… De la pétarade des camions lâchant des jets de fumée noire aux sons lointains d'un tambour portés par le vent… Du chant des coqs dans les jardins à l'indicatif musical des actualités télévisées… Du vacarme des trombes de pluie sur les toits de tôle au chant cascadant du riz versé dans un cul-de-poule… Des soupirs d'Alicia sous les caresses aux aboiements rageurs des chiens se jetant sur Omara… Tous ces cris, ces mots et ces chants se fondaient les uns aux autres et s'enchaînaient pour former la trame de son voyage.

Pour Lemieux, c'était le seul moyen tangible d'intégrer ce passé, d'en cerner tous les aspects, des plus douloureux aux plus tendres, des plus joyeux aux plus horrifiants.

Mais comment réconcilier le non-dit et la vérité, l'amour et le tourisme sexuel, la prostitution et la spiritualité, quand la prostituée se révèle une prêtresse ? Alicia lui avait fait découvrir l'unité sous les plus flagrantes contradictions. Elle avait soulevé le voile sur sa personne, sur son esprit et sur son âme. La profondeur de cette révélation était telle que tout l'être de Lemieux s'en trouvait aujourd'hui transformé. Dans cette rencontre, il avait touché la dimension religieuse de l'existence. S'il savait depuis toujours que la vie n'est qu'un souffle, il reconnaissait maintenant que le moindre mouvement dans les herbes est la respiration même de la vie. Mais n'était-ce qu'une illusion romantique, pendant que dans l'Univers…

Non, ce n'était pas une illusion, selon Christian. Alicia et sa croyance l'avaient réconcilié, un tant soit peu, avec lui-même. Il avait pris un chemin nouveau avec cette Cubaine. Malgré son absence, le désir, les sentiments et la pensée de Lemieux étaient centrés sur elle. Elle avait fait naître en lui la présence de l'amour, de cet amour qui pose une couronne de beauté sur le monde. Où était-elle aujourd'hui ?

Mais comment concilier l'avilissement que les Cubains subissent au quotidien et le besoin de liberté inscrit au plus profond d'eux-mêmes ? Le rationnement des vivres dans la rue et les banquets offerts dans les stations touristiques ? L'éducation qui donne la parole à tous et la négation de la liberté d'expression ? Le système de santé tant louangé et l'absence des médicaments les plus communs ? Les grands idéaux révolutionnaires et la domination du dollar ? Et les deux dictatures complices, celle du gouvernement communiste, celle de l'embargo américain ? Lemieux avait été confronté à ces questions grâce à Mercedes et à Leonardo. Il était incapable de leur donner la moindre réponse. Les inconnues des équations du pouvoir lui échappaient toujours.

Il ne pouvait que constater la dégradation du monde aux prises avec les pires infestations : la corruption, la drogue, la prostitution et la pornographie. À Cuba, il n'avait pu qu'assister, impuissant et troublé, à la manifestation de ces tumeurs, à leur gargouillement organique. Lemieux s'y connaissait pourtant en tumeur. Cancer du poumon à quarante-deux ans. Ablation du lobe du poumon droit. Pas de chimio, pas de radio, mais beaucoup de dommages collatéraux. C'est à ce moment que tout avait commencé à se déglinguer, et que ses amours, ainsi que son travail, s'étaient peu à peu gangrenés. Comme si le cancer, après avoir rongé son corps, s'en prenait ensuite à l'environnement de sa vie. Il avait alors pris conscience du paradoxal mélange d'espoir et de colère, de beauté et d'horreur, qui nourrit l'existence humaine, et du sens de la difficulté de vivre. Aujourd'hui, ce sentiment d'être en pleine contradiction était plus criant encore. Comme si le cancer se répandait dans le monde et s'attaquait à la dignité humaine.

Intégration, peut-être. Réconciliation, difficile. Libération ? Lemieux avait l'impression d'avoir échoué dans sa mission. De plus, même son client n'avait pas attendu son retour pour mourir. Il s'était éteint doucement, anesthésié par de fortes doses de morphine, deux jours avant son retour. Le client mort, le sujet de l'enquête encore en danger.

Selon le notaire du client, Omara était l'une des bénéficiaires du testament et recevrait une forte somme d'argent. Christian imaginait mal comment la remise pouvait s'effectuer, rapidement et secrètement. Le notaire affirma que l'argent serait apporté par des passeurs, dès la saison touristique d'hiver qui commençait bientôt. Avec la complicité d'un ami voyagiste, l'argent serait remis par tranches à la mère d'Omara par des touristes bénévoles. « Un transfert au noir, comme tout ce qui se fait à Cuba », pensa Lemieux. Mais Omara était en danger immédiat. Avait-elle réussi à gagner les montagnes de la sierra Maestra, comme son illustre prédécesseur barbu ? Pouvait-elle s'y cacher, avec la complicité de certains paysans, d'ici à ce qu'elle touche l'argent ? Il savait que ces dollars pouvaient assurer sa sécurité et sa protection, car tout s'achète à Cuba. Elle pourrait même quitter l'île. Les chiens de Carlos devaient être sur sa trace. Lemieux avait pressé le notaire d'agir, sans entrer dans les détails. Il avait empoché la deuxième tranche de quinze mille dollars et il avait remis les renseignements obtenus de

Lydia. Cependant, il avait conservé son carnet de voyage.

S'il s'inquiétait moins du sort d'Alicia, Lemieux ressentait cruellement sa disparition. Elle ne semblait pas en danger, mais il n'avait aucun moyen de le savoir. Être privé de sa complicité et de sa tendresse, de son humour et de son intelligence le blessait. Elle lui avait ouvert le monde des sentiments. Puis, elle avait disparu de l'horizon de sa vie comme un rêve interdit. Il gardait un espoir secret. Il invoquait la puissance de magicienne d'Alicia et l'implorait de se manifester. Qui sait ?

Le soleil déclinait, découpant à contre-jour la silhouette des maisons sur la rive. Il alluma une des dernières cigarettes cubaines, car il avait gardé le paquet de Populares. Il en fumait une de temps à autre, avec un rare sentiment de culpabilité. Par défi aussi. Même sensation d'étourdissement. Même oppression à la hauteur des poumons. Même brûlure au niveau des bronches. Avec un sentiment de danger en plus. Comme lorsqu'il était devant Carlos dos Santos. Dans les volutes de la fumée, il revoyait la figure du policier véreux. Lemieux aurait aimé lui réserver un vrai chien de sa chienne. Encore une fois, il avait fait trop peu, trop tard. Il n'avait fait que brandir un peu de feu pour éloigner la bête.

D'une chiquenaude, il fit voler la cigarette qui plongea dans les eaux froides du fleuve. Il jeta rageusement le paquet de cigarettes dans le courant. En face, du carillon de l'imposante église Saint-Joseph, retentit l'angélus du soir. Dans un lent crescendo, le son glissait sur l'eau et enveloppait tout sur son passage. Il imposait son vibrant appel au retour à la maison ou en soi. Puis, le tintement s'espaça. Il s'éteignit progressivement, porté par l'écho. Lemieux écouta la longue agonie des notes liquides.

Remerciements

L'auteur tient à remercier les quatre premiers lecteurs de ce récit qui, par leurs conseils, ont aidé à la rédaction de ce roman. Ce sont Christian Bélanger, Yves Desharnais, René Flageole et Denis Malo. Il désire aussi témoigner sa plus vive reconnaissance à son éditrice, Marie-Ève Laroche.

L'auteur tient enfin à exprimer sa gratitude à Lucie Bérubé, qui a gracieusement permis l'utilisation d'un extrait de l'un de ses poèmes pour le prêter au personnage d'Alicia. Seule une femme peut écrire de tels mots, les porter dans son cœur et les offrir... en partant.